VIRGINIA

EMMANUELLE FAVIER

VIRGINIA

roman

ALBIN MICHEL

Photographies

Page 9 : Virginia derrière Julia et Leslie Stephen lisant, 1893 (Courtesy of Smith College Special Collections, Northampton, Massachusetts).

Page 141 : Adrian, Thoby, Vanessa et Virginia Stephen, avec leur chien Shag (Courtesy of the Harvard Theatre Collection, Houghton Library).

Page 297 : Virginia et Adrian jouant au cricket, c. 1886 (détail) (Courtesy of Smith College Special Collections, Northampton, Massachusetts).

À Laurent

Aux grandes sœurs qu'on se choisit

I

Les éphémères

« L'eau claire ;
comme le sel des larmes d'enfance. »

Arthur Rimbaud, « Mémoire »

« L'écrivain n'est jamais que le nègre
de l'enfant qui a déjà tout vu. »

Georges Perros, *Papiers collés*, II

« Ce sera l'Enfance ;
mais il ne faut pas que ce soit *mon* enfance. »

Virginia Woolf, *Journal* du 23 juin 1929

Le temps présent

Virginia Stephen, dont nous seuls savons qu'elle deviendra Virginia Woolf – nous qui savons tout ce qui suit, la langue liquide, la légende, l'amour tronqué et pourtant le plus grand bonheur possible, le succès, les craintes et les pages et les pages et les masses d'eau sans fond, l'eau médiévale et barbare –

Adeline Virginia Alexandra Stephen, dite AVS, dite Ginia ou Ginny ou miss Jan ou Janet ou encore Viginea ; dite la chèvre – the Goat ou Billy Goat ou Capra ou il Giotto ou Goatus voire Goatus Esq. – dite Sparroy – drôle de moineau – ou le Singe ou tout autre animal qu'elle jugera bon d'incarner, à ce stade contentons-nous de Virginia –

Virginia, donc, est assise dans un fauteuil à oreilles au centre d'une pièce remplie de livres, de photographies et d'objets acquérant peu à peu le statut de reliques d'être ainsi couvés de son regard, baignés de son souffle. Songeuse, elle contemple son admirable main ; elle tient une cigarette, ou peut-être un petit cigare. Virginia ne craint ni la chaleur, ni les rages de l'hiver – elle songe.

(Nous qui la regardons depuis notre temps présent, coincés dans l'image immortelle de ce que l'on appelle

Virginia Woolf, dans cette incarnation de la littérature avec toutes ses reliques, ses guenilles, ses colifichets et babioles, tous ces petits morceaux de littérature que l'on insère en mandorle après les avoir puisés dans les quelques icônes disponibles, dans les reflets verts d'une poire en cristal ou dans le poids de cailloux au fond d'une grande poche, nous qui la regardons devons accepter le flou, accepter de la voir s'échapper à chaque instant, disparaître de la pièce désormais vide comme une salle de musée. Nous devons prendre acte de l'impressionnisme de notre regard, accepter notre incapacité à faire le point. Nous devons tolérer le craquement que fait en nous cette incapacité quand elle entre en collision avec notre souci de la vérité.)

Elle songe à ce qu'est le temps présent, au fait que tout procède d'une brume, expire en un halo, au fait que les êtres meurent de vivre sans y songer. Elle songe qu'il y a partout des histoires et qu'il est impossible et vain de les raconter. Elle songe à l'eau qui peut mettre trois semaines à digérer un corps.

Elle songe et, un œil fixé sur elle de peur qu'elle ne s'échappe, à notre tour nous songeons : qu'est-ce au juste que le temps présent ? Est-ce le nôtre, ou est-ce le sien ? et comment diable pourrait-on bien le connaître, si c'était le nôtre ? et qu'est-ce que ce *nous* ? Nous, c'est seulement ce qui parle dans le temps où il y a quelqu'un pour nous écouter. Nous, qui couvons les reliques de notre regard présent, qui regardons les photos jaunies ou les archives de la British Pathé, nous qui déchiffrons les fac-similés, refaisons les trajets mythiques et méditons devant les fantômes des petits morceaux de littérature.

Le temps présent ne se digère pas.

1875

Il pleut, c'est novembre. La toute fin de novembre. De là où nous sommes, qui est aujourd'hui – mais qu'est-ce que le temps présent au juste, etc. –, la vue n'est pas très bonne. Nous observons ces figures du passé comme depuis l'autre bout d'un tunnel au fond duquel elles rient, passent, s'agitent et sentent les mouvements de leur âme. Il pleut, et sur les trottoirs brouillés la pluie obstine ses coups d'épingle épars, les fiacres en passant font des bruits de vague et les fumées d'échappement des rares automobiles se mêlent à la brume matinale, aux nuages d'en bas, à la poussière grasse et au cri des mouettes. Soudain, quelque chose s'anime au centre de l'image, dans l'uniformité de la grisaille trempée : les bras éperdument tendus devant lui, les poings bizarrement serrés, un homme s'extrait, théâtral, du cœur des deux mamelons que font les bow-windows éclairés. Éploré, le visage de l'homme est un masque de mort.

Au même instant passe une femme. Elle reconnaît l'homme de loin, ils sont voisins, tout le monde se devant d'habiter ce même quartier de Kensington. Il vit sur Southwell Gardens, elle demeure au 13, Hyde Park Gate, à dix minutes de là. Ils se sont croisés de nombreuses fois par le passé, toujours fugitivement, timidement. Elle l'a lu, elle l'estime, mais on ne peut pas dire – s'il est possible de dire quoi que ce soit à ce stade confus de l'histoire – qu'ils soient intimes. Elle connaît mieux l'épouse, à qui elle a rendu visite la veille : eux alors étaient gais, elle comme toujours était triste. Elle reconnaît l'homme de loin mais surtout elle reconnaît le masque sur le visage de l'homme, c'est le même que celui dont elle échoue à se défaire.

Elle est veuve depuis cinq ans, il est veuf depuis une heure.

La femme se dirige vers l'homme. Il est grand, maigre et voûté, elle se tient droite et flotte un peu. D'où nous sommes, l'angle de vue reste peu idéal, mais nous voyons sans conteste les bras de la femme se refermer autour de l'homme. Il vient de perdre son épouse, celle qui lui permettait de faire honorablement sa place dans le monde et qui, d'après ce que nous pouvons en discerner, attendait leur second enfant. Il devait fêter ses quarante-trois ans le soir même avec elle. Il décide à cet instant qu'il ne fêtera plus jamais son anniversaire. Sa mère est morte au début de l'année, et voilà que son épouse à son tour disparaît ; Leslie – c'est le prénom de l'homme –, Leslie désormais est seul. Ne lui reste que :

> l'obligation de continuer à faire sa place dans le monde sans le soutien de l'amour ;
>
> sa fille de cinq ans, Laura, dont il commence à douter qu'elle puisse satisfaire aux espérances placées en elle ;
>
> une maison qui regorge de souvenirs piquants.

C'est tout cela, encombré de son désespoir, qu'il recroqueville dans les bras de la femme. Nous pouvons voir la longue barbe un peu rousse, le très grand front, le crâne superbe, les joues creuses où rigolent pluie et larmes ; précisant la focale nous devinons même que sous les sourcils épais les yeux sont petits, bleu myosotis, que le nez est pointu et la bouche un peu molle.

Julia – c'est le prénom de la femme qui vient à lui en ce matin de novembre –, Julia est extrêmement belle. Leslie n'est pas en mesure d'y songer pour le moment, bien que cela ne lui ait pas échappé par le passé et qu'aujourd'hui même demeurent, derrière la terreur et le tragique, la rémanence de la visite qu'elle leur a faite la veille, à lui et à son épouse alors bien vivante, et la remarque qu'il s'était faite sur sa beauté pâle. Julia est belle d'une beauté ahurissante, dérangeante, ou écrasante selon qu'on est homme, femme, ou fille. Cette aura de madone avait fait gonfler le cœur de feu Herbert Duckworth, son premier mari. Herbert le gentleman idéal – tendre avec les femmes, magnanime avec les hommes, chevaleresque avec les domestiques –, le héros tennysonien par excellence, dont le cœur cinq ans plus tôt avait éclaté sous l'effet de la beauté de Julia.

(Ici aurait pu prendre place une scène qui eût été frappante : on eût vu le bel Herbert allonger le bras vers une branche de figuier, visant la poche sucrée, violette et lourde, imaginant déjà les dents superbes de Julia mordre et se couvrir de graines rouges et de suc blanc. Il tend le bras et tout lâche, crève et exulte, cœur et fruit. Nous qui avons un peu de recul savons que les vies possibles sont des ramifications du figuier, qu'elles se cachent en soi et y pourrissent ou y croissent, y crèvent ou y mûrissent selon qu'on tend la main vers un fruit ou l'autre. Nous ne pouvons pas ne pas songer qu'en choisissant une autre figue, Herbert n'eût pas succombé et que tout eût été différent, le temps présent ne serait pas le même, nous n'en parlerions pas.)

Herbert le héros tennysonien cinq ans plus tôt est tombé. Et il ne s'est pas relevé, laissant Julia veuve après trois années à peine de mariage, privée de figue mais nantie :

d'une tombe où s'étendre pour pleurer, radeau de pierre où gémir en son naufrage ;

de trois enfants, ou presque – le dernier en cours, malcommode à étendre sur la tombe ;

d'une maison gorgée de souvenirs crochus et d'une vocation de sœur de charité ;

de son aura.

Cette aura qui aujourd'hui entrouvre une porte microscopique dans le brouillard de ténèbres où Leslie Stephen, fils de sir James Stephen, haut fonctionnaire de l'État britannique, se débat depuis l'aube, depuis que son épouse Minny Stephen, née Harriet Marian Thackeray, fille du célèbre auteur de *La Foire aux Vanités*, s'est éteinte des suites d'une brève convulsion nocturne. Il pleut, c'est novembre, une porte s'entrouvre où quelques feuilles mortes en tombant s'engouffrent.

1878-1887

Trois ans ont passé. La vue est un peu meilleure, quoique sépia grené. Le soleil maigrelet de mars donne sur des chapeaux, des sourires, des membres de familles qui se mêlent : c'est un mariage. Les veufs sur le point de convoler, que quatorze ans séparent, ont pour ces vœux renouvelés moins d'entrain que la première fois, mais davantage de paix à l'âme. Au moins ils savent ce qu'ils se donnent : un bras secourable.

Après que le crêpe sur les vêtements de Leslie s'est usé et que le mauve a remplacé le noir ; après que Leslie s'est rapproché de Julia en emménageant au numéro 11 de l'impasse de Hyde Park Gate ; après trois ans d'une amitié grandissante, progressivement devenue cour mêlée de chagrin et de consolation, puis chaste parodie d'un amour impossible, Julia a dit oui. Elle a accepté de revenir à la surface, de s'extraire du lac de souffrance où elle se débat depuis huit ans. Elle a accepté de tenter de vivre, espérant que la pitié se transformerait lentement en amour, y croyant, le faisant croire à Leslie.

Un soir de janvier, au moment où il s'apprêtait à prendre congé, elle a levé sur lui ses yeux admirables et d'une voix pâle et ferme, incontestable, lui a soufflé qu'elle s'efforcerait d'être une bonne épouse pour lui, répondant par le bon sens à la passion juvénile, presque de la vénération, qu'éprouve l'homme mûr pour sa beauté de sainte. Elle a laissé derrière elle les amoureux de jeunesse, les peintres et les sculpteurs qui n'auront plus qu'à épouser de blêmes copies d'elle-même. Elle a laissé dans l'ombre, jamais tout à fait disparu, le sourire du héros tennysonien. Assis sur une branche de figuier, Herbert est là, discret et taquin – et sous la branche, c'est aujourd'hui une noce frissonnant dans mars.

Tout le monde est présent, car ce n'est pas rien que ce couple-là, ce mariage-là. Une éminente famille victorienne est en train de se recomposer. Même les Cameron sont venus – Mr Cameron avec sa longue chevelure neigeuse et indisciplinée, Mrs Cameron et son despotique appareil photo. Julia Margaret Cameron, une des six tantes de la mariée, est une pionnière exubérante et maniaque de la photographie, obsédée par ce qu'elle considère comme la beauté et, pour la capturer, tyrannisant ses innombrables et éminents sujets, exaltant à coup de nitrate subtilement exposé la célébrité des hommes et la beauté des femmes – l'inverse est impensable. De l'authentique Tennyson à l'illustre Thomas Carlyle, de Julia à l'époque où elle était encore Duckworth à, car tout est lié dans cet incestueux marigot, Minny Thackeray dix ans avant sa mort, elle les a tous photographiés.

Les Cameron sont venus, malgré les espoirs que Julia Margaret avait fondés sur le remariage de sa nièce Julia avec son propre gendre, veuf de sa fille unique Julia – le manque d'imagination en matière de prénoms nous égare dans l'arbre généalogique, il faut s'y résoudre, hélas. Les Cameron sont là, quoique sur le point de repartir pour l'Inde, soigneusement munis de leurs cercueils : on ne sait jamais, les Indiens pourraient les laisser pourrir dans la terre ou sur les braises d'un bûcher mal éteint. Mais aujourd'hui c'est noce, et nous saurons nous retenir de parler de ces choses-là. Bien que sur le visage des épousés eux-mêmes reste quelque chose du masque funèbre qu'ils portaient l'année précédente, lors du mariage d'Anny Thackeray, la sœur de Minny. Alors plus veufs que fiancés, Leslie et Julia faisaient de bien sombres témoins. Julia surtout, sur le regard de qui continue de flotter un crêpe, un voile léger mais résistant qui ombre le monde.

Tout le monde est là, même les mânes de Minny et de Herbert qui lancent des pétales – elle en pleurant, lui en riant : c'est leur manière à chacun, ce qui rend le second plus difficile à faire taire que la première. Car il y a l'amour parfait, accompli, celui de la figue, celui qui n'existera plus. Leslie le sait et s'efforce de n'y pas penser. Il doit aussi faire effort – moins – pour oublier Minny et le fait que, de sept années sa cadette, elle n'aurait pas dû le précéder ainsi dans la mort. Elle lui avait même sauvé la vie plus d'une fois, son instinct d'épouse l'écartant d'une fatale promenade en montagne ou d'un mauvais présage. Mais la mélancolie est un viatique plus efficace que la bonté instinctive, et l'éminent victorien en dispose à revendre.

Leslie quitte le 11 et s'installe deux portes plus loin. La demeure où Julia vivait jusque-là seule avec ses trois enfants est terrée au fond d'un cul-de-sac, dans le quartier chic près du parc, ce terrible Kensington familial avec ses raideurs de prison marmoréenne. (Ceux d'entre nous qui, pèlerins dérisoires tâchant de saisir quelque chose de ces raideurs, poussent le vice jusqu'à y pénétrer un siècle plus tard avec une appréhension de clandestin, se demandent même s'ils ont bien le droit d'être là, parmi les voitures de luxe, les emplacements réservés à la diplomatie, les drapeaux d'ambassade et les gardes du corps qui font le guet.)

Dans la maison où pénètre Leslie, les souvenirs crochus de l'amour parfait, ancien, sont serrés avec soin ; on ne s'en débarrassera pas, autant se faire à l'idée, et Leslie, déjà soulagé d'avoir pu laisser derrière lui ses souvenirs piquants, l'accepte sans broncher. Dans une malle, dans un cagibi, dans un secret débarras, ici ou là papiers et lettres palpitent de leurs petites pinces nostalgiques, toujours prêts à sauter au visage de qui oserait ouvrir la malle ou le débarras en question. Ils dégagent cette odeur spéciale, rassurante et délétère, du souvenir d'un bonheur tué dans l'œuf. Car dans les placards de la demeure que découvre Leslie, Herbert a caché plus d'un tour, chapeau, pièce de costume ou perruque. Sans parler des enfants de Julia où il est tout entier, les garçons surtout : George l'aîné est son portrait vif et Gerald le petit s'y essaie. Née entre les deux, Stella charrie quant à elle le reflet pâle de sa Mère partout où elle va.

Minny en revanche n'est presque nulle part : Leslie avait moins convolé avec elle qu'avec l'image fantasmée de son beau-père. Il ne l'apporte donc pas dans sa nouvelle vie – quelques lettres, vite remisées dans un coffret de bois sur le manteau de la cheminée du bureau, ou un moulage en plâtre des mains de la défunte, dissimulé à la vue de Leslie qui trouve ces natures mortes plutôt sinistres, dignes d'un cabinet des curieux davantage que d'un autel à la sainteté. Minny n'est pas même dans sa fille Laura, *l'autre*, qu'elle aussi l'on escamote autant que possible. La voix de la maison, puisque toutes les maisons ont des voix, dit de se méfier des souvenirs, qu'ils soient piquants ou crochus ce sont de dangereuses et inflammables matières, mais personne ne l'écoute.

Mais ni la voix des murs, ni le regard tennysonien, ni les souvenirs n'empêchent l'Empire de faire son devoir, d'autant plus que contrairement aux usages Julia et Leslie font chambre commune : bientôt la couvée première, malgré qu'elle en ait, s'agrandit. Vanessa en naissant tente d'être loyale dès son premier souffle, puisqu'elle entre en scène le 30 mai, date anniversaire de Stella – le biographe en Leslie, bien que prétendant ne pas retenir les dates, ne saurait s'abstenir de noter la coïncidence ; le biographe en nous en tout cas ne s'abstient pas. L'année d'après naît Thoby, qui tient son shakespearien prénom d'un oncle adoré de Julia, disparu quelques mois avant le remariage. Voici la couvée portée à six ; on aimerait s'en tenir là, le ménage sans être dans le besoin n'est pas tout à fait riche. Un an passe, où nul autre enfant ne naît au couple.

Mais dès les premiers jours de 1882, Julia ayant près de trente-six ans et Leslie venant de toucher aux quarante-neuf, Adeline Virginia Alexandra fait son entrée – une semaine tout juste avant James Joyce : ne nous abstenons pas décidément d'aimer les dates et ce qu'elles révèlent. Vue d'ici, la naissance se dérobe. On n'est pas à l'heure de filmer, hélas. Si la vieille tante géniale et despotique n'avait trépassé en saluant la beauté du ciel avec force superlatifs et mouvements de châles ceylanais trois ans avant la naissance d'Adeline Virginia Alexandra, sans doute aurait-elle obligé le réticent nourrisson à prendre la pose. Mais elle n'est plus là et nous, qui en savons beaucoup et aimerions en savoir davantage, ne pouvons entrer dans la chambre de naissance pour y remédier.

Nous savons du moins que l'on ne baptise pas l'enfant, pas plus que l'on n'avait baptisé Thoby et Vanessa. On lui donne pour viatiques un parrain poète et ambassadeur, ainsi que les prénoms de Virginia

comme l'une des splendides tantes de Julia

d'Adeline

comme la sœur aînée de Julia, décédée pendant la grossesse, ajoutant une épaisseur au voile de crêpe ; comme une autre de ses splendides tantes ; mais surtout comme sa grand-mère française, née de L'Étang, mère de la photographe superlative et source présumée de la beauté des femmes dans cette famille

et d'Alexandra

comme la reine danoise devenue princesse de Galles.

Notre vue est certes encore trop sépia laiteux pour être bonne, mais elle est panoramique : au moment où l'eau baptismale ne tombe pas sur le front de l'enfant, un poète humilié fait feu sur la reine Victoria, celle-ci tirant de l'épisode une gloire renouvelée – c'est la huitième tentative d'assassinat sur la souveraine. Le poète est maîtrisé à coups de parapluie, la royauté demeure victorieuse, et sec le front d'Adeline Virginia Alexandra Stephen.

C'est sur une scène bien encombrée qu'entre Adeline Virginia Alexandra – que l'on commence à appeler Ginia, on n'a pas le temps de toutes les syllabes avec une telle nichée. Déplions la couvée pour plus de clarté : le second pli comprend pour l'heure Vanessa et Thoby, donc. Au creux du premier pli il y a les enfants de la figue, les Duckworth : George et Gerald, deux caractériels qui ne savent pas où donner de la virilité ; et Stella, qui ressemble tellement à Julia que cette dernière ne la supporte plus.

Il y a aussi, du premier lit de Leslie, la petite Laura Stephen – attardons-nous ici : nous aurons peu l'occasion de la revoir, et regardant les photos nous sommes saisis d'une pitié sincère quoique fugace. Laura l'attardée mentale, l'enfant prématurée et prématurément problématique, la piaulante, la perverse balbutiante dont la bouche est aussi incapable de parler que de manger, la pauvrette infamante. La mort de sa mère Minny alors qu'elle n'a que cinq ans, les crises de rage du Père désespérant de lui apprendre à lire, le chagrin de sa tante Anny, qui l'a prise en charge pour pallier tant cette mort que cette rage, et la nouvelle vie dont on veut d'autant plus la rejeter qu'elle rappelle l'échec de la précédente – tout cela s'écrase dans sa gorge et ses yeux, la faisant plus balbutiante, plus infamante encore. On avait pourtant placé tant d'espoirs en elle, comme il est d'usage dans ces familles. Mais les gènes ont parlé, de quelque branche de l'arbre que provienne leur altération. Et se voir privée des soins constants de sa mère, à quoi s'ajoutent quelques angoisses très *fin de siècle*, a fini de rendre fatal le destin de Laura.

Des enfants, il en est donc de toutes parts, si bien qu'on se perd facilement au milieu de cette couvée. Dans le fracas du nid victorien au remplissage duquel Leslie et Julia ont œuvré avec tant de persévérance, le pouvoir d'être soi palpite bien faiblement. Et c'est sans compter les enfants pauvres, les anonymes qu'il faut aider, envers qui sainte Julia a développé au fil de son veuvage l'amour d'une reine pour les mendiants.

Cet amour qui justifie l'existence de celui qui l'éprouve. Cet amour issu peut-être de son enfance à Calcutta – Julia est née en Inde comme Thackeray, c'est le chic colonial de l'époque – et qui la fait porter en courant, dans tous les galetas de Londres comme dans les plus misérables taudis de Cornouailles, des colis mal empaquetés de papier brun où sont serrés bas couleur puce ou biscuits secs, tous assez solides et épais pour tenir à la jambe ou au ventre de l'enfant pauvre. Difficile de prendre la mesure d'un amour maternel ainsi dispensé à tous les vents.

D'autant plus qu'au moment où, par la magie des desiderata cadastraux, le 13, Hyde Park Gate devient le 22 et sous ce numéro s'apprête à entrer dans l'Histoire, la portée des *ragamice* – c'est le surnom de rongeurs dont Leslie affuble les petits – se parachève avec l'arrivée d'Adrian. Le prénom du petit dernier renvoie à un colonel régicide du XVIIe siècle, dont le sang vaguement coule dans les veines de la lignée. Avec lui les acteurs sont au complet. Ginia, pas même deux ans, poupon rosé joufflu tout dentelles et velours, voit alors les yeux de Julia pour la première fois se détourner. Elle découvre que l'on ne possède rien d'autre que soi-même, et surtout pas l'amour maternel. On aura beau tambouriner pour avoir son repas à la table de la nurserie, on ne sera plus jamais la première servie.

Elle observe, petit menton levé d'incompréhension, la conspiration des mères, celle du silence, des biberons impeccables, de l'hygiène irréprochable, du lait et des odeurs douceâtres qui ne lui sont plus destinées. Ginia observe la passion obsédée des mères pour les petits derniers, inceste tout aussi palpable, quoique d'une autre nature, que la tendresse privilégiée, tendue, que les mères portent à leur fils aîné. La mère, ce versant d'une pente qui toujours oriente côté fils. De même que George, à quinze ans, est le maître des émotions de Julia, Adrian à l'autre bout de la couvée est l'objet de toutes ses attentions. Il en devient, pauvre chérubin, le préféré de sa Mère, et donc le moins aimé de ses frères et sœurs.

Revenons, en ouvrant lentement la focale, à cette année de la naissance, 1882. Nous savons que cet été-là est le premier passé à St. Ives – nous y retournerons plus longuement, sans faute, car c'est essentiel ; mais nous voyons bien que seuls quelques embruns et bruits de vagues parviennent au nourrisson Ginia, et même si cela commence de teindre la couleur du sang, ce ne sont encore qu'impressions sourdes, amniotiques, qui infusent son être et que nous ne distinguons guère parmi les autres brumes de la prime enfance.

Nous savons aussi qu'en novembre, Leslie ayant abandonné le *Cornhill Magazine* prend en charge l'édition du *Dictionary of National Biography*, ce qui l'installe définitivement dans le monde des lettres mais n'est pas sans influencer fâcheusement sa santé mentale et physique – sans parler de son tempérament aussi distrait que nerveux. Nous savons qu'il publie son traité sur la science de l'éthique et achève sa biographie de Jonathan Swift, tandis qu'est promulguée la loi permettant aux femmes mariées de posséder des biens en propre, tandis que meurent Anthony Trollope, un des derniers grands victoriens, ainsi que Dante Gabriel Rossetti et Charles Darwin – Darwin que Julia Margaret Cameron a bien sûr pris en photo en son temps, et dont le fils est proche de Leslie. En contrepartie de ces disparitions naissent Stravinsky, Braque ou, à ce qui est encore l'autre bout du monde, le grand haïkiste Taneda Santoka. Un panoramique à l'échelle planétaire en dit parfois plus long qu'un petit bout de lorgnette ; les historiens savent le prix de ces butées calendaires, dates de naissance et de mort, dates de parution, coïncidences épocales. Nous n'y dérogeons pas, il faut bien mettre un peu de biographie dans la vie, parler bretelles, goûts alimentaires et dates, tout en évitant de produire des figures de cire.

Quant aux années suivantes, celles de l'informe, de l'inarticulé, nous n'en savons pas grand-chose sinon quelques bribes éparses qui font le terreau où pousse Ginia. Nous savons que peu après la mort de Karl Marx et la naissance d'Adrian, en 1883, Julia publie un recueil d'indications à l'usage des infirmières, inspiré par ses interminables brasses dans les courants de la charité. C'est dans l'ordre, chacun dans la famille joue sa partition littéraire, et la tessiture de Julia est celle de la bienfaisance envers autrui, de préférence faible ou opprimé. Elle écrit aussi d'édifiantes historiettes destinées aux enfants – c'est tout autant dans l'ordre –, de petits contes fort moraux mettant en scène ours, chats, cochons, singes ou perroquets aux côtés de gamins terribles ou bien intentionnés, des fables pleines de bons sentiments que teinte son humour pragmatique et intègre.

Nous savons qu'en 1884 la mort de Jane Lushington, grande amie de Julia, ajoute provisoirement à la couvée les trois minois des filles Lushington de Kensington Square, dont celui de l'aînée, Kitty, imprime durablement ses reflets gracieux dans l'imagination de Ginia, parfois jusqu'à l'obsession. C'est donc cela, la beauté, se dit le tout petit enfant devant l'adolescente.

Nous savons qu'en 1885, alors que Leslie achève une biographie de Henry Fawcett et que le volapük s'internationalise, Ginia commence à parler – c'est un peu tard et d'abord laborieux, on s'inquiète un instant en pensant au babil distordu et honteux de Laura, serait-ce dans les gènes, pitié, pourvu que non, on a placé tant d'espoirs en elle – parrain poète, Père éminent, etc. –, faites que ce ne soit pas – mais très vite cela change : Ginia, bien que sa voix demeure rentrée, a bientôt plus de facilité que quiconque avec les mots. Elle goûte de plus en plus leur pouvoir, leur donne des couleurs – blanc caillou, jaune soir –, les accroche aux murs de la nurserie.

Nous savons qu'en 1886 Ginia exprime ses premiers talents dans l'art du cricket, une photographie en témoigne qui la montre en gardienne des plus concentrées, visage encore poupon mais membres déjà longs plantés derrière le guichet, attendant avec une anxiété résignée la balle qu'inévitablement Adrian laissera passer tant il glousse – on verrait presque s'agiter sa batte. Stella sûrement prend la photo, hors champ nous imaginons Vanessa en train d'asticoter Thoby, qui s'apprête à lancer une balle sans la moindre bienveillance. Les fils aînés surveillent, tandis que

Laura est laissée à la charge de la nurse allemande pour cesser de faire honte. Nous savons aussi que cette année-là Julia réussit l'un de ses coups de maîtresse ès mariages arrangés – occasion de laisser un peu d'elle-même sur cette terre – en unissant sa nièce favorite, Florence Fisher, à un ami de Leslie.

Nous savons qu'en 1887, peu après que la reine a célébré son jubilé d'or, meurt le père de Julia, le bon docteur Jackson. À ce médecin un peu fade, qui a sans doute eu son heure de gloire en Inde, Julia n'aura offert que l'amour dû au respect et à la bonté. Sa passion de fille a toujours été à sa mère, dont elle s'occupe avec une sainte patience depuis tant d'années qu'elle est malade ; la mort du père ne change donc pas grand-chose. Si ce n'est que Julia doit abandonner son exigeant mari pour s'occuper à temps plein de sa tout aussi exigeante génitrice. Impotente, emmitouflée dans ses châles, ses inquiétudes, ses hypocondries et ses bons sentiments – sans oublier le plaisir, si commun aux dames emmitouflées, de ressasser les malheurs des autres pour mieux parler des siens propres –, Maria Jackson est l'image vivante quoique fanée de la lignée de femmes belles qu'a produite la famille maternelle de Ginia.

Ces femmes se transmettent, outre la beauté des traits :

une vision du couple inspirée par les textes de Coventry Patmore, le poète des convenances, qui est aussi le fils de cœur de Maria puisque tout se tient dans le marigot ;

une morale victorienne à toute épreuve ;

une répugnance face au monde mêlée d'un désir violent de s'y plonger, d'en dévorer les signes d'amour.

L'adoration que Julia porte à sa mère, nous la voyons dans ce portrait des deux femmes – une photographie est décidément un abîme de sens qui vaut mille mots : la fille regardant sa mère, qui elle-même regarde le sol, la joue écrasée dans une main pliée selon un angle bizarre, main qu'elle ne veut pas davantage tendre vers son enfant que son regard. L'autre main de la mère, tout aussi inaccessible, tient un livre qu'elle ne lit pas, engloutie qu'elle est dans sa beauté disparue dont elle ne veut pas reconnaître la persistance dans sa fille. Les mères sont terriblement capables de ces reproductions du mal.

Tenons-nous-en à ces quelques lambeaux pourpres de biographie, qui ne font pas vraiment vie. Ces mois, ces années se perdent à nos yeux trop distants dans un flou, une brume plus artistique encore que celles qui ombrent les photos de la vieille Cameron. Ce qui est certain c'est qu'à chaque instant de ces années-là, *pater* et *mater familias* font leur devoir selon ce que leur conscience leur dicte, c'est qu'à chaque automne les feuilles elles aussi font leur devoir et tombent.

1888

Les feuilles frémissent sur la branche, le soleil échoue à en diffuser l'or cliquetant dans les rues grises. C'est septembre, Ginia a six ans. On sort quelque peu du sépia, le noir et blanc se précise lentement, plus moderne et plus cru. Elle est dans le train, assise sur les genoux de sa Mère qui a contenu les excès de sa beauté dans une robe noire à fleurs violettes et rouges, des anémones peut-être, de grosses fleurs en tout cas et qui flamboient. La femme et l'enfant font un triangle violet, un peu flou à nos yeux qui voient de loin. Les beaux yeux de la Mère se ferment à demi, ses paupières font un battement de sainte dans le roulis de la rame. L'enfant est épuisée par leur journée, leur trajet, ses six ans, et s'endort à moitié dans les douceurs molles du tissu et des chairs maternels.

Parfois un sursaut du train ouvre grand ses yeux et, en faisant un effort d'ajustement, il nous est loisible d'apercevoir dans sa pupille le reflet des autres voyageurs, ces humains que tout en somnolant, le visage enfoui, elle observe comme étant à la fois des étrangers et ses frères d'espèce, les rassurantes variations du moi humain, les millions de Mr Smith et de Mrs Brown. Elle ne sait que faire de ce bien-être qu'elle éprouve à se voir entourée de ses semblables, ces êtres qui paraissent occuper tout juste la place qui est la leur, qu'on leur a désignée comme telle, et qui leur permet de former la belle et bonne réalité. Pas plus qu'elle ne sait que faire de la minuscule fêlure dans ce bien-être, de cette faille microscopique qui fissure la pupille, celle que nous pourrions deviner si nous nous penchions encore un peu plus.

Les yeux dans le reflet desquels nous tentons de regarder le monde d'alors ont une couleur multiple. Ils vont du vert au noir en passant par le bleu. Soudain une vision surgit qui n'a plus rien à voir avec le train ou avec Mrs Brown, chapeau noir et souliers bruns ou l'inverse, encore moins avec les chairs maternelles. L'enfant voit, l'espace d'un instant, se profiler l'image d'un château, d'un drapeau rouge et de chevaliers rouges de même, d'un rocher noir assailli. L'enfance autorise ces apparitions brutales, qui dans l'œil d'un adulte deviennent des démences. Peu à peu le rouge s'apaise et s'étale, le rocher et les cavaliers s'effacent, et de nouveau ce sont les fleurs de la robe. À ce moment-là quelque chose pique l'enfant ; Julia écarte la tête frêle de sa broche, qu'elle détache et serre dans son réticule. Les mères ont de ces prévenances désinvoltes, cruciales.

Ginia, elle, est bien trop occupée à recevoir les sensations extérieures. Le monde la colonise en images morcelées qu'elle ne songe pas à assembler. Elle les accueille comme de violents moments d'être, une succession désordonnée de coups portés sur le bronze d'un gong. Des chocs qui sont dans l'ordre des choses, dans l'ordre du monde délimité de l'enfance, et qui ont bien le temps de perdre leur résonance pour se transformer en simples lambeaux de mémoire. La main de Julia s'est rapprochée du visage petit. Son œil aspiré par l'opale laiteuse de la bague, qui accroche la lumière déclinante en faibles échos, l'enfant s'assoupit. Elle a confiance, elle est sur les genoux de sa Mère, le monde est bon. Les mots sont encore à peu près superflus, et leur absence ajourne l'entrée au monde. Le silence de l'enfance est un sursis : elle ne sait rien de la saleté ou de la bassesse, de la mesquinerie des femmes et des hommes, elle ne sait rien du mal. Elle ne sait rien du danger de la ville et des menaces qui pèsent, elle ne sait rien des satyres qui attendent les petites filles près des boîtes aux lettres, rien de celui qui, à quelques vols de mouette de là, fait saigner le ventre des femmes dans Whitechapel – ces femmes immorales que Victoria soit dit en passant n'est pas fâchée de voir disparaître, mais c'est un autre sujet.

De retour à la maison, Julia va commander le dîner en cuisine. En même temps que Ginia nous la regardons s'éloigner, elle disparaît vers le sous-sol et ses mystères, nous interdisant de vérifier ce que les photos laissent soupçonner, à savoir qu'en peu de temps, et bien que conservant sa délétère beauté, Julia a vieilli. Ginia ne voit rien de tout cela, les enfants ne voient le visage de leurs parents que comme le reflet du leur, elle sait juste que sa Mère a été absorbée dans l'obscur de la cave et que, en dépit des présences qui remuent dans les étages, elle se sent bien seule au milieu du grand hall. Elle est trop petite pour lire la devise qui s'étale au-dessus de la cheminée et qui rappelle à chacun l'idée que tout éminent victorien est tenu de se faire d'un gentleman – tendre avec les femmes, magnanime avec les hommes, etc.

Elle regarde, sans oser s'y asseoir, le fauteuil haut et griffu, velours bois et or de l'entrée, et une angoisse la prend, soudain le nid cesse d'être nid, la haute et sombre maison de Hyde Park Gate lui apparaît comme ce qu'elle est : un lourd manoir. Soudain elle sent la mélancolie, l'obscurité et le silence de ces pièces éclairées à la bougie, ces innombrables pièces aux noires boiseries titianesques et aux murs tendus d'un papier peint portant le nom d'un poète, ces pièces bizarrement disposées qui communiquent par des portes en accordéon. Elle sent les pesanteurs du décor, massif, prévisible : lourds rideaux rouges, argenterie, marbre, porcelaines bleues devenues noires à force de pénombre, pendules – ah toutes ces pendules, la grande horloge dans le vestibule, la petite sur le palier, le tic-tac omniprésent qui vous interdit d'oublier un seul instant cela d'inéluctable vers quoi l'on se dirige –, draperies, portraits de famille si sombres que l'on n'en distingue presque plus les visages austères. Elle sent le parfum douceâtre des intérieurs anglais, excès de lessive et poussière, elle sent l'odeur de la moquette à motifs blasonnés qui couvre tout, depuis les couloirs jusqu'aux marches des escaliers, ne prévenant en rien leurs affreux grincements.

Elle sent le trouble de la surpopulation qui règne dans les deux nurseries – celle de la nuit et celle du jour – en haut du manoir, juste en dessous des chambres miteuses des domestiques. Elle sent les mystères du jardin à l'arrière avec son mur couvert de vigne vierge, les crocus – quelle désagréable appellation – que l'on plante fin septembre, au retour de Cornouailles. Elle sent le froissement gluant des limaces au-dehors, ces petits colombins orange vif que ses frères s'amusent à tuer quand vient le printemps, sous les encouragements de la cuisinière qui les a en horreur. Elle fixe la porte obscure par où a disparu sa Mère et sent la menace sourde de la cuisine au sous-sol – lieu insalubre et mythique, infernal et incompréhensible, où règne le double regard des ancêtres Pattle, qui terrifient les domestiques derrière leur couche craquelée de peinture à l'huile virant au noir dans le noir des bas-fonds.

Elle sursaute au bruit de la porte d'entrée qui s'ouvre. Voici le Père, brisant l'angoisse comme une flèche, la reportant à plus tard. Leslie entre et parle. Trop encombré de lui-même pour pouvoir faire preuve d'autodérision, timide et passionnant, Leslie est tout à fait dénué d'humour et d'imagination. Mais c'est un grand intellectuel, ce qui ne va pas sans un peu de ridicule : bottines superbes, front renfrogné et poings serrés, cravate effrangée, gilet mal boutonné – une dégaine qui n'appartient qu'à lui, qui tient du prophète hébreu amateur de clous. On reconnaît de loin sa silhouette – un Rimbaud par Delahaye –, celle d'un marcheur infatigable qui aurait aimé voyager, explorer les contrées lointaines, ne s'immobiliser qu'au moment d'atteindre l'extrémité d'une langue de terre rongée de sel rouge. Mais le moyen de dépasser les Cornouailles, avec tant de marmots dans ses jambes ?

Pourtant il donne ce qu'un père peut donner, un père débordé par l'excès de travail mais fier de superviser l'écriture de la première lettre officielle de Ginia. Trente-huit mots signature comprise, en lettres capitales articulées sur une feuille à l'adresse du bon parrain poète, James Russell Lowell. L'Américain, nanti des prestiges conjugués que confèrent de courageuses positions abolitionnistes, la maîtrise des pieds rimés et celle du mystère outre-Atlantique, suscite la jalousie de la couvée – notamment celle de Vanessa, qui elle a hérité du parrainage d'un crétin. Secrètement amoureux de Julia malgré leurs vingt-sept ans de différence, le poète fait des vers pour sa filleule, où il feint d'espérer qu'elle ressemblera à son Père. Il s'agit davantage de flatter Leslie pour lui faire oublier l'affection excessive portée à Julia que de remplir son devoir baptismal.

Le Père donc, en dépit de son éminence, prend sur son silence et sur le temps de l'étude pour s'occuper de sa progéniture. Il aime notamment découper à son attention diverses formes d'animaux en papier, semblables à ceux qu'il dessine inconsciemment dans les marges des livres ou de ses propres écrits, entre deux annotations : singes, ours, cerfs, éléphants, ânes, chouettes – tout le bestiaire y passe et surgit des longs doigts effilés de Leslie, qui y met un enthousiasme et une habileté surprenants. Les années qui le séparent de ses enfants alors s'effacent, il peut se déporter du rôle d'adulte où il répugne à siéger. Aussi, changer les humains en animaux rend le monde plus tolérable : cela vaut pour les surnoms de bestioles dont ils s'affublent les uns les autres – chèvre, vache, papillon ou dauphin – comme pour les jeux que Leslie destine à ses enfants, et à ses angoisses tout autant ; cela vaut pour les histoires qu'ils se racontent dans l'ombre moite de la nurserie comme pour celles que Julia invente pour eux.

Le soir, plutôt que de se perdre en bouts rimés et autres charades en action, occupations des temps, Leslie, soucieux des priorités de l'intellect, fait la lecture à toute la famille. C'est toujours lui qui tient le livre, conservant son autorité dans ce pouvoir qu'il détient sur les mots. Ginia n'est pas encore à l'âge où les petites filles arrachent les livres des mains de leur père pour lire seules, encore moins à celui de faire ses propres découvertes ; mais les pages enflammées, hilarantes, anticléricales d'*Ivanhoé* ou de *Quentin Durward* informent la pensée des enfants, au même titre que Stevenson ou Hughes, voire Alcott – l'irrésistible identification à l'une des filles du docteur March est un des rares tuteurs possibles pour les fillettes d'hommes cultivés. Leslie par ailleurs encourage ses enfants, garçons et filles, à préférer les personnages négatifs aux héros, c'est un humanisme comme un autre. Il leur fait également entendre nombre de poètes – qu'il met un point d'honneur à réciter de mémoire – plus ou moins liés aux premiers et derniers cercles familiaux.

Pendant ce temps la Mère tricote ; la lecture terminée, le Père se lève. Il se penche au-dessus de son épouse, lui donne un baiser, tend la main pour l'aider à se lever. Cette chorégraphie galante et désuète remonte à leur passé, celui des réceptions où ils se croisaient timidement, bien avant les mariages et les enfants à qui tout cela échappe. (La chorégraphie n'échappe cependant pas à George, qui n'est plus un enfant depuis longtemps. George ressemble furieusement à Herbert son père, il est beau tout autant quoique plus lourd – comme si les traits tennysoniens avaient été esquissés non à la plume mais au fusain – et c'est le fils adoré de Julia. Lui-même idolâtre sa Mère dont il sait être l'élu, étant l'aîné et l'image de l'amour même, celui qui sur son visage perpétue les traits du héros dont l'ombre pâle habite toujours la branche, seule à même de faire lever du sol les beaux yeux de Julia. Pour George, Leslie n'est guère qu'un succédané de l'amour, et la chorégraphie de plus en plus l'écœure.)

Profitons de cette charmante scène familiale, avec ce qu'elle recèle de sentiments tus et de convenances respectées, pour faire le compte : outre le couple et les huit enfants, sept servantes vivent au sous-sol de la maison noire et haute et étroite, ce qui monte à dix-sept le nombre d'habitants de la maison, voire dix-huit si l'on compte la mère Jackson, qui vit la plupart du temps à Hyde Park Gate depuis la mort de son mari. Mais l'on redescend à dix-sept si l'on considère que Laura vivote à la marge de cette nombreuse famille et que le trou que creuserait son absence, nous abstiendrions-nous de la compter, ne serait pas bien grand.

Emmurée dans un autisme bavard, Laura – l'autre, la dame du Lac, comme les cruels *ragamice* la surnomment, l'interdisant de bestiaire – jacasse tous azimuts pour le vide, exaspérant le flegme victorien. Son psittacisme jette de grandes brassées de lumière démente sur les hauts murs, les sombres tableaux. À la table familiale où elle n'a pas sa place, elle embarrasse chacun – même Julia qui, bien que se faisant fort d'accueillir le malheur avec plus d'entrain que la santé, sent son pouvoir achopper sur le bégaiement de souffrances trop anciennes. La coupe de la charité étant comble, on envoie la petite à la campagne. Son babil vagissant peut ainsi librement se disperser parmi les herbes en attendant que son cas fasse étude, avec mesure de la circonférence crânienne et analyse de l'hygiène dentaire à l'appui. À l'été bien sûr elle passe un peu de temps à St. Ives, on l'accueille avec chaleur car

Julia insiste, mais on ne va jamais la voir, à quoi cela pourrait-il donc servir.

Ginia de ces choses ne sait rien, le monde est encore plein de ces floutés doux des premiers âges. C'est l'été cornouaillais. Elle est dans le hall de la grande maison blanc et vert, jouant vaguement aux jeux mystérieux de l'enfance, aussi invisibles à l'œil adulte que l'insecte fantôme pourchassé par le chat. Elle est plongée dans des brumes montantes où choquent parfois les coups de gong, dont la résonance est vouée à durer. Voici Gerald. Elle est trop jeune, trop embrumée pour bien comprendre ce qu'il lui dit, mais il a l'air très heureux. Elle est heureuse qu'il soit heureux, ces joies brutes la rassurent. Et puis elle aime son demi-frère, il est beau et vigoureux quoique un peu gras, à près de dix-huit ans c'est déjà un homme fait.

Gerald la prend dans ses bras, la soulève et la pose juste à côté du gros bouquet de camélias – ce n'est pas la saison mais qu'importe –, sur la petite console près de la porte qui mène à la salle à manger. Patelin, il la flatte, ses cheveux de fillette sont doux, sa robe bien jolie, il a les mains chaudes et les coins de sa bouche se soulèvent drôlement quand il lui parle et sourit, l'air toujours aussi heureux, il la chatouille, elle se tortille, il la tient fort pour qu'elle ne tombe pas, elle se raidit, elle aimerait qu'il la laisse à présent, elle n'a plus envie d'être soulevée ni flattée, les brumes continuent de monter, le gong est assourdi, la main de Gerald glisse sous les jupons petits et entre les cuisses petites, la main explore le corps petit et Ginia a un peu mal, mais cela semble le rendre si heureux, cette violence douce qu'il lui fait, et l'on apprend très tôt que c'est le bonheur des frères qu'il faut vouloir. Le gros bouquet tremble un peu, de larges coupons ronds et veloutés tombent au sol en secousses tièdes. Gerald en sortant croise Julia qui revient de la salle à manger, n'a rien vu rien entendu, sans compter que – ouvrons la focale – Freud et Westermarck n'ont pas encore dit leur premier mot et que nous sommes tenus de nous taire.

Et ouvrant la focale libérons-nous dans le même geste du souci de vérité que la chronologie en sa tyrannie impose. Nous sommes un peu plus tôt, un peu plus tard, une nuit, en décembre peut-être. Julia émerge d'un rêve confus, un songe d'humeurs gluantes et d'onde charitable où une voix, depuis sa branche, continue de l'appeler dans son sommeil. Elle a été réveillée par un choc sourd, un bruit qui n'est ni celui d'une porte qui claque, ni celui d'une branche qui craque sous le poids de la nostalgie, ni même un coup de gong. C'est le bruit d'un corps tombé au sol, échappant au lit et à la chaleur de Julia. Elle allume la lampe et dans le brouillard du gaz et du sommeil voit que la place près d'elle est vide. Leslie victime d'une attaque gît dans la ruelle du lit.

Le professionnalisme de Julia, sa joie de soigner entrent en guerre avec la panique de voir se renouveler le cauchemar d'il y a dix-huit ans. Bien sûr son premier veuvage a émoussé le chagrin, ce ne serait pas aussi poignant car il n'y a plus grand-chose à poigner. Tout de même, la terreur affleure la vie comme le dos d'un monstre la surface d'un lac. Mais les réflexes sont ancrés, elle appelle à l'aide et exécute les gestes nécessaires, apotropaïques. Leslie s'éveille de son inconscience comme sous l'effet d'un baiser, illuminé par la grâce du corps qui se penche sur lui, presque désireux de s'évanouir à nouveau.

La chorégraphie galante trouve une nouvelle mythologie sainte à chérir, et tandis que l'on s'éloigne de la scène touchante, pudiquement notre œil panoramique se détourne et découvre le monde qui bruisse autour de l'impasse, autour de Kensington, Londres, l'Angleterre, notre œil voit se superposer maints éminents événements, de la mort de Charles Cros et de Louisa May Alcott – l'Américaine était née un jour seulement après Leslie, mais nous nous abstiendrons d'insister une nouvelle fois sur la coïncidence des dates – à la naissance de Katherine Mansfield et d'Henri Bosco, toutes lisières recouvertes par les feuilles qui dans leur valse fidèle continuent de tomber.

1889

Désœuvrée, Ginia observe les jeux du soleil sur le carrelage dans le hall, l'altération des couleurs au passage des nuages. Elle a sept ans, l'âge des tournants. Ce matin son Père lui a dit – comme si de rien n'était – la fatalité de l'humaine solitude, incrustant en elle, inconsolables car martelés trop tôt, la conscience et le refus simultané de cette solitude. La dépendance qui en résulte vis-à-vis d'autrui l'oblige dès cet instant à conquérir quiconque se révèle une source d'amour possible. À commencer par ses frères et sœurs. Ainsi le soir, dans la nurserie qu'elle partage avec les membres de la couvée et la nounou, Ginia pour faire rire et se faire aimer invente-t-elle toutes sortes d'histoires, des aventures mettant en scène les voisins, dont celle – répétée et développée soir après soir – où ils découvrent sous leur plancher des montagnes d'or avec lequel ils peuvent acheter des montagnes d'œufs au bacon, panacée alimentaire de tout bon petit Britannique.

Elle fait rire la couvée, de ce rire bête et profond de l'enfance qui est aussi de l'amour, jusqu'à l'extinction des feux. Le silence s'installe peu à peu, faisant monter les brumes, épaississant la flamme du foyer que l'on garde pour dormir et dont Ginia a peur. La nounou, diligente, a beau couvrir d'une serviette le pare-feu, les ombres n'en sont que plus tragiques. Le sommeil ne vient pas. Julia, dépêchée à son chevet fragile, essaie de l'endormir à grand renfort de pensée magique, de jolies choses voletant çà et là, de fadaises intemporelles, rien n'y fait. La solitude en se fichant dans sa conscience a tué l'insouciance. Le sentiment d'isolement se renforce du manque d'intimité, dans cette nurserie ils sont trop nombreux à dormir, à jouer, à prendre leur bain. L'atmosphère ronronnante, rassurante comme un cocon amniotique, est aussi un confinement malsain. Il suffit que l'un soit malade pour que tous le soient. Ils paient leur écot aux maladies infantiles par d'interminables séjours à Bath, *place-to-be* de la bonne société valétudinaire, où l'on vient prendre les eaux en un subtil et dérisoire ballet de rhumatismes et de goutte, de constipation et autres affections, chroniques ou non. De l'une de ces coqueluches, Ginia revient à jamais amincie par la conviction de son exil intérieur, ayant perdu bonne mine et joues rondes.

Une ombre, un tonnerre retenu, recouvre désormais les jeux des quatre petits. Certes Ginia est drôle, inventive, fait s'esclaffer chacun, mais elle inquiète aussi. Sous les fantaisies et l'ordonnancement inquestionné des jours d'enfance apparaissent les premières angoisses, la peur de sombrer, la terreur à l'idée de couler qui survient dès qu'elle s'allonge, le besoin de sentir sous la plante de ses pieds les barreaux du lit – trop mou, bien sûr, ah les terribles literies anglaises – pour être certaine qu'elle ne se noiera ni dans ses draps ni dans le sommeil. À l'horizontale comme à la verticale elle se tient raide, bras le long du corps. Elle n'ose pas mettre les mains derrière sa tête, de crainte d'exposer ses poignets aux veines apparentes. De même elle cache son cou sous le drap, qu'elle remonte jusqu'à son nez : si quelque monstre entrait, il lui trancherait certainement la gorge. Elle n'a pas décidé quelle était la pire – et donc la meilleure – façon de mourir, mais la question colore ses anxiétés vespérales.

Le jour est une délivrance. Elle joue, elle lit, elle dilue ses peurs dans la tentative de relation avec sa Mère. Julia justement rentre à l'instant d'une visite à ses malades, ses pauvres. Les enfants se pressent – Ginia est débordée par sa droite, par sa gauche – autour de la silhouette incolore. Nimbée d'un châle qu'elle porte en toutes saisons, la Mère nage dans la visqueuse et rassurante onde du devoir. Elle raconte, de sa voix ferme et pâle et triste même dans la gaieté, avec le talent mélancolique et l'humour qu'elle sait mettre à ses contes, une anecdote telle qu'elle en rapporte souvent de ses promenades de charité. En chemin, coupant par Hyde Park, elle a vu un homme courir derrière son cheval, les culottes couvertes de poussière et l'air furibond. Le cheval a manqué renverser un colley étourdiment libéré de sa laisse par une jeune fille. Toute la couvée, écoutant la voix sûre et douce de Julia, voit la scène et rit dans son sillage de grâce blonde.

(Nous savons que ce n'est pas cela qu'elle rapporte de ses bonnes œuvres ; mais les horreurs vues sont indicibles aux oreilles des petits, elles feraient en outre un contraste terrible avec le visage de madone, les rendant plus horrifiques encore.)

Ginia perçoit le voile de crêpe par-dessus la rétine de Julia qui, n'eût été son devoir de mère, aurait aimé après la mort de Herbert épouser une vie de couvent : se jeter à âme perdue dans la charité, les souffrances d'autrui, courir d'un bienfait à un autre, boulimiquement, douloureusement. Aujourd'hui pour compenser elle sillonne Londres, connaît le réseau des omnibus mieux que personne tant elle a d'agilité à passer d'un infirme à un vieillard, d'un enfant alité à une pauvresse, insoucieuse du sain et de l'épanoui.

Même si elle ne manque jamais au devoir qu'elle s'est fixé de satisfaire à chaque instant l'autre quel qu'il soit, c'est le malheur qui l'attire comme un aimant : les malades sont bien plus faciles à satisfaire que les bien-portants, et il y a toujours quelque part un cancer à soulager, un gamin à apaiser, qui permette de fuir son propre chagrin et de ne pas lever le nez vers la branche de figuier.

La couvée s'est dispersée, le calme revenu, Julia est passée au salon. Ginia est seule dans le hall, observant la fente de la porte entrebâillée où elle sait que l'amour palpite. Le miel de la tendresse maternelle l'attire, malgré la crainte de se le voir refuser. Elle s'approche doucement, pousse la porte, entre sans un bruit. Sa Mère est assise dans celui des fauteuils à oreilles – nous en comptons six – qui a sa préférence. Des divans – deux – entourent l'âtre et de hautes fenêtres – trois – donnent sur la rue. Elle a son châle toujours sur les épaules, à portée de frisson. Elle raccommode sa tenue pour le dîner, car ce soir on reçoit. C'est sa robe verte, celle que préfère Ginia. La sainte beauté de Julia vibre plus doucement, un peu apaisée, elle se relâche provisoirement dans la fragile solitude du salon. Des pensées de sainte volettent sans se poser – ai-je commandé le rôti ?

combien coûtera la réparation de la toiture ? choisirai-je pour demain du bœuf en daube ou du jarret ?

Discrètement Ginia observe sa Mère, reçoit sans broncher son insondable tristesse. Soudain elle distingue sur le sol une tache brillante : ses sept ans aussitôt oublient la discrétion de mise et s'exclament, que c'est beau. Julia tourne son sourire éteint vers elle, l'interroge d'un sourcil. L'enfant plisse les yeux, joue à prolonger la devinette, à s'interdire de décider de ce dont il s'agit, laine, plume, bave d'escargot ou cretonne, elle sait que la sainte l'observe et fait ses gestes lents, elle savoure cet instant arrêté, le regard décoloré pour une fois posé sur elle, l'indécision des choses. Une pensée la traverse qui la fait défaillir sur l'arête du temps : l'espoir que sa Mère lui demandera de l'aider à choisir ses bijoux pour ce soir – elle attend, dans cette douloureuse jouissance de l'amour voué à la frustration.

Soudain tout est brisé, la vieille servante édentée, coiffée d'un vilain bonnet, entre et demande ce qu'il faut commander pour le dîner : il n'y a rien d'inscrit sur l'ardoise à l'intention de la cuisinière. Ginia n'a eu cette fois encore que quelques poignées de secondes pour respirer la beauté de la Mère. Elle s'enfuit – on lui a pris l'instant, elle court cacher ce qu'il en reste quelque part où elle sait pouvoir le retrouver. L'amour maternel n'en finit plus d'être dispersé, éparpillé dans les brasses de la nageuse qui sombre dans les courants de la charité, s'éloigne de la surface où continue de vivre le reste de la famille, cet agrégat de solitudes.

Chacun tâche de ramasser les miettes selon ses forces. Pour Stella, la demi-sœur diaphane, dont les mains transparentes sur les photos semblent près de s'effacer, être consiste à porter le reflet de Julia et de sa tristesse. Elle s'y emploie admirablement, jusque dans les lèvres exquises, image parfaite à ses yeux de la mère et de l'épouse – la fée du foyer, l'ange en exergue des poèmes patmoriens. Pourtant Stella est en proie à la dureté que Julia exerce envers elle-même. Les noms d'animaux sont pour elle sans tendresse – *vieille vache* – et le Père comme la belle-sœur Anny ont beau dire à Julia qu'elle est trop sévère avec sa première fille, rien n'y fait. Comme il est difficile de se hausser jusqu'aux beaux yeux pâles ! Ginia de loin observe, ne se risque pas à la gifle des mots. Stella, canine, va droit au péril, plus acceptable que l'indifférence.

Adrian quant à lui, fidèle à son prénom, rêve de parricide, tenaillé par une haine qui, malgré l'amour, suscite des images de couteau ou de serres, à enfoncer dans la cuisse pour ne pas se jeter sur le Père. Ce Père qui de ses grandes enjambées n'hésite pas à écraser les pieds des autres, ce Père si différent selon qui le regarde. Adrian tout entier s'absorbe dans la préférence de Julia, qui va surtout au fait qu'il est le dernier, un fils par-dessus le marché. Les petits enfants voient mieux les choses, dit-elle, oubliant momentanément son adoration envers l'aîné George, ils perçoivent tout et se souviennent de tout. Surtout ils sont plus heureux que ne pourront jamais l'être les adultes, n'ont pas encore eu à choisir entre l'une ou l'autre branche du figuier. Plus vieux, les enfants cessent d'intéresser Julia, ils quittent sa coupe pour celle du Père, qui de son côté trouve enfin à qui parler.

Ainsi les rôles se distribuent-ils chez les Stephen, chaque parent déclinant les injonctions et l'arbitraire de la façon d'aimer qui lui est propre. Un amour teinté de nostalgie tennysonienne chez elle, de tyrannie passionnée chez lui. Malgré ces faiblesses, entre eux les places demeurent bien fixées par l'exigence victorienne : lui pense tandis qu'elle, pour permettre à la pensée de s'épanouir, s'occupe des aspects pratiques de la maisonnée. Lorsqu'elle ne déserte pas ladite maisonnée pour les taudis de Londres ou de St. Ives, plus inquiète de savoir si le receveur de billets, dans l'omnibus, a suffisamment de paille pour réchauffer ses pieds que de la quantité d'amour qu'elle réserve aux siens.

À cette pensée – celle du receveur et de la paille –, Julia brusquement se lève et dit qu'elle va acheter les fleurs elle-même pour la réception de ce soir. Aussi bien aurait-elle pu dire qu'elle allait acheter les gants elle-même, ou la viande, qu'elle oublierait finalement d'acheter, ne se souvenant du prétexte qu'une fois rentrée, ou la soie, ou n'importe quoi qui lui permette de sortir, de se noyer dans Londres et de fuir la réverbération de sa beauté sur les murs de la maison, sur le visage de ses filles, dans les pupilles de son mari et de ses fils. Julia dit, et sort, laissant les petites silhouettes plantées ici ou là dans les hauteurs du manoir. Cela ne viendrait à l'idée de personne de commenter.

Ici profitons du nuage parfumé que la sortie de Julia a laissé planer pour refaire le point sur cette aura et ses effets. La beauté physique de Julia a plus de conséquences que son caractère – auquel nous pouvons faire un sort en nous contentant de signaler qu'elle est plaintive, souvent lasse, un peu rancunière, toutes qualités où elle puise l'énergie d'un humour caustique, acéré. Brisons là et fouillons dans ce que nous disent les photos. Il y a les lèvres fines, que ses dernières filles envient, comme un signe de distinction que la lippe Stephen viendrait écraser – tous les rejetons de la couvée seconde ont en effet les lèvres épaisses du Père, sa bouche molle, facilement entrouverte, sensuelle et génisse, comme ils ont son visage, long et terminé d'un menton ovale à la Rimbaud.

Il y a les yeux aux globes saillants, paupières profondes et iris ouvrant le visage comme des cris, il y a le nez et le menton forts démentant la délicatesse du reste. Il y a la ligne du cou, légendaire. La beauté de Julia, qu'elle porte de pièce en pièce comme un flambeau – a-t-on lu fardeau ? – que jamais elle ne dépose, pas même pour commander le poisson ou les fleurs, pas même pour gérer les comptes, son domaine réservé, est une malédiction. La beauté de Julia a ceci de brutal qu'elle semble donner son sens à la vie de ses proches, obliger chacun à considérer ce qu'il est tout en l'empêchant de le devenir. La beauté de Julia transforme le monde, le rendant tel qu'elle-même le voit : un spectacle, une parade de fous, de clowns et de reines marchant au rythme de l'horloge de la vie. Son visage est un refuge pour les âmes errantes, pour quiconque est incertain de sa propre réalité.

Cette beauté d'ancre lui vient de sa mère – côté Pattle, donc, si toutefois les noms importent. Julia côté maternel avait six tantes, l'arrière-grand-mère française ayant conçu sept filles avec son alcoolique de mari. Ce dernier selon la vulgate familiale tua de frayeur son épouse en ressuscitant du tonneau de rhum où l'on conservait son cadavre le temps d'une traversée. Sept filles, dont six connues pour leur grâce et la septième, la photographe, pour son talent qu'avec la générosité et l'énergie, elle avait reçu au centuple pour remplacer l'éclat physique dont elle était privée.

Un jour Julia, pour rendre hommage à cet héritage, décide d'une promenade en famille sur les lieux de son enfance, à l'époque où elle rendait visite à sa tante Sara, la troisième des sœurs Pattle. Sur Melbury Road demeure le souvenir de la mythique Little Holland House, où le peintre George F. Watts avait son atelier et où régnait l'oncle Thoby, le pythagoricien adulé par Julia. Seule la beauté y avait droit d'entrée : celle des femmes, celle des œuvres aussi, de ces artistes qui font partie de l'enfance de Julia mais intimident Leslie. Cette beauté resurgit comme un rêve devant les yeux de Ginia, qui voit très franchement sur les pelouses des fantômes de femmes en crinoline dégustant fantômes de fraises et compliments de messieurs à favoris tout aussi fantomatiques. Puis l'image se dissout, Julia veut rentrer, elle remporte sa flotte de canetons serviles et quitte l'emplacement ancien où rien ne demeure sinon ses souvenirs, les rêves de Ginia et ce que nous pouvons en faire aujourd'hui en compulsant de vieilles photographies où le noir et le blanc peinent à contraster.

Nous qui nous épuisons à fouiller, nous esquintons les yeux sur les reliques et les portraits floutés, ne pouvons reconstituer une image satisfaisante de Julia. Nous savons, certes, qu'elle est ambitieuse dans son abnégation : elle voudrait réformer les laiteries anglaises et fonder un hôpital à St. Ives ; nous savons qu'elle croit en l'hypnose, ce qui nous fait soupçonner l'ampleur du monde souterrain qui s'agite derrière son regard distant. Nous savons qu'au grand dam d'Anny – sa… belle-sœur par alliance ? le lien est si complexe que nous ne savons l'énoncer autrement –,

Julia est contre le vote des femmes, convaincue que chacun a sa place dans la bonne marche du monde et ne saurait en changer sans grands dommages ; nous savons qu'elle n'évoque jamais le héros tennysonien, trop craintive à l'idée de devoir lever les yeux. Toutes ces choses que nous savons ne nous livrent pas Julia, et peut-être devrions-nous nous contenter de l'admirer à distance, de l'observer tandis qu'elle raconte avec une mélancolique drôlerie son histoire de cheval et de chien, ou bien qu'elle raccommode sa robe pour ce soir –

Mais entre Sophie la cuisinière, interrompant le récit de Julia ou sa couture ou notre énumération. Elle ne sait toujours pas ce que l'on veut pour le dîner. On attend bien du monde, et les enfants espèrent que la cuisinière sera d'humeur à remplir le panier qu'ils feront descendre devant la fenêtre de son réduit au sous-sol. Si l'humeur est très mauvaise, elle coupera la ficelle et ils en seront réduits à l'ordinaire. Sophie – ou Sophia, coquetterie dont nous ne savons s'il faut l'attribuer à l'intéressée ou à ses maîtres – Farrell est un personnage important : elle règne sur la maisonnée avec une science de l'empire qui dépasse régulièrement les bornes de son statut ancillaire. Mais bien qu'elle ait tendance à dépenser outre mesure ou que l'on trouve parfois une épingle à cheveux dans la soupe, c'est une figure qui rassure. Elle est de chaque été cornouaillais et semble devoir faire partie de la famille pour les cent prochaines générations. Elle rend la haute maison supportable en en créant la trame sonore familière, et la solitude est moins pesante quand résonnent, depuis la cuisine, les préparatifs du déjeuner, le four dont on gratte les cendres ou que l'on recharge, les plats que l'on entrechoque.

L'œil porté sur les domestiques reste toutefois victorien, c'est-à-dire un peu condescendant, malgré la définition du gentleman idéal, et malgré les bons sentiments de la Mère qui se dévoue trop aux pauvres et aux déclassés pour songer à les mépriser. Julia se vante en tout cas que jamais quiconque n'a quitté son service, à moins d'avoir à se marier. Il faut dire qu'elle sait faire usage avec ses employés de ce mélange d'autorité et de bienveillance qui attire leur respectueuse obéissance et leur fait songer que, contrairement à leur cousine ou leur camarade d'enfance, ils bénéficient chez les Stephen d'une enviable situation.

Outre Sophia, la domesticité de l'impasse se compose de plusieurs bonnes toutes plus ou moins suisses que l'on ne voit qu'à peine, qui ne sont que machines à ramasser les vêtements, boutonner ou lacer les bottines, attacher les cheveux, de drôles d'individus faits pour servir, soigner, laver les enfants en pressant l'eau d'une éponge au-dessus de leur crâne – et qui bien sûr n'aspirent qu'à rire et fainéanter à la cuisine en profitant des gages que leur dispensent les maîtres installés au salon. Ginia et les autres membres de la mesnie montrent peu de considération pour ces jeunes esclaves : qu'elles partent ou soient malades, ce n'est pas leur problème. Et puis l'on est toujours un peu mal à l'aise avec le personnel, car il faut nécessairement lui mentir, soit que l'on veuille lui cacher ce dont on parle, soit que l'on prétende être cordial. Or Ginia n'aime pas mentir, elle aime inventer. Seul Paddy le jardinier trouve grâce aux yeux de tous. Il est si beau, avec sa barbe interminable, que l'on ne pourra jamais le renvoyer, d'autant que pour étancher la soif de charité de

Julia, il lui apporte des oiseaux malades avec une émouvante assiduité.

Ce matin d'ailleurs – c'est Noël – il a déposé entre les mains ointes de Julia le corps brisé d'un merle minuscule ; les priorités de la fête aussitôt sont remisées, on abandonne le sapin, les guirlandes, les écailles brillantes que l'on a commencé de saupoudrer sur ses branches, le tissu écarlate que l'on a entrepris d'enrouler autour de son pied, on abandonne l'orange et le toffee que l'on s'apprêtait à glisser dans un sac de mousseline, on abandonne le poème de Milton que l'on s'apprêtait à lire : la charité bruit d'une injonction plus forte que le rituel qui unit les solitudes autour de l'arbre, un jour par an.

Autre chose bruit, loin de là, trop loin pour que quiconque l'entende – sur le continent. Un certain Adolf Hitler est né au printemps, et l'effet papillon de ce bruissement, qui est un vagissement, nous concerne autant qu'il concerne Ginia, l'impasse, Kensington – mais il est trop tôt pour songer à cela. Rétrécissons le champ pour n'apercevoir que la naissance de Lucila de María del Perpetuo Socorro Godoy Alcayaga, dite Gabriela Mistral, l'immense poétesse chilienne ; ou bien la mort du poète Robert Browning, dont le rocambolesque amour avec la poétesse Elizabeth Barrett a su, plus efficacement que n'importe lequel de ses écrits, marquer l'esprit et le cœur de toute jeune fille qui, parvenant à l'âge où l'on rêve de sentiment, soupire à la moindre feuille quittant l'arbre.

1890

Un large rayon pâlit la moitié du hall – on est à St. Ives ou dans l'impasse de Hyde Park Gate, peu importe, à cette époque l'un prolonge l'autre comme l'automne prolonge l'été. Retour de promenade, Ginia a mis plus de temps que les autres à défaire ses bottines, elle est seule dans l'entrée. Au moment où elle se relève, son œil capte son reflet dans le miroir, à gauche de l'escalier. Elle s'y regarde de plus en plus souvent, à la dérobée, elle en a honte mais ne peut s'en empêcher, c'est une désagréable nécessité, comme une démangeaison, de tenter de saisir son être et d'y échouer sans cesse. Elle ne peut encore voir que sa tête, elle n'a pas connu la pousse brutale et raide de l'adolescence, et il lui semble que son visage décapité flotte, séparé de son corps, parmi les branches et les feuilles et les grosses fleurs qui ornent le papier peint. Est-ce qu'elle est belle ? La question entre en elle comme une flèche, au même moment apparaît dans les branches la tête d'un gros animal mais elle n'a pas le temps d'avoir peur, la porte s'ouvre, quelqu'un entre – la flèche se brise et reste en elle, fichée à jamais, blessure muette dont le sang ne coule pas.

C'est Magde qui vient de faire sont entrée. Les treize ans de plus qu'affiche Madge Symonds, fille d'un ami de Leslie, en font l'équivalent d'une déesse, et le regard que les hommes posent sur elle trouble la petite fille. Hébergée quelque temps au 22, Hyde Parke Gate, Madge joue un rôle de cheffe vis-à-vis de la couvée. Elle leur enseigne les prémices de la liberté – la première bouffée de cigarette, l'âcre goût aussi désirable que détestable, que l'on ne retrouve jamais par la suite et qui est exactement comme le premier baiser, explique-t-elle aux enfants qui l'entourent. Elle est assise sur le sol de la nurserie, ses bras enlacent ses jambes, elle fume. Hier soir Ginia a bien vu que Madge faisait signe à des garçons par la fenêtre, des signes et des mots qui demeurent incompréhensibles à l'enfant mais font des remuements dans son jeune corps en pousse. Elle n'en a pas fermé l'œil. D'autres nuits déjà avaient été blanchies par les formes aperçues un jour que Madge, ayant oublié sa serviette, était sortie en courant de la salle de bains dans le plus simple appareil.

La fascination que Ginia éprouve envers Madge fait écho à celle que suscitent d'autres jeunes femmes ; Florence Fisher épouse Maitland, par exemple, qui de toutes les cousines incarne le mieux l'ascendance française – c'est le portrait craché d'Adeline, la fille du chevalier de L'Étang. Mais surtout l'autre figure marquante qu'est la très impressionnante Kitty Lushington, pupille de la mère de charité depuis son enfance. À l'été auront lieu à Talland House, la maison cornouaillaise, les fiançailles de Kitty avec le journaliste Leopold Maxse. Encore une des nombreuses réussites du grand œuvre matrimonial de Julia. Au revenir d'une promenade sur la plage, le rose au visage de Kitty a rempli de fierté celui de sa tutrice – fierté qui n'est pas sans rapport avec le désir d'immortalité propre à toute la famille et qu'assombrit seulement le célibat de ses propres rejetons.

Nul doute que Thoby – dix ans – est un peu jaloux de ce mariage à venir, lui qui depuis les brumes de l'enfance est amoureux de Kitty. Kitty et son manteau rouge, Kitty et ses audaces pleines de préjugés, Kitty et sa conviction qu'elle mourra jeune. Leslie lui-même – cinquante-huit ans – est peut-être un peu jaloux aussi. Après tout, Kitty est l'une des rares jeunes filles avec lesquelles il ne s'ennuie pas. Pour Ginia, le mariage et les jalousies qu'il suscite sont aussi troublants qu'irritants. C'est donc cela, l'amour, se dit l'enfant devant le jeune couple. Si l'enfance est une boule d'argent, une boule lumineuse où jouent et disparaissent les reflets de souvenirs altérés, l'amour alors est une boule d'or. Pour l'heure il ne s'étrenne que dans la relation inégale avec la Mère ou dans celle, plus palpable, moins désespérante, avec le reste de la couvée. Avec Thoby qu'elle aime passionnément et avec qui elle se bat plus souvent qu'à son tour, avec Nessa qui comme l'autre face du féminin défait chaque arpent d'amour gagné. Pas tellement avec Adrian : il tire Ginia vers l'enfance malgré elle, qui par contagion demeure dans le clan des petits.

Un soir, les deux sœurs jouent, toutes nues, dans la salle de bains ; soudain Ginia arrête ses cavalcades pour poser la question à Nessa : qui, du Père ou de la Mère, préfère-t-elle ? L'idéal, de toute façon inaccessible, n'est pas du même côté pour l'une et pour l'autre, même si le besoin d'amour est le moteur de chacune. Nessa, tenue par sa loyauté, répond sans hésiter : la Mère. Ginia, après mûre réflexion, affirme préférer le Père. De quoi est fait l'amour qu'elle porte à Leslie, de quel métal est-il ? Elle se cogne à cette ignorance quand elle doit entrer en relation avec lui, pour lui demander accès à ses livres ou enlever, sur l'ordre de Julia, les miettes qu'il a semées dans sa longue barbe et qu'elle prend un plaisir effrayé à récolter. Parfois le besoin d'idéal est trop fort, elle se colle à lui, met des fleurs dans ses cheveux pour qu'il n'aille pas travailler, ne la laisse pas, s'occupe d'elle. Votre fille est une coquine, dit alors le Père à la Mère. Leslie tient du chien ou du loup, alterne douceur et violence. Dans ses heures sombres, il promène dans le manoir son air de chercher quelque chose à dévorer. Il sait pourtant se montrer facétieux, malgré sa stature d'intellectuel, et sa gaieté sporadique le fait aimer de tout le monde. Chacun alors s'enorgueillit de lui être lié.

À cette époque le champ principal, qu'il soit de bataille ou d'amour, est cet espace étrange qu'est, sous la table de la salle à manger, l'univers bruissant des jambes et des jupes, l'inframonde des adultes où l'on se musse et qui effraie autant qu'il rassure. C'est là que Ginia commence à comprendre peut-être ce que lui est l'autre. La complicité avec Nessa, la vraie rencontre des deux sœurs naît d'une question sur l'existence de chats sans queue. Cette question qui de là où nous nous tenons reste aussi triviale que mystérieuse, qui tient autant de la blague équivoque que de l'interrogation philosophique, nous avons beau la tourner et retourner, rien ni personne n'y répondra jamais de manière satisfaisante. C'est le jeu, nous nous y prêtons, avec ce qu'il promet d'insatisfaction. Et qu'un chat noir sans queue puisse réellement faire son apparition à Hyde Park Gate ou dans la cour d'Oxbridge, que nous ayons aujourd'hui accès à tout le savoir voulu sur la race mannoise des chats Manx, effectivement dépourvus d'appendice caudal, ne nous avance pas d'une coudée, n'augmente en rien la résolution des images que nous consultons.

Nous en sommes au point d'imaginer, qui est la plus sûre façon de savoir. Nous imaginons que c'est août et que, réveillée à l'aube, Ginia passe un moment à écouter les conversations des tourterelles, leurs phrases toujours les mêmes, identiques en dépit du bon sens, se répondant d'une distance l'autre à intervalles de plus en plus resserrés jusqu'à se confondre et roucouler à l'unisson – accord enfin trouvé ou, au contraire, dispute finissant en dialogue de sourds ? Elle ferme les yeux au fond de son lit et rêve qu'elle comprend ces dialogues, elle-même est une tourterelle – mais peut-être sont-ce des pigeons ? Dans le livre qu'elle lisait hier on parlait de tourterelles, *turtledove*, le mot en français comme en anglais est bien plus doux, comme un froissement de plumes sur la joue.

Depuis quelque temps qu'elle sait les décrypter, Ginia est de plus en plus obsédée par les livres. Elle passe ses journées à lire, les livres qu'elle dérobe sur les étagères paternelles, chargés des magies de la clandestinité – bien relative, puisque les Parents ne s'opposent en rien aux frénésies intellectuelles. Elle lit le matin, l'après-midi, le soir avant de s'endormir. Elle lit à la table, dans un fauteuil ou allongée sur le tapis, elle lit en marchant sur les larges trottoirs, et c'est miracle qu'elle ne se cogne pas aux lampadaires.

Mais rien de mieux que de lire au lit le matin, de prolonger le sommeil par la clarté d'un rêve de papier avant d'entrer dans le réel et ses brumes. Elle choisit un volume dans la pile au sol et déchiffre, lèvres arrondies par l'effort. Un papillon entre par la fenêtre. Il faudrait qu'elle la ferme, elle va vite se retrouver envahie. Mais elle n'a pas le courage de se relever. Elle entend le bruissement du papillon au plafond. Un autre soudain apparaît, ils volettent ensemble, bientôt rejoints par une multitude de phalènes dont le froufrou loin de l'angoisser la berce jusqu'à la somnolence.

Nous pouvons aussi imaginer que c'est déjà octobre, que de retour à Londres on a repris les visites, que l'on reçoit chaque jour. On fait, très jeune fille, l'apprentissage de la table à thé : c'est là que l'on apprend à servir, à observer les convenances et les rangs, mais aussi à manier la critique discrète, la seule permise aux femmes, qu'elles développent avec une habileté comparable à celle que mettent les domestiques à moquer leurs maîtres en paraissant les flatter.

Parmi les invités fréquents il y a la tante Anny, sœur de feue Minny. Ginia sait quand Anny vient pour le thé, car l'on extrait alors du vaisselier l'affreux serviteur en porcelaine jaune. C'est l'ancienne belle-sœur de Leslie qui le leur a offert, et l'objet incarne l'esprit kensingtonien, inexorablement attaché à Anny dans l'imaginaire de Ginia. Anny Ritchie Thackeray, l'autre *fille de*, est restée dans leur vie malgré l'absence de sang commun. Les liens que maintiennent les mariages en ce temps-là, y compris post mortem ! Leslie l'a entretenue jusqu'à ce qu'elle se marie, renonçant à contrôler ses dépenses irraisonnées, prenant sa propre avarice en patience.

Anny en dépit du serviteur en porcelaine n'a rien d'une matante emmitouflée et sermonneuse, prodigue en conseils ès convenances. C'est une excentrique, voguant à la surface passionnante des choses comme sur une mer toujours agitée. En 1877, elle avait épousé un certain Richmond Ritchie, de dix-sept ans son cadet. Son *bizarre petit mariage*, selon le mot de Henry James, avait autant choqué Leslie qu'il l'avait libéré de ses obligations financières : le fiancé n'avait que vingt-trois ans, quand la promise en affichait quarante. Différence dont l'éminent beau-frère – qui les avait surpris en train de s'embrasser – a mis du temps à se remettre, malgré les quatorze ans d'écart que lui-même accuse vis-à-vis de Julia. Sans doute entrait-il dans cette gêne un peu de jalousie, comme il en entre vis-à-vis du mari de Kitty ou des prétendants qui commencent à se presser autour de Stella. À l'époque où il formait, avec Minny et sa sœur, un innocent *ménage à trois* et où il tâchait d'asseoir son pouvoir de mâle en fumant autoritairement la pipe malgré les protestations d'Anny, Leslie a pu tâter de ses propres contradictions dans sa perception des femmes et de ce qui le séduit en elles, tant les deux sœurs incarnaient les pôles opposés du féminin.

Attardons-nous sur ces pôles, notamment sur cette figure qu'aurait pu être Anny Ritchie Thackeray pour Ginia, si les choses étaient si simples. Romancière à succès, Anny est proche de tous les grands esprits de son époque, les Tennyson et autres Browning, elle les tutoierait tous si la distinction existait en anglais. Elle peut notamment se targuer de susciter l'admiration de George Eliot et même – de manière plus mesurée, elle reste une femme n'est-ce pas – celle d'Anthony Trollope. Elle est après tout l'héritière directe du génie paternel, dont elle préface inlassablement les œuvres et rectifie sans fléchir les statues, s'évertuant à perpétuer le culte né dans son enfance envers un père tout-puissant en qui elle voyait très sincèrement la réincarnation du Christ. Hors cette dévotion filiale, cependant, Anny est indépendante et, par voie de conséquence, ne peut être perçue par ces messieurs que comme *exquisément irrationnelle* – toujours un mot de Henry James.

Avant son improbable idylle avec le jeune Richmond, Anny allait jusqu'à revendiquer le bonheur d'être une femme célibataire, gagnant sa vie elle-même. Cet accroc dénué de scrupules à l'imagerie de l'ange du foyer ne lui est pas facilement pardonné. Aujourd'hui son mariage, quoique solide, souffre davantage de cet affranchissement vis-à-vis des normes économiques que de la différence d'âge. Lorsque le jeunot cherche à rassurer sa virilité en papillonnant hors du foyer – notamment avec la bru du poète Tennyson, devenue précocement veuve, s'il faut verser un peu dans le ragot –, c'est davantage à visée symbolique que sensuelle. Le modèle de femme émancipée qu'il a épousé demeure pour tout homme une menace, qu'il s'agit de ramener au rang de délicieuse linotte.

Ce qui est rendu plus facile par la personnalité d'Anny : elle est frénétiquement empathique, brillante et écervelée, exubérante dans sa sottise, intelligente dans ses enthousiasmes. Elle tient de son père un humour féroce, tempéré par un optimisme qui exaspère Leslie l'irascible. La carapace mentale de celui-ci ! Elle se fendillerait si l'on venait à lui démontrer qu'il est possible d'enfreindre les lois du positivisme sans pour autant faire montre de naïveté. L'optimisme est aux yeux de Leslie une faiblesse irrationnelle, une lâcheté même, et il consacre une grande part de ses efforts à s'en convaincre et à en convaincre les autres.

Pour lui l'émotion peut et doit être vécue uniquement parce qu'on a décidé de la vivre, et contenue dans le cadre restreint – un coucher de soleil alpin par exemple – que l'esprit positif aura délimité.

Anny quant à elle pousse la jouissance du désordre jusque dans son écriture : au grand dam de Leslie et de ses amis Trollope & Co, qui la supplient en vain d'y remédier, il est possible d'intervertir des chapitres de ses livres sans que personne s'en aperçoive. C'est le comble de l'insoutenable pour les érudits à l'esprit bien agencé, capables de concevoir et d'énoncer avec la même clarté le bien-fondé de leur pensée. Ainsi Anny, tout exubérance et force créatrice, piétine-t-elle joyeusement la vision du monde de Leslie, se montrant aussi agaçante qu'attachante et menaçant l'homme cultivé, derrière qui l'adolescent un peu lâche ne se tient jamais loin. Il devrait pourtant percevoir son innocuité car pour Anny écrire reste un artisanat, école Thackeray ou Trollope : il s'agit de pondre tous les jours de telle heure à telle heure un certain nombre de mots, après quoi on va déjeuner.

L'autre pôle du féminin nous retiendra moins longtemps, puisque Ginia n'en a perçu que des échos lointains. Cependant Minny, depuis ses nuées, se rappelle de temps à autre à la mémoire mélancolique de Leslie. Très différente de sa sœur, elle était tendre et douce. Sa beauté livide, madonesque, était conforme aux goûts de Leslie. De même que sa réserve et sa conscience inébranlable de la place qui était la sienne en tant que femme. Minny avait bien, jeune, quelque talent pour le théâtre ; elle avait bien aussi, contaminée par l'atmosphère familiale, écrit quelques médiocres historiettes – dont une avait même risqué d'être publiée –, mais elle n'était nullement disposée à la célébrité. Épurée de toute affectation et de tout snobisme par un père qui avait fait de leur dénonciation son fonds de commerce, elle remplissait à merveille le rôle de fée du foyer.

Après tout, plaire à l'homme est le plaisir de la femme et Leslie, qui en dépit de ses vues libérales reste victorien, s'en accommode fort bien. Il y a un peu de Coventry Patmore, le poète des convenances, qui sommeille en tout homme de cette époque – nous nous abstiendrons de commenter les suivantes –, même si les deux hommes ne s'apprécient guère. Leslie reproche moins au poète ses opinions sur les femmes que le fait qu'il leur ressemble trop : bien que lui-même soit peu susceptible d'être taxé de virilité excessive, il supporte mal les manières affectées de ce délicat moraliste orphique.

Anny est là, donc, et parmi les invités de l'impasse qui se pressent quotidiennement autour de la table à thé se trouve aussi le tout jeune peintre William Rothenstein. Il est enfin parvenu à convaincre Julia de poser pour un dessin et tous deux s'enferment longuement dans le petit salon. Nous ne disposons pas d'une vue qui aille dans le secret des fusains et devons, comme les autres membres de la famille, patienter derrière la porte. Lorsqu'elle s'ouvre et que le résultat, brandi par l'artiste en herbe, passe de main en main, il glace les yeux de chacun et signe la disgrâce de l'auteur. Rothenstein a commis un crime de lèse-sainteté en dessinant la fatigue de Julia, sa maigreur et sa souffrance. Pour un peu on verrait, en arrière-plan, se détacher la silhouette du héros sur sa branche. Pire, le charbon a drainé toute la beauté de Julia, sa grâce paraclet, ne laissant sur la feuille qu'à peine l'ombre d'une presque vieille femme, nue et vulnérable. La mère du modèle elle-même, la vieille Maria Jackson, à qui l'on est allé montrer l'ébauche en ses hauteurs, ébranle son vieux corps et descend jusqu'au peintre pour lui passer un savon de sa voix doucereuse.

Pendant qu'un autre peintre, un Hollandais de génie et de misère, meurt – en même temps que Sitting Bull, Alphonse Karr et Octave Feuillet mais aussi que Charles Edward Mudie, souverain des bibliothèques ambulatoires et premier éditeur du bon parrain James ; pendant qu'un autre peintre, un Autrichien de misère et de génie, naît – en même temps qu'Agatha Christie, Jean Rhys, Charles de Gaulle et Groucho Marx ; pendant qu'Edith Wharton publie sa première nouvelle en revue et que la folie chez Nietzsche gagne, éteignant l'écrivain aussi bien que le ferait la mort ; pendant qu'une nouvelle loi anglaise oblige les suicidaires à être internés, les feuilles, inlassablement, dégringolent sur tombes et berceaux.

1891

Ginia – qui se rapproche de plus en plus de miss Jan mais n'est pas tout à fait miss Jan, encore moins Virginia –, Ginia s'éveille. Il est tard, elle a neuf ans. La fenêtre est ouverte sur la fraîcheur d'avril, et le rideau rouge terni par un soleil rare frémit. L'œil entrouvert de Ginia perçoit une dartre claire sur l'ombre du taffetas, tache pétrifiée où pourtant l'œil perçoit la vie qui frissonne. L'œil se ferme, se rouvre. La salissure n'a pas bougé, à moins que. La buée du réveil se dissipe, nettoyant les contours de la tache, triangle arrondi de parchemin finement décoré, paré de minces excroissances noires, pattes et antennes, c'est une phalène oubliée par la nuit dans l'ombre de la chambre.

Ginia regarde la phalène, qui de ses milliers d'yeux ne perçoit pas Ginia immobile. Ce que cela doit être, de n'avoir qu'un jour à vivre. L'insecte a-t-il conscience de sa brièveté ? Le temps lui paraît-il aussi long qu'à celui dont la vie dure des années ? La cohabitation avec soi-même lui est-elle, proportionnellement, aussi pénible ? Et Ginia, que ferait-elle, si elle n'avait qu'une seule et unique journée à vivre ? Lui vient alors l'envie d'offrir à la phalène ce qu'il y a de plus beau. Elle pourrait cueillir les fleurs les plus flamboyantes pour que l'insecte en aspire le nectar, lui fabriquer un écrin de bien-être avec de la ouate et de petits morceaux de velours dérobés dans la boîte à couture de Stella, ou bien lui chanter les plus douces mélodies – mais quels sons les papillons peuvent-ils bien percevoir ? À trop penser les yeux de Ginia se referment, elle se rendort.

Lorsqu'elle s'éveille à nouveau, la tache n'est plus dans l'ombre. Dehors le jour fait doucement bouger le rideau, elle sent la brise lui caresser le front. Une tristesse serre la gorge de l'enfant, sa phalène est partie et elle n'aura rien pu faire pour elle. Mais un petit bruit incongru parvient à sa conscience barbouillée par les rêves gras d'un matin trop étiré. La phalène est là, qui se débat sur la vitre. Ginia l'observe glisser et grimper interminablement, jusqu'à ce que l'insecte enfin tombe sur le rebord de la fenêtre, faillant à remonter. L'enfant se lève d'un bond, attrape un crayon qu'elle tend vers la phalène pour l'aider mais l'insecte ne bouge plus, déjà sa journée est passée, comme c'est court.

Elle se rallonge, mâchonnant son crayon. Il faut rendre hommage à la phalène. Lui acheter un bouquet de violettes ou penser à elle chaque fois qu'elle rencontrera la beauté – falaises de Cornouailles ou madone éplorée au cœur de quelque musée londonien. Au musée, on se console de tous les chagrins, de la mort des phalènes comme de la laideur du monde. Les frustrations et les peurs s'y essoufflent à contempler les vierges sous les portiques, les anges disgracieux, les guerriers en jupette ou les faunes gavés de raisin. Elle effeuille en pensée le catalogue déjà copieux – le milieu veut cela – des splendeurs que son jeune regard a collectées au fil des injonctions paternelles et de ses élans propres. À leur tour, les beautés pèsent sur les paupières.

Mais un mot, parvenu en tortillant à la surface de sa conscience, les rouvre aussitôt : éphémère. C'est un mot splendide, quelle que soit la langue dans laquelle on le prononce. Ginia de nouveau mâchonne le bout de son crayon, le goût de carbone lui donne envie de tracer des lettres dans son cahier. *Éphémère*. Mais un cri retentit dans la coulisse ; on l'appelle, il faut aller déjeuner. Les odeurs de rôties, de lard, de café s'entrelacent dans l'escalier. D'une voix trop aiguë d'être encore coincée dans sa gorge, elle hurle qu'elle arrive. Le crayon roule sous le lit. Elle descend les marches assourdies de moquette pastel et songe à écrire, peut-être pour le journal de la maison, peut-être simplement pour elle-même, la mort de la phalène.

La création de ce journal, pragmatiquement intitulé *Hyde Park Gate News*, est l'événement de cette année-là. Nous prenons plaisir à y rêver l'influence des tentatives menées par d'autres sorories, qu'elles soient fictives comme les March ou réelles comme les Brontë. Quoi qu'il en soit, c'est ce qui permet à Ginia de devenir miss Jan, son nom d'autrice (nous nous autorisons – c'est le mot – ici le féminin, bien que ni l'époque ni la langue anglaise ne s'en soucient) pour un temps. La gazette familiale est devenue un enjeu quotidien, capital pour elle comme pour sa sœur. Elle est *l'Auteur* – ici le féminin est impensable – et compose l'essentiel de ces *News*, tandis que Vanessa, *l'Éditeur*, dont la plume raisonnable tient droit, écrit sous sa dictée ou recopie les textes, devenant chaque jour plus intime avec la graphie de sa sœur.

Plume ou pinceau, elles se rejoignent dans ce rapport sensuel à l'inscription, aiment physiquement la pointe au bout de laquelle se crée la forme. Pour miss Jan, trouver la plume idéale, l'encre idéale, le papier idéal devient vite une obsession d'enfant. En tant qu'épistolière débutante mais scrupuleuse, elle se désespère de savoir que la couleur qu'elle pose sur le papier va irrémédiablement tourner : sitôt posée elle a déjà perdu de sa brillance, et le temps que son correspondant la reçoive le bleu intense aura viré à une boue tiède. Mais cela n'arrête pas ses enthousiasmes de chroniqueuse en herbe, qui jouit de livrer à autrui par lettre ou journal interposé le récit de son quotidien. Les deux sœurs travaillent dans une petite pièce contiguë au salon, baignée de lumière par une lucarne et des fenêtres donnant sur le jardin à l'arrière, ainsi que par des vitres ouvertes dans le mur intérieur. C'est devenu leur repaire.

Contrairement aux Brontë, les Stephen n'élaborent pas de récit collectif. Nulle Glass Town, nul Angria, nul continent commun : les enfants Stephen sont des îlots de solitude, pris ensemble dans la nasse victorienne. Lorsque Thoby et Adrian participent à la gazette, ce n'est que de loin en loin ; le cadet par paresse d'exclu, l'aîné parce qu'il vient d'entrer à l'école, causant la première déchirure dans la couvée. Thoby a droit à une éducation, alors que la question pour Nessa son aînée ne s'est pas même posée. Leslie malgré ses idées libertaires n'est pas Patrick Brontë, et là où le vicaire des landes s'échinait à envoyer ses filles à l'école, un demi-siècle plus tard l'érudit londonien – passé tout près de la défroque – se satisfait de quelques cours maison.

Mais la brèche creusée entre les garçons et les filles est tout autant imputable à Leslie qu'à Julia, presque plus convaincue que son époux de l'importance de garder les filles à la maison, malgré les quelques écoles de filles qui ont commencé à se fonder. Julia veut une famille où les rôles soient bien répartis : les filles au service de leurs frères, actives à permettre leur épanouissement intellectuel comme elle-même s'est consacrée à celui de son mari, les éveillant chaque matin d'un baiser respectueux et tirant leur chaise lorsqu'ils prennent place à table. Ce n'est pas tant que les filles soient inférieures aux garçons, simplement il importe que chaque genre tienne le rôle qui lui incombe. Dans cette différence gît une souffrance, de celles qui peuvent devenir une nécessité.

Lorsque Thoby l'illustre écolier est attendu pour quelque congé, les cris résonnent, propitiatoires, à la seule idée de son retour. On n'entend plus, entre les murs de la maison haute et étroite et sombre, que les incantations – *Thoby va venir ! Thoby va venir !* – qui ricochent dans les couloirs. Bientôt Thoby est là, Thoby est cajolé, Thoby est adulé, questionné. Mais bientôt Thoby repart et l'attente reprend pour les femmes, privées de mâles et de conversation, de chaises à tirer et de front à baiser. L'émotion dont on remplit les colonnes du journal à propos de ces visites est aussi emphatique que les visages sont mornes sur les photos que nous scrutons – mais allez savoir ce qui anime un esprit et un cœur victoriens soumis à l'épreuve argentique.

De ce contraste naît la répugnance de miss Jan à être

prise en photo. Elle rechigne même à être seulement vue, et ne se regarde presque plus dans le miroir. La honte a pris le dessus, avec le sentiment de manquer d'existence propre qui l'assaille à chaque confrontation avec son image. Il lui semble que son visage n'a pas de forme définie, et elle ne voit pas comment, sans un authentique reflet d'elle-même dans le réel, elle pourrait y trouver sa place. C'est plus torturant encore lorsqu'elle joue à cache-cache ou à chat, ces jeux qui exigent d'être au monde, avec ses frères et sœurs, ses cousines ou les enfants d'autres éminences. C'est comme si elle n'était pas vraiment là, comme si son être détaché d'elle se livrait aux attendus de l'enfance sans vraiment s'y engager.

Sa solitude à ce stade prend le visage de la gourmandise – au même titre que les tartes, les glaces à la fraise, les gâteaux qu'elle dérobe à ses frères et sœurs car bien que mince, miss Jan est connue pour son grand appétit. C'est la voracité de la tristesse, une solitude qui fait son gras de la foule alentour, tous ces gens qui, proches ou moins proches, vont et viennent autour d'elle sans cesse, échouant à lui donner l'amour nécessaire, interdisant l'intimité, renforçant l'isolement. À Hyde Park Gate comme à Talland House, outre les deux couvées, il y a toujours une visite ou une autre, un vague cousin ou une jeune femme et un jeune homme sortis d'on ne sait où, que Julia cherche à marier et Leslie à éviter.

Il y a par exemple les visites, parfois comiques, parfois inquiétantes, toujours embarrassantes, du cousin James Kenneth – Jem –, le neveu préféré de Leslie. Journaliste et versificateur, brillant intellectuel, poète parodique, tuteur de prince, sa maniaquerie dépressive – les gènes ! – s'est exacerbée d'un accident survenu voici quelques années. Pour sa part, devenir de plus en plus fou l'amuse beaucoup. Mais la famille en souffre, au premier rang de laquelle son père Fitzjames et son oncle Leslie, autrefois si fiers. Jem n'épargne personne dans ses crises. Ainsi de l'autre jour, où il a forcé miss Jan à poser pour lui dans sa chambre pendant des heures, peinturlurant férocement un pauvre morceau de bois tandis qu'elle tremblait sur sa chaise. Ou de cette fois qui l'a vu entrer à toute volée dans la nurserie, brandissant une épée sous l'œil aussi navré que compatissant de Julia. L'épée n'a finalement embroché que du pain, mais le regard de Jem a transpercé durablement l'imagination de miss Jan.

Surtout, c'est de voir Jem poursuivre Stella de ses assiduités qui trouble l'enfant. Chaque fois il faut mentir au faune, prétendre que la sœur aînée est absente, et ces mensonges conjugués à l'érotisme sans pudeur de la folie excitent en miss Jan une crainte admirative vis-à-vis de son grand cousin. Dans ses rêves juvéniles, le beau visage de taureau s'étale et se déforme sous l'effet de la démence, ses yeux bleus livrent une lumière où projeter tous les fantasmes, toutes les accusations, du viol de Stella aux crimes de l'Éventreur, obsession des temps.

Ces inquiétudes, qu'elles soient familiales et sociales – c'est alors presque la même chose –, exacerbent l'angoisse pathogène de Leslie, provoquant toutes sortes de maux plus ou moins réels. Une mauvaise grippe le saisit, qui l'extrait de l'alphabet réglant son existence : il cesse de diriger la rédaction du fameux dictionnaire des biographies, trop épuisante pour ses nerfs. Désœuvré, il erre dans la maison haute en tortillant de ses doigts effilés les boucles de ses cheveux, les poils de sa longue barbe. Il n'est plus qu'anxiété, et cette anxiété pèse sur toute la double couvée. Seul marcher apaise ce vagabond frénétique qui jadis, chaque dimanche, quittait Londres pour de longues virées amicales. Aujourd'hui il lui faut l'arpentage des parcs de Londres, Hyde Park au premier chef et les jardins de Kensington. Souvent miss Jan l'accompagne, qui tente de suivre les grandes enjambées rythmées par la déclamation – expiatoire ou cathartique, nous ne saurions dire à cette distance – de pans de poèmes.

Le Père encourage pour sa fille, un peu fragile, l'exercice physique – *mens sana in corpore sano* – mais miss Jan se fiche bien de l'hygiène, elle est surtout heureuse et fière de passer du temps avec son Père, même si elle s'ennuie un peu puisqu'il s'adresse davantage aux nues qu'à elle-même. Elle aimerait pouvoir prendre son temps, s'arrêter au bord de la Serpentine pour observer les cygnes et les canards qui fuguent sous le petit pont de pierre en évitant les shillings que les badauds jettent à l'eau, dans l'éventualité où cela les préserverait de quoi que ce soit. Elle aimerait s'asseoir sous la joliette ou dans l'herbe et se sentir l'immense pouvoir de décider du trajet d'un insecte en manipulant les brins. Mais il faut avancer, accumuler le monde dans la chair des mollets. Entre deux vers paternels, des éclats de voix lui parviennent depuis le coin des orateurs où s'époumonent tribuns d'un jour, prédicateurs hétérodoxes et autres millénaristes.

L'été, les marches se poursuivent autour de St. Ives – même si la mer ne suffit pas à donner à Leslie tout l'air dont il aurait besoin, s'il y faudrait les goulées alpines, ce sont des remèdes provisoires à l'angoisse. Celle-ci parfois s'évacue dans l'irascibilité. Ce matin, trouvant un insecte dans son lait, il a jeté son bol par la fenêtre. Ses colères foudroyantes terrifient d'autant plus que, le reste du temps, le Père traverse l'existence avec une discrète pesanteur, où l'inquiétude fourmille en silence. Mais tout est prétexte à ce qu'elle éclate – un changement dans l'ordinaire, une sortie improvisée, un vacillement météorologique : il lui suffit d'imaginer le pire et le pire est là, qui tressaute dans ses veines en petits influx électriques, qu'il s'efforce de calmer au détriment des boucles et poils recouvrant son chef. Presque toutes les nuits, il s'éjecte à plusieurs reprises de son sommeil d'ours et Julia chaque fois doit le bercer. C'est pire lorsqu'une excursion est prévue au lendemain : il ne fera pas beau, tout sera gâché, peut-être même y aura-t-il un accident. Mais non, mon chéri. Je suis sûre qu'il fera beau, que tout ira bien, que nous pourrons faire ce que nous désirons faire sans attirer sur nous tous les malheurs du monde. Les enfants, sidérés, regardent la silhouette de liane s'affaisser un peu devant la certitude de la sainte.

On ne naît pas impunément fille de l'angoisse. Une nuit, miss Jan s'éveille d'un cauchemar. Le ressac par la fenêtre, d'abord doucement lissant le sable, s'est fait plus insistant et plus proche, il a envahi tout l'espace sonore et a dévoré l'enfant d'une vague épaisse, puis d'un coup l'a propulsée hors du sommeil. Elle pleure un peu et ses pleurs propulsent sa Mère dans sa chambre – Julia est de ces mères, de ces épouses qui ne sauraient songer d'abord à leur propre repos. Le soleil se lève à mesure que les craintes enfantines s'apaisent. Julia parle doucement, explique de sa voix ferme et pâle que le soleil est une lampe soulevée avec lenteur dans le ciel par le bras d'une femme couchée.

Mais est-ce le même soleil, celui qui darde à Londres, à St. Ives ou sur les villages d'Orient ? L'enfant se sent moins seule de le croire.

Miss Jan – comme Julia en dépit de son instinct, comme nous en dépit de nos théories, de nos reliques, de nos archives – ignore la source de ces terreurs d'enfance. Pourtant notre regard, panoramique dans l'espace mais aussi dans le temps, discerne une ombre lourde : c'est celle de l'arbre généalogique, déployée au-dessus de la petite dans toute sa majesté, des Stuart aux Windsor. L'arbre des Stephen, dont les branches se sont emmêlées voici treize années avec celles des Pattle, est chargé de fruits dont la panse est prête à crever. Les Julia les Mary les Herbert les Henry, les Margaret les James les Arthur les Adeline les William, on s'y perd et les naissances et les morts de ceux-là pèsent sur les chétives épaules de miss Jan.

Le décès du parrain James est survenu à l'été. Notre regard, tout panoramique qu'il soit, manque de l'impudeur nécessaire pour savoir de quelle manière, dans ces familles, on annonce une telle nouvelle aux couvées. C'est Julia très sûrement qui l'apprend à ses filles. La première pensée qui vient à l'esprit de miss Jan est celle de l'oiseau que James lui avait offert, déclenchant l'animosité envieuse des autres enfants. La mort prend ce jour-là, dans sa pensée mal nettoyée des brumes, la forme d'un oiseau. Un oiseau qui d'un battement d'ailes crée la fêlure dans l'amour. Les adultes sont plus pragmatiques et, le poète et diplomate américain valant bien un hommage, la question se pose de la méthode. Finalement, à la demande de Julia, un mémorial est érigé à Westminster, que Leslie inaugure en dépit de sa répugnance – peut-être n'est-il pas aussi aveugle qu'il veut bien l'admettre aux sentiments de Lowell envers la sainte.

D'autres trépas surviennent, dont les illustres remous parviennent jusqu'à l'impasse. En octobre, c'est celui de Parnell qui agite les gazettes, et miss Jan entendant les adultes parler des Irlandais imagine de grands messieurs très rouges et bien bâtis, aux grosses mains faites pour peler des pommes de terre ou choquer une chope mousse. Elle les imagine crevant de faim dans les faubourgs, attendant de recevoir les bienfaits d'aimables Anglaises, telle sa grand-tante Cameron qui, entre deux photographies, s'employait à nourrir les malheureux tâchant de survivre à l'exil. En novembre, après avoir tenté de faire marcher la poésie sur un pied, et tandis que son ami Germain Nouveau est interné à la suite d'une crise de folie mystique, c'est Arthur Rimbaud qui meurt de n'avoir pu remonter à bord. Ce qui n'empêche pas les feuilles de continuer à tomber, mais modifie imperceptiblement le rythme de leur chute.

1892

Aucun soleil ne perce le jour de ses dix ans. Mais au fond de l'impasse, on sait fêter les anniversaires, et on a le sens du calendrier – Julia surtout, car Leslie le biographe, entre fausse modestie et paresse, mauvaise foi et égoïsme, aime à se plaindre qu'il n'a aucune mémoire des dates. Parmi les cadeaux, l'équipement complet de la parfaite miss Jan – encrier, buvard et plumier. Dans le doute, voici également un cahier de dessin. Pas de doute possible lorsque l'on ajoute un coussinet, avec aiguilles et épingles. Et pour parfaire le tout, une pendule, car c'est partout que le temps se rappelle à qui erre dans le grand manoir étroit de Hyde Park Gate.

Un autre cadeau, plus inattendu, survient quelque temps plus tard : on retrouve le *Fairy*, son petit bateau d'enfant, qui avait coulé en novembre dernier dans le Round Pond de Kensington Gardens et que le préposé au nettoyage du bassin a dragué sous ses yeux. Leslie s'enchante à réparer le jouet, y trouvant un plaisir un peu honteux et une nouvelle occasion de mettre de côté l'épuisant rôle de père. L'événement marque la très jeune fille, nous ne serions pas étonnés qu'elle en parle encore plus de quarante ans après. C'est que sur ce bateau se concentrent les plus puissantes ressources de son imagination, qui s'abreuvent aux profondeurs de la mer, paysage racine. Sur ce bateau, si nous nous approchons, nous pouvons voir même de là où nous sommes s'agiter de minuscules personnages, des femmes de quarante ans incommodées par leur mariage, de très jeunes filles rêvant d'absolu et ne trouvant que médiocrité, quelques hommes un peu rougeauds, émouvants et crédules, de vieilles dames à fanons aussi.

Quatre mois plus tard, lors de l'anniversaire que partagent Vanessa et Stella, la première reçoit du matériel de peinture – pour elle aucun doute – et la seconde un appareil photo : l'activité prend alors une place importante dans la famille – on se souvient de la tante Cameron, avec l'orgueil et le désir de dépasser l'ancêtre. Stella tire le portrait de quiconque leur rend visite, au grand désespoir de miss Jan. Elle saisit sur le vif des instants qui semblent échapper, comme par un miracle anachronique, au mensonge de la pose. Tous les arts eussent été représentés parmi les sœurs, si cela avait pu durer – mais chut. Confessons simplement que l'ombre au-dessus de l'impasse s'étale un peu plus. Le chapelet des défunts, dont l'époque fait les perles plus resserrées, continue de s'égrener.

C'est dès février la disparition de Jem, le neveu chéri dans sa folie. Contre toute attente eu égard à ses trente-deux printemps et à ses allures taurines, le bel aliéné a succombé à une grève de la faim – ce qui ne risque pas d'arriver à miss Jan, mais est-ce bien le moment d'en rire. Il avait entamé sa diète fatale au décès de son cher Albert Victor, fils aîné du prince de Galles, dont il était le tuteur depuis près de dix ans. Un tutorat mâtiné de scandales, le prince Albert ayant fait l'objet de toutes les accusations. Y compris – c'est une manie – celle d'être Jack l'Éventreur, rumeur qui n'épargne pas grand monde, Jem inclus. Il n'est plus, les larges épaules, l'œil bleu-blanc, l'ovale du menton, la poésie parodique et vaguement misogyne, tout s'est amuï dans le bouillon de la démence.

L'ombre continue de s'étendre en avril avec la mort de la vieille Maria, qui disparaît cinq ans tout juste après son bon et fade époux. Chez les enfants le trépas de la grand-mère crée, oh, pas grand-chose, un rien, un peu d'air, c'en est presque rafraîchissant, on est plus à l'aise et l'on s'étale davantage. C'est du moins ce que nous concluons du fait que l'on ne juge pas bon de mentionner l'événement dans le journal de Hyde Park Gate, lequel se développe pourtant avec ardeur. On ne se prive pas en revanche – bien qu'il soit dangereux de considérer avec tant de légèreté l'ombre noire qui les effleure – d'y évoquer les bouffonneries du poisson d'avril dont, à la veille de perdre sa mère, Julia fut la complaisante victime. Julia certainement souffre, mais épargne la souffrance à ses enfants, ne leur laissant que ce rien, ce peu d'air et l'illusion de continuité qu'il apporte.

On raconte bien des choses dans les *Hyde Park Gate News*, des choses qu'il est tentant et impossible à la fois de coudre les unes aux autres pour en faire un tissu cohérent. On relate les petits événements de l'enfance, ces anecdotes qui sous leur trivialité recèlent un apprentissage essentiel, celui des déceptions que renferme le réel, brodé de mensonges et d'ignorance, de violence et de mesquine bêtise – qu'il s'agisse des erreurs plus ou moins volontaires glissées dans les descriptions historiques d'un monument, qui viennent détruire la foi d'une enfant dans la parole des adultes, ou des aventures terrifiantes avec le chien des voisins, un terre-neuve aux mœurs exécrables qui va jusqu'à se jeter sur miss Jan, plantant ses crocs dans sa cape. Il faut aller à la police montrer les traces de dents sur le tissu, car on ne déchire pas impunément l'étoffe victorienne ; prendre conscience qu'il existe une violence gratuite est un autre apprentissage douloureux.

On dit dans les *Hyde Park Gate News* bien des choses vouées à faire tantôt guenilles, tantôt reliques, ou peut-être à disparaître, des choses entre les lignes desquelles il nous faut lire, ajustant la lorgnette, car en en choisissant certaines on en tait d'autres, on étouffe les échos du gong. Il nous faut examiner à la loupe les petites allusions, lire plus loin que ce qu'elles disent. Par exemple lire, dans l'évocation de la peur que Julia éprouve envers les rats, l'amour qu'elle éprouve envers les animaux en général, et en particulier les plus faibles, qui en toute espèce ont sa préférence puisqu'elle y trouve sa propre raison d'être.

Lire aussi la solitude d'enfance dans la description acide des coiffures ridicules des uns, des manies des autres, des thés et des réceptions, de tout ce qui compose le monde sous Victoria. Elles sont cruelles, ces deux jeunes filles en leur journal, pour celles et ceux que la nature n'a pas dotés. Tout le monde en prend pour son grade, les vieilles filles, les bigotes et les curés comme les femmes tyranniques et les hommes vénaux. Il faut scruter l'au-delà tout en nageant parmi les blagues, les poèmes pour l'édification de la jeunesse, les devinettes, les chroniques mondaines ou familiales, tantôt grinçantes, tantôt flagorneuses. Interpréter à l'intuition les histoires de fermiers, les fausses lettres d'amour et les vraies déclarations d'intention, les parodies et les satires qui en disent long sur ce qui menace dans le corps des jeunes filles.

Lire n'est pas tout, il faut entendre. Autant miss Jan échoue depuis l'enfance à imiter le timbre blême de sa Mère, trébuchant en des accents suraigus et inaudibles, autant elle sait à l'écrit emprunter d'autres voix que la sienne – parfois même celle du Père, qui n'est pas si difficile à contrefaire. Elle varie les tons, se glisse dans les personnages comme s'ils n'étaient que les parties séparées d'un tout qui serait elle-même, ou la vie. Virginia point dans ces gammes.

Les deux sœurs tiennent assidûment la gazette, notamment pendant l'été qui leur en laisse le loisir. Miss Jan entre deux écritures trace bien dans la marge quelques roues de chariot, ou des bonshommes bâtons avec des ailes, ou des soleils, des alpinistes, de petits visages farceurs émergeant des vagues, en signe de panne ou de percolation des idées. Mais le plus souvent l'inspiration est là, pleine d'une impitoyable tendresse et d'une arrogance faite d'autodérision. Cela prend toute la place, et cela ne suffit pas. Il lui faut un public. Un soir, les deux sœurs placent un exemplaire du journal sur la table et s'enfuient ; elles filent se cacher dans leur repaire et, par la vitre qui donne sur le salon, guettent la réaction des Parents. Les mots de Julia tombent : *clever*. Est-ce ce que l'on attendait ? La joie d'être adoubée l'emporte. Il faut dire que – besoin de reconnaissance, véritable admiration, emprise ou flagornerie filiale – les qualités du Père et de la Mère sont dépeintes avec emphase dans le journal et que le risque de déplaire n'était pas bien grand.

Lorsqu'elle soumet sa toute première nouvelle – *The Midnight Ride* – au jugement parental, l'attente est plus douloureuse qu'à l'ordinaire, elle pourrait même rendre un peu folle si l'on n'y prenait garde. Dans ce texte, miss Jan dépeint la vanité des êtres à travers les aventures oxymoriques d'un cockney empaysanné, qui s'essaie sans grande réussite aux joies de la campagne et se distingue par le peu de goût qu'il a pour l'éducation – l'élevage – de ses enfants. Ici gardons-nous de rapprochements hâtifs, la lorgnette parfois est trompeuse et il faut rappeler que Leslie, pour un homme de son temps et de son éminence, donne beaucoup à sa couvée. Contentons-nous de constater l'inaptitude à l'intrigue de miss Jan – ce que nul ne lui reproche qu'elle-même. Elle se plaint aussi d'en être encore à imiter, que ce soit Hawthorne ou d'autres auteurs passés par le filtre de la barbe paternelle. Elle n'ose pas être elle-même tout à fait, enfermée dans le surnom et la troisième personne dont elle s'est affublée.

Ce que l'on ne raconte pas dans les *Hyde Park Gate News*, c'est un autre moment d'être, un choc sur le gong, de ceux dont on fait de la littérature – nous qui regardons les photos avec ce qui n'est pas loin d'être de l'obstination, celles de la National Portrait Gallery ou d'ailleurs, pouvons tout à fait l'imaginer, bien que ce ne soit écrit nulle part sinon entre les lignes de la littérature qui est la vérité : c'est le soir, miss Jan est envoyée au bout de la rue par sa Mère, avec pour mission une lettre à poster. Elle sort, courageuse, dans le crépuscule. Au loin, près de la boîte aux lettres, se tient un homme dont la silhouette parmi les ombres vacillantes fait une ombre plus noire. L'enfant dans un reflet de gaz soudain perçoit la béance dans le pantalon de l'homme, qu'il dirige vers elle. Elle fait demi-tour en courant, escamotant la lettre dans le pli de son manteau. Elle la postera plus tard, ou jamais, taira la peur et l'écho du gong. Elle sent qu'il faut ne rien dire, car point n'est besoin de sortir de la maison pour frôler le danger, quelque chose en elle se souvient malgré les brumes du gros bouquet de camélias, et elle ne croise pas Gerald dans les hauts couloirs sans un léger embarras. N'était le secours des frères, les filles d'hommes cultivés ignoreraient tout de la vie, des hommes et de l'exigence de virilité qui leur est faite au détriment de la vertu desdites jeunes filles. Il est des ignorances qui préservent.

Évoquant les frères nous ne songeons pas ici – comme souvent – au petit Adrian. Du bas de ses neuf ans, l'élu exclu aimerait lui aussi trouver une place dans cette fratrie, mais le moyen d'y parvenir avec l'amour dévorant de sa Mère ? Il tente de faire un journal tout seul mais, outre qu'il n'est pas un éditeur des plus fiables, ses sœurs lui signifient sans aménité qu'il serait bien avisé de renoncer à ses projets d'émancipation. Il se venge aussitôt en intégrant à son tour l'école préparatoire, achevant d'entériner la déchirure entre garçons et filles. La gazette reste le domaine des deux sœurs, leur succédané d'éducation, leur chambre à elles. Elle compense leur proscription du royaume du savoir. Ne mentionnons pas les leçons approximatives de leurs géniteurs, qu'elles doivent désormais subir seules dans la salle à manger, sur la longue table recouverte de feutrine et parmi les odeurs de cigare et de viande. Non plus que les minables professeurs recrutés pour les leçons – piano, chant, danse, voire maintien gracieux – auxquelles les Parents ne peuvent pourvoir et qui ont pour seul mérite de se dérouler en groupe, permettant que l'on se dissimule dans le nombre.

Le pire, ce sont les mathématiques avec Leslie, qui souffre visiblement autant que ses filles, ne comprenant pas qu'elles ne comprennent pas, d'autant plus torturé qu'il doute lui-même du bien-fondé de son enseignement. Que miss Jan compte sur ses doigts, handicap qui semble devoir être définitif, n'a finalement que peu d'importance, tant qu'elle se tient droite. Julia ne voit pas les choses autrement, qui a charge du latin, de l'histoire et du français. Elle s'emporte elle aussi facilement mais s'obstine, se considérant comme plus qualifiée qu'une institutrice – tout comme elle se sait mieux à même de soigner ses enfants qu'une infirmière professionnelle.

L'éducation emprunte aussi des chemins plus inattendus : toute famille victorienne qui se respecte se doit d'élever un ou plusieurs quadrupèdes, et le chien est pour l'apprentissage des mœurs un enseignement permanent. Le terrier Shag, avec ses longs poils comiques, vient tout juste d'être adopté, prenant le relais de la chienne Beauty ou de Pepper – que l'on aimait plus que les demi-frères, ce qui ne veut pas rien dire. Notre lunette nous désigne les suivants, tenons-nous-en à Gurth, nommé d'après un personnage d'*Ivanhoé*, Gurth qui gobe indifféremment chaussures et cheddar entiers, livres et pâtisseries, avant de les restituer aux endroits les moins appropriés. Taisons, puisque nous avons fait le choix de la chronologie, la litanie des chiens à venir, sans parler des ouistitis, écureuils et autres souris domestiquées. Il suffit de dire que miss Jan, observant les chiens, en déduit ce qu'il y a à déduire pour la compréhension des bipèdes prétendument doués de raison.

Car la hiérarchie des races canines épouse les contours de la lutte des classes, au même titre que les passions des hommes contaminent celles de leurs compagnons, qui adoptent les vices de leurs maîtres autant que leur mélancolie. Ainsi Néron, le chien de Carlyle, se jeta-t-il par la fenêtre sans doute davantage pour répondre aux aspirations à l'idéal de son maître que par jalousie envers le vol d'un oiseau. Miss Jan plonge ses yeux dans ceux de son chien et tente de pénétrer les échos ancestraux qui résonnent dans le corps de Shag en désirs non bridés et archaïques, odeurs, cris, courses sauvages de ses aïeux auxquelles le petit animal citadin n'a jamais eu l'occasion de se livrer lui-même.

C'est juin. Quelques jours après que l'empoisonneur de Lambeth a été capturé par Scotland Yard, libérant les bons sujets de Sa Majesté de l'angoisse et les privant du même coup de sujets de conversation, Leslie est invité au Sénat de Cambridge pour recevoir son titre de docteur ès lettres. La pression de l'excellence est cultivée grâce à de tels événements, et l'on y traîne souvent une partie de la couvée pour montrer l'exemple. Les femmes elles-mêmes sont conviées, ainsi l'on s'assure d'appuyer sur ce qui leur manque et de conforter ces messieurs dans le sentiment de leur privilège. La délégation familiale compte Gerald, Stella et Vanessa. Miss Jan est trop jeune pour que la pression fasse son effet – quant à Thoby et Adrian, eux-mêmes sont à leurs études, préparant les futurs titres qui serviront à l'édification de leurs filles et à la perpétuation de la déchirure, et ainsi de suite.

Leslie est en revanche trop malade pour aller à Dublin,

quelques semaines plus tard, recevoir un nouvel hommage. Mais en novembre, le Père sur qui décidément les honneurs croulent est nommé président de la London Library en place de l'authentique Tennyson, décédé au début d'octobre. Leslie est élu face au Premier ministre de l'époque, ce dont miss Jan est moins impressionnée que nous, même si elle est encore à l'âge où les jeunes filles sont irrationnellement fières de leur père. Fondée par Carlyle – toujours lui –, la Bibliothèque de Londres est le temple des hommes cultivés. Les livres y fabriquent la grande conspiration intellectuelle des mâles. Il faudrait y aller voir de plus près pour savoir si vraiment les mères ont eu raison de mettre au monde tous ces hommes qui eux-mêmes ont mis au monde tous ces livres. Mais les femmes ne sont pas les bienvenues qui voudraient mener l'enquête.

Nous qui nous y autorisons allons trop vite, achevant l'année alors que c'est l'été qui compte, cette année-là comme les précédentes. Ajournant notre désir de nous étendre sur les morts et naissances éminentes qui l'émaillent, revenons quelques pas en arrière et occupons-nous de cette grande affaire des étés un peu plus sérieusement, avant que la maison ne ferme et que les feuilles ne se remettent à tomber.

Les étés

Juin achève. Déjà le soleil a lancé plusieurs fois ses appels, on a pris du retard, il est grand temps : on va à la mer. C'est la grande affaire, St. Ives, les Cornouailles, comme tous les ans depuis sa naissance, c'est l'ancrage de tout en tout. Il nous faut y rester un moment, car la récolte de reliques à St. Ives donne mieux qu'ailleurs – l'air que l'on y respire est plus pur, le ciel plus grand. Les neuf mois par an conscrits dans le manoir de Londres livrent moins que les trois mois que l'on passe en contre-haut des falaises, yeux dévorés par l'étendue bleue.

En gare de Paddington, la couvée embarque dans le train – un siècle plus tard, nous empruntons la même ligne pour tenter d'attraper le regard de miss Jan. Il traverse la vitre : après la banlieue et les petites maisons d'artisans se succèdent un trou dans la haie, un arbre, un poteau ; elle voit – nous-mêmes ne voyons pas aussi bien car notre train va trop vite – une petite tour carrée, le mur rouge d'une maison de briques qui fait une tache répétitive dans le vert, des champs, de minuscules gares de triage entre deux prairies, une cathédrale égarée quelque part entre Truro et St. Austell, des champs, des fermes, des églises de pierres colorées, des moutons beiges ou noir et jaune, des vergers, des champs, des vaches très noires et très minces, des branches emmêlées, des champs, de l'herbe, beaucoup d'herbe, la campagne anglaise en somme (même s'il nous faut imaginer plus de campagne et un peu moins de gares qu'il ne nous est donné de voir aujourd'hui).

Dans le compartiment où l'on s'est entassé, parmi les haleines et l'odeur de cumin des transpirations, un homme seul est là qui tire d'inépuisables provisions d'un grand sac et les dévore sans discontinuer. Manière peut-être de conjurer l'angoisse de ce voyage en solitaire et de rendre hommage à sa femme qui a consciencieusement, pour conjurer sa propre anxiété, rempli ledit sac. Miss Jan à regarder cet homme sent lever en elle la faim et une vague envie de pleurer.

Arrêt à Saltash. Sur la plate-forme, une barque abandonnée. On y a jeté quelques pelletées de terre, où poussent de timides fragments de verdure. Le ballast clignote dans le soleil, un bouquet d'oyats ondule sur le quai opposé, le train repart. Par la fenêtre ce sont des champs toujours, jusqu'à ce qu'ils deviennent échouages de bateaux : c'est le signal, soudain ça y est, il faut tourner la tête vers l'autre fenêtre côté sud, c'est la mer ! Si près que l'on semble rouler à sa surface. La mer grise, et le ciel immense comme un Turner. Le train prend de la hauteur, le bras d'eau s'enfonce, les maisons donnant sur le port crachent leurs fumées. La mer en contrebas comme un vertige, on en tomberait. Mais cela ne dure pas ; les maisons de pêcheurs disparaissent, le train de nouveau entre dans les terres où affluent les étendues de sable brun aux veinules argentées, qui alternent avec des marais piqués d'oiseaux noir et blanc. Un enchantement en métamorphose constante. Direction Plymouth où se fait le changement pour St. Erth – nous suivons toujours. Le train repart, de rondes vallées, de doux dômes verts se succèdent, aux petits bois traversés les branches cognent aux vitres, faisant sursauter la couvée.

À St. Erth on descend, on boit un thé à la fontaine à thé sur le quai ou – difficile à cette distance de trancher – dans le salon minuscule aménagé au cœur de la bâtisse de granit. L'homme qui ne cessait de manger est là, avec sa femme. Il ne se goinfrait donc pas de solitude (quoique). La dame de la station les sert en thé et en gâteaux, donnant aux filles du *my love* qui charge encore en sucre les pâtisseries dorées. On s'essuie les lèvres et l'on repart vers St. Ives, que le train dessert depuis quinze ans à peine. Enfin c'est l'arrivée dans la petite ville balnéaire et cossue. Depuis la gare, on grimpe jusqu'à la maison blanc et vert – du blanc et du vert partout, dedans dehors – que le Père loue depuis la naissance de miss Jan et qui surplombe la mer. Chaque fois l'on retrouve le jardin en pleine sauvagerie, les espaliers lourds de fruits, et chaque fois c'est une hystérie que de redécouvrir la *résidence palatiale*, brutale comme un dessin d'enfant, cette antithèse du manoir où fabriquer les souvenirs de première main, ceux qui restent dans le corps, qui font panacée pour les maux à venir. On joue dans le jardin près des framboisiers où pointent des têtes rose pâle, les minuscules globes tavelés que l'on égrène en crachant les pucerons. On joue sur les pelouses, parmi les choux, dans le verger de poiriers ou autour de la serre. On…

(Que les choses soient claires : nous savons notre collecte vouée à l'échec. Nous avons beau mettre nos pas dans les pas, nous ne voyons rien que peinture fraîche et grand vide, là où fut la vie. Que ce soit à Talland House ou à Hyde Park Gate – et même combat pour Gordon ou Fitzroy Square, Monk's House ou ailleurs. Mais la quête de guenilles est irrésistible.)

… on joue ici ou là, donc. Mais avant tout, il y a la mer. La mer qui ennuie Leslie, homme de sommets et de verticalité, mais qu'adorent Julia et les enfants. Eux se perdent volontiers dans les étendues et ce qu'elles recèlent de profondeurs – les monstres sont aussi nombreux à la verticale qu'à l'horizontale –, ils vont donc à la plage sans lui.

À marée haute on regarde depuis les quais les vagues qui viennent remplir les grottes, les vagues dans le roulis desquelles se cache un peu de la vérité du monde. À marée basse, on contemple l'étendue avec les mêmes espoirs, planté sur un roc choisi. Pour y parvenir il faut escalader, glisser sur une pierre primitive et noire, semée de grappes de coquillages argentés et tapissée d'algues ou de grosses anémones gélatineuses. Il faut emprunter un sentier hasardeux avec l'impression qu'au moindre choix imprudent, le risque existe de rester coincé, comme au beau milieu de l'océan ou d'une forêt dense – un instant d'inattention et aussitôt tout chemin possible s'est évanoui. On reste là des heures, mais une minute suffirait puisque rien ne vaut sinon l'instant où l'on a relevé la tête juste après avoir grimpé.

On peut aussi se baigner, braver l'inconfort des costumes et la fraîcheur de la Manche, braver surtout l'embarras de se changer dans l'étroite tente de bain rayée et de parcourir les quelques mètres jusqu'à l'eau, frissonnant de pudeur dans une nudité toute relative. On peut aussi plus prudemment rester sur le sable, y enfoncer la cale de ses talons. Lire des images dans la forme des vagues, pour changer des nuages. Regarder le phare au loin, les yeux pleins de larmes de vent ou d'autre chose, on ne sait, pleins de l'eau d'enfance qui fait tanguer l'édifice sur l'horizon.

Au pied du phare, les récifs font surgir des souvenirs de naufrages très anciens et de nuées d'oiseaux que la tempête assomme sur les vitres. Au moment de partir, on élit un caillou ou un coquillage que l'on glisse dans sa poche, lui promettant chaleur et sécurité, mise en valeur sur une table de chevet ou le manteau d'une cheminée.

Fatiguée des sollicitations des embruns, Julia se lève et secoue sa jupe couverte de sable, donnant le signal du départ. Adrian accourt vers elle, excité : il a vu, couchés sur la grève, des gens très rouges et très gros. Il a pêché un crabe. Il a trouvé un crâne de mouton. Il veut garder le crâne, Julia refuse, mais il parvient à conserver la mâchoire, qu'au soir il place au pied de son lit. Il fixe du regard les grandes dents jaunes avant de s'endormir, se préparant à des rêves préhistoriques. Dans son lit à elle, miss Jan fermant les yeux chasse l'image du sphinx à tête de mort qu'ils ont manqué de capturer dans la haie du jardin, cet après-midi. Elle s'aide du ressac dont le son est lové au creux tympanique, le mouvement imprimé sous ses paupières. Le sommeil ne vient pas yeux fermés, il faut les ouvrir et se rassurer dans la tiédeur du carré jaune que fait le petit pan de store à la fenêtre.

Rien ne compte que les étés. Les bonheurs sont tous là, accumulés. Au jardin miss Jan joue dans son coin. Les couleurs vibrent et les fleurs tintinnabulent en noms étranges, jackmanii et alysses, tritomes et asphodèles.

Bourdons ou abeillauds font l'objet d'observations inépuisables, leurs danses veloutées et insouciantes sont d'autres sources de réconfort. Un petit potager quelque part, des carrés de magie d'enfance. Les feuilles du pommier sont argentées comme la nuque des vieillards. Miss Jan gratte le sol et dégage un bouton pétalé, soudain le monde est là, tout entier et vrai, à portée de foi. Un éclat de voix l'arrache à cette épiphanie. Juché sur une échelle, un homme émondant des rosiers en interpelle un autre qui éclaircit le lierre à pleines mains, tandis qu'un troisième taille les buissons contre la maison. Miss Jan les regardant rêvasse à des demandes en mariage qui lui seraient formulées ici, parmi les clématites, un genou en terre. Elle mime la demande, minaude, rougit, c'est la marche nuptiale –

Elle s'interrompt : son œil a saisi l'apparition en coin de la silhouette de beauté. Julia revient du village où elle a fermé, de ses pouces oints d'une experte sainteté, les yeux d'un homme tué dans un accident de la route – elle conserve à la mer les habitudes de charité contractées à la ville. Elle les professionnalise, même, quoique restant bénévole. Enveloppée d'une vieille cape grise en place de son châle habituel, feutre de chasse enfoncé sur le crâne et galoches aux pieds, elle malmène sa beauté dans les herbes. Miss Jan redevenue Ginia accourt pour lui parler mais Julia se détourne, laisse les vivants, les bien-portants sur la pelouse. Ginia roule son mouchoir en boule de chagrin et regarde sa Mère entrer dans la maison. Des pas résonnent derrière elle. Sur la route où vibre l'air, passe un petit garçon vêtu de flanelle grise. Les deux enfants se regardent. Le garçon sourit, un peu. Ginia tire la langue, il détale. Julia laide, à quoi eût ressemblé le monde ? Les jardiniers râclent leurs grands balais sur la pelouse. Plus tard, pour la tondre, ils passeront avec le poney aux sabots recouverts d'un caoutchouc dont le couinement est la musique de l'été.

Les activités sont innombrables, puisque c'est l'été que reprend la vie. On prolonge les habitudes londoniennes : on chante, on écrit, on fait des visites, on découvre des églises et des monuments, pour ne pas être en reste de culture. Mais il y a aussi tout ce qu'offre la campagne : on s'ébroue dans la nature, on marche, on roule à bicyclette, on nage, on s'enterre sous des poignées d'herbe, on va même observer les foins pour mettre un peu de réel dans l'enfance. On part à la recherche de nids d'oiseaux, on chasse les insectes à larges coups de filet déployé – au grand dégoût de Julia, qui n'y voit que chenilles et autres larves crucifiées par l'épingle –, miss Jan dont le bras n'est pas fiable est chargée par Thoby de la taxinomie. Nessa chaque matin décapite des fleurs qu'elle fait flotter dans des bols d'eau, c'est son truc. Les têtes cyclopéennes fixent miss Jan de leur orbite unique et soyeuse tout le reste du jour.

Il y a aussi les jeux, sur boulingrin ou terrain de cricket. Depuis l'âge de quatre ans, miss Jan manie inlassablement la batte, elle aime sentir la balle entre ses doigts déjà longs, la rouler sensuellement, elle aime le petit choc au moment de la recevoir de la part de Thoby, mettant en échec Vanessa, trop sérieuse pour être habile. Elle aime songer à la tête haïe de quelque professeur de piano ou de chant au moment de frapper – à tous les coups cela fonctionne –, elle aime surtout qu'en dépit de ses membres éparpillés et de sa maladresse de chevrette, elle y soit excellente, toute prête à redorer le blason anglais que les Australiens ont entaché l'année de sa naissance, mettant au désespoir les bons sujets de l'île souveraine. George aide à perfectionner le lancer et à tenir la batte, on rougit un peu.

Parfois c'est une promenade, jusqu'à Trencrom ou Gurnard's Head, Porthcurno ou Land's End. Aujourd'hui l'on descend par le village, au Smeaton's Pier on est allé voir les phoques – on n'en a vu qu'un seul – avant de continuer jusqu'aux roches noires de Carbis Bay. On marche parmi les ajoncs et les minuscules fleurs mauves. Les bruyères emmêlées aux fougères roussies font, en contrefort de la plage, un large tapis où l'on voudrait rouler. Sur les chemins, les ronces piquées de mûres défendent à coups d'épines leur pulpe noire contre celle des petits doigts. On marche sur les sentiers qui parfois disparaissent, faute d'entretien, ou aboutissent dans la cour d'une ferme où l'on est accueilli par une paysanne revêche ou un cabot hargneux ; on trébuche contre des blocs de granit perdus dans la lande. Une charrette passe, des brins de foin restent accrochés à la haie.

Miss Jan ne mesure pas encore – mais cela frémit quelque part dans cette frustration toute sexuelle qui la fait courir – l'impuissance où l'on est à embrasser tout cela d'un seul regard. Pour l'heure elle regarde les papillons qui dévorent les couleurs, elle se répète leurs noms sublimes, sylvain, piéride du chou, fritillaire, soufré, aurore et vulcain, paon-du-jour et belle-dame – ça marche aussi en anglais –, un monde d'images et de sonorités dont elle sent qu'elles sont la vie même. Mais la nature n'a que faire de la littérature, elle reprend ses droits si l'on tente de la capturer dans des résilles de lettres, la nature ne se laisse pas attraper ainsi et miss Jan se fait piquer par une guêpe. On court chercher le sac bleu à pharmacie, d'un peu de cuivre on barbouille tout ensemble piqûre et poésie.

Parfois l'on s'accoude à la rambarde de pierre du Malakoff, ce promontoire informe où le tout St. Ives, vêtu de vert et rouge, se poste sous la pluie fine pour encourager les régatiers vociférant leur victoire, ou pour décrypter au milieu des coups de canon et des rumeurs de liesse les marmonnements en patois des vieux qui fument et commentent les reflets d'ombre dans l'eau, les sauts de marsouins annonciateurs de sardines arlésiennes. Certains jours on devine à peine le phare blanc. Les roches au-dessous, selon la densité du brouillard, tantôt sont crayeuses et se mêlent au ciel, tantôt menacent, très noires sur le gris de la mer.

On passe aussi beaucoup de temps sur le port, parmi les curieux entassés sur la chaussée qui sépare de l'eau échoppes et buvettes. On observe le ballet affairé des pêcheurs chargés de leurs sennes, des fermiers qui se pressent vers l'église, ou de ceux-là dont l'œil plus sombre, le front davantage baissé signalent qu'ils s'apprêtent à aller mourir dans les mines américaines pour parachever la conquête du Nouveau Monde. À certains moments de la journée c'est la cohue, banjos, chèvres, goudron, chapeaux de paille, malades et vieux en fauteuil roulant. Elle regarde les façades des hôtels, imagine les représentants de commerce ou les gentlemen célibataires dans leur chambre ou au salon paressant dans un siège en bambou, l'œil perdu sur l'océan immobile.

Précisons que si la couvée observe le monde, le monde en retour observe cette famille avec avidité. Commerçants et gens de mer, peintres et touristes, tout le monde regarde ces longues personnes superbes qui, le plus naturellement du monde, évoluent dans une poussière dorée sur la plage jusqu'à leur tente de bain, ou se penchent avec le commun des mortels sur la balustrade du Malakoff, ou s'offusquent des impudeurs d'un tourisme balnéaire encore balbutiant. Les uns observent les autres sans se douter de combien réciproque est leur curiosité.

D'autres fois c'est une kermesse de village. On assiste à une pièce de théâtre qui se joue en plein air – mais miss Jan ne peut s'empêcher alors de contempler le ciel plutôt que ce qui se déroule sur la scène, s'abandonnant à l'idée romantique qu'elle se fait d'elle-même – ou bien dans une grange décorée de guirlandes de roses en papier blanches et rouges. C'est Shakespeare sûrement, dont la prose coule dans la veine anglaise comme un sang bleu démocratique. À moins qu'il ne s'agisse de quelque composition du cru célébrant l'Albion, son histoire et sa grandeur avec force chants discordants, paroles inaudibles et joues rougies de trac. Mugissement des vaches et gazouillis des oiseaux, puis bientôt rires et commentaires s'intercalent dans les vers généreusement quoique laborieusement dispensés. Danse, chants, poésie approximative et pastiches involontaires mais assumés sont offerts à un auditoire clairsemé, indocile. L'infirmière du village est une allégorie et l'institutrice une autre. La marchande de tabac est déguisée en reine et le jeune docteur en prince héritier, ils se changent dans les buissons entre deux actes. Les membres de la bourgeoisie venus honorer le spectacle de leur présence sentent plus cruellement, dans ce monde qui n'est pas le leur, à quel point ils sont privés de ce qu'ils s'évertuent à voir comme une naïve et enviable gaieté.

Ou bien encore on part en mer, c'est une partie de pêche. Des amis se sont joints à l'aventure, qui sont scrupuleusement malades dès qu'ils mettent pied sur le canot. Tandis qu'un Stephen, regard tendu vers la ligne de l'eau, ne perd jamais l'équilibre. Aujourd'hui on va au phare – Adrian a dû rester à la maison, ce furent des larmes et des regards parricides sans fin. La couvée amputée du petit dernier – seraitce qu'enfin miss Jan est passée de l'autre côté ? – a pris place dans la barque, à l'ombre de la longue silhouette paternelle. On laisse les doigts traîner et ramasser les algues, l'oreille cliqueter dans l'écho des drisses, le chant du mât, le grincement de la coque. Le passeur a tendu une ligne qui file à la poupe et pêche sans effort une brassée de maquereaux.

Assis au centre du petit bateau, planté bien droit dans le roulis, Leslie récite des poèmes, bouts de vers et autres débris de mémoire fredonnés. Parfois il s'interrompt pour aplatir un maquereau que le pêcheur a remonté et laissé, moribond, s'agiter au fond de la barque. Ou bien le Père rejette à la baille le poisson tout vif et mutilé, après en avoir prélevé et avalé tout rond un morceau de chair tendre. Les yeux de miss Jan sont remplis de la grande tristesse de la côte vue du large, les dérisoires petits cottages qui font des points blancs parmi les ajoncs et le granit. Elle se sent soudain très vulnérable, comme si la petite barque qui les transporte était la feuille de chou sur laquelle Ia de Cornouailles, la sainte aux 777 amants, traversa la mer d'Irlande avant d'être martyrisée sur la rivière Hayle, prestement canonisée et enterrée à St. Ives. Mais voilà que l'on arrive sur l'île, et qu'en réponse à son chagrin miss Jan trouve un oiseau blessé, aux yeux martyrisés, un frémissement d'au-delà dans un paquet de plumes sales.

Certains jours miss Jan reste à la maison. Un ciel chargé lui donne l'autorisation de lire à l'intérieur tandis que les autres, qu'un crachin n'effraie pas, vont en balade. Elle lit. Proposez-lui ce que vous voulez, pêche à la crevette ou promenade en pédalo, l'ennui de quitter sa lecture se peindra sur ses traits. Dans le grand salon tendu de chintz à fleurs vert et blanc, parmi les gravures et les livres, entre le paravent japonais et la pendule – ici aussi le temps obsède –, elle lit. À l'ombre de la grande bibliothèque vitrée, des vues de Venise et des portraits par Watts au mur, elle lit. Installée sur le grand canapé de peluche verte ou, quand les éminents Parents tiennent la préséance sur le divan, sur une chaise dans leur dos, en écoutant le craquement des boiseries gorgées d'embruns et le tic-tac du temps, elle lit. Quand il fait beau elle va s'asseoir sur les marches du perron où, dissimulée derrière la grosse urne de pierre, elle peut relever le nez de sa lecture et glisser les singeries d'une abeille entre les lignes de son livre. Elle aime sentir la roche sous ses mains, un peu granuleuse, le parfum d'iode de la pierre chauffée par le soleil ou lavée à grande eau.

Elle aime toutes les odeurs de Talland House. Celle des algues et du sable, qui imprègne serviettes de plage et robes de ville ; celle des cailloux et galets qu'on ramasse et que l'on disposera au retour dans la nurserie ; l'odeur de camphre des boîtes à insectes, indissociable des décors que l'on fait avec des fragments chitineux, de longs rubans gluants et les crânes de petits oiseaux ; l'odeur d'araignée que dégage la roche lorsque, pour écouter la conversation des cuisinières, on se colle contre le mur de l'office.

Ce matin, Sophia la cuisinière a raconté – tout en faisant couler de l'eau froide sur des harengs au fond d'un bol – qu'on avait trouvé un homme dans la rivière. Sa gorge était ouverte et le rouge faisait du brun avec le vert des arbres, du violet avec l'eau du ciel dans l'eau. Les écailles s'ouvrent sous le jet et l'argent se teinte rougeâtre dans la lumière. Miss Jan s'enfuit sous les arbres, jusqu'au bois qui s'étend derrière la maison. Le sol craque d'aiguilles. Un scarabée noir ou vert avance sur la feuille laquée d'humidité qui pend près de son front, il n'a pas la même couleur que ceux qui, au fond des flaques, escaladent leurs boues et sont de petits morceaux de mort. Elle froisse entre ses doigts des feuilles odorantes, les changeant instantanément en souvenirs, lointains, épars, qui s'effacent avec les impressions suivantes.

À Talland House comme à Londres Nessa peint. Tandis que miss Jan inlassablement lit, que les garçons imperturbablement errent dans les interrogations de leur virilité naissante, Nessa orgueilleusement peint. Elle s'installe au jardin, près de la haute haie, parmi les fougères. *Porthia* – en cornique dans le texte – est une ville de peintres, source de fantasmes pour Vanessa qui rêve devant les ateliers que les pêcheurs, profitant de l'aubaine, louent chaque été aux artistes. Ceux-ci paient le prix fort pour sacrifier à la mode des marines, revenue sous sa forme impressionniste, comme à celle des représentations vraies, celles du petit peuple et de son existence laborieuse. La peinture *en plein air* – en français dans le texte – a traversé la Manche. Les Cornouailles, St. Ives en particulier, sont le repaire idéal pour ces artistes bourgeois, plantés sur la plage ou sur le port devant leur toile, que les deux sœurs observent avec une curiosité aux motifs divergents. Ces peintres souvent posent leurs pinceaux et viennent prendre le thé à Talland House. Leslie et Julia sont d'importantes figures de la communauté, où ils s'impliquent beaucoup depuis dix ans qu'ils y passent leurs étés.

Nessa peint, miss Jan lit et écrit, en différé depuis St. Ives, le journal de Hyde Park Gate à grand renfort de roues de chariot dessinées en marge de son inspiration. À côté, les adultes vaquent. Leurs voix sont des clochettes, rassurantes et bêlantes. Les deux sœurs, chacune de son côté mais toujours ensemble, creusent leur inébranlable sillon. Elles n'oublient pas d'être des sœurs, ni de très jeunes filles. Depuis qu'elles se sont rencontrées sous la table de la salle à manger, elles parlent. Dissimulées au grenier, elles égrappent leurs désirs, leurs visions, leurs espoirs qui sont moins possibles que pour les hommes – mais non, ce n'est que notre voix que nous entendons en écho dans les vieilles poutres, elles ne parlent pas de cela. Les enfants ne savent pas. Les adultes déjà savent si peu. Nous n'entendons pas bien ce qu'elles disent mais nous savons qu'au grenier, on oublie la couvée, l'amour qu'on porte à Thoby et celui qu'on ne porte pas à Adrian, on oublie qu'on oublie Laura et qu'on a peur de Gerald, on oublie la beauté de la Mère et l'éminence du Père. On oublie Londres et les dîners, on oublie même Victoria et sa couronne de diamant, ses lunettes de corne, ses domestiques écossais ou indiens et ses petits saluts de la main.

Le Père en Cornouailles n'est presque jamais à la maison, il est le plus souvent parti en promenade. Enfant chétif, adolescent malingre et harcelé par les colosses d'Eton – des modèles pour George et Gerald, qui ont aussi humilié leur pesant d'intellos fluets –, Leslie en prenant de l'éminence est devenu un athlète. Remis de ses problèmes de santé de l'année précédente et n'anticipant pas ceux à venir, il marche, en proie à l'exaltation du principe mâle. Il marche ses marches viriles, inspirées par celles de Scott – quand les divagations émasculées de Byron, quel que fût son génie, le navrent –, Leslie le piéton formidable marche sa revanche, il marche jusqu'à Carbis Bay et Lelant ou, de l'autre côté, Zennor et Gurnard's Head, poussant parfois même jusqu'à St. Erth.

Entré en alpinisme comme on entre en religion, il pénétrait autrefois dans chaque grotte de montagne comme dans une cathédrale et fut, quelques années plus tôt, l'un des premiers à contempler le soleil couchant depuis le mont Blanc. Ayant dû renoncer aux alpages, le grimpeur infatigable, le découvreur de sommets nourri frugalement de pain et de fromage, de silence et d'air pur marche désormais au plus près du niveau de la mer. Mais tout paysage est à ses jambes un aliment nourrissant, et Leslie marche sur les routes de Cornouailles comme dans les allées de Kensington : à grandes enjambées dévorantes et solitaires.

En revanche il est un point sur lequel Leslie ne transige pas : à chaque paysage correspond une émotion spécifique. Pas question de mélanger. C'est mathématique, la montagne n'éveille pas ce qu'éveille la mer et vice versa. Nuance ni contexte n'ont leur place dans l'équation positive, la petite histoire qui soutient le paysage et que l'on pourrait se raconter ne compte pas, ce ne sont que rinçures, légendes, le tintouin des poètes. Toutefois l'érudit aime à emprunter les sentiers défendus – tant que sécurité et hygiène sont strictement observées. Miss Jan, ne pouvant le suivre – les femmes ne sont pas autorisées à marcher, restent pour elles l'eau et ses langueurs –, observe et constate, miss Jan absorbe.

Lorsque l'on attend de la visite – les amis ou relations sont innombrables qui se pressent à St. Ives, quand ce ne sont pas simplement les fils aînés qui font l'honneur de passer –, les filles courent au fond du jardin ; de là elles peuvent voir arriver le train de Londres où Gerald ou George sont affalés, fumant et soupirant. Bientôt le train entrera en gare et ils se lèveront sans oublier de mettre une nonchalance ennuyée, surtout pas de hâte, dans le mouvement de retirer leurs bagages des compartiments et de descendre du wagon, surtout ne pas se précipiter vers leur Mère qui les attend au bout du quai. Nous qui la voyons de loin gesticuler, lever les bras, se frotter les mains d'attente, savons qu'elle ne se prive pas malgré l'impatience anxieuse où elle est de lancer quelque plaisanterie acérée sur chaque voyageur qui passe, pressé, à côté de leur petit groupe, ou sur chaque couple qui s'étreint avec son pesant plus ou moins grand de sincérité.

En septembre, souvent, on est toujours là, on tire sur l'été. Septembre permet de voler du temps aux autres vacanciers déjà partis, c'est le mois où l'on baigne dans une perfection douce, après les violences lumineuses. Septembre est le mois préféré de la couvée, en particulier de Thoby dont c'est l'anniversaire et qui aime autant le fêter à la mer. Il pleut. On regarde le feu d'artifice offert par Gerald depuis le balcon. Miss Jan peine à s'endormir ce soir-là, l'excitation demeure dans l'écho des cris qu'ils ont poussés. Elle observe longtemps le rayon du phare balayer sa chambre, éclairer un instant le motif du tapis, l'abandonner à son ombre avant de revenir, et ainsi de suite jusqu'à ce que le sommeil se décide à la cueillir. Le lendemain, on constate le désastre laissé par les feux. Le portail du jardin a rendu l'âme. Un anniversaire vaut bien une grille.

On reste jusqu'à la mi-octobre, la tombée des feuilles. Pendant que meurent Sidney Woolf, laissant une femme et dix enfants, dont un fils de douze ans, Leonard – ce que c'est de perdre père ou mère à cet âge-là –, pendant que meurent aussi Ravachol et Walt Whitman, que naissent Paul Vaillant-Couturier et Francisco Franco Bahamonde dit Franco, Arthur Honegger, Djuna Barnes et Germaine Tailleferre, les poétesses Edna St. Vincent Millay et Marina Tsvetaïeva, ou encore Adrienne Monnier qui servira les livres jusqu'au suicide, ou bien aussi David Garnett qui épousera la fille que son amant eut avec Vanessa – c'est une autre histoire mais elle en dit long sur la nôtre –, pendant ce temps les arbres font leur ouvrage et pleuvent lentement. Il est temps de partir, l'été est irrémédiablement fini. On offre les prunes et les raisins qui restent – une feuille –, on serre les vêtements dans les malles et les photos de Stella dans les albums – une feuille –, on recouvre les meubles de draps – une feuille –, on règle les dernières affaires en ville – une feuille –, on ferme la maison.

1893

Le soleil joue sur la toile de Nessa. Elle attrape le rayon avec son pinceau, laissant miss Jan bouche bée. Voilà donc ce qu'il faut faire avec une plume. Cela semble insurmontable. Elle envie le pouvoir de la peintre. Elle jalouse Vanessa comme Vanessa la jalouse. Les deux sœurs, depuis le temps de la table, conspirent leur affection, elles s'adorent comme des sœurs et se détestent comme des sœurs. C'est la matière de leur amour réciproque, le plus fort qui soit, plus fort et plus trouble qu'il ne sied. Miss Jan regarde Nessa, d'une beauté plus mâle que Julia, moins éthérée. Son visage ne s'est pas allongé à la proportion des Stephen, il a gardé la chair solide, l'ovale viril de l'enfance.

Plus lente, plus calme, plus compacte – mais un volcan qui ourdit des fureurs –, l'aînée de la couvée seconde mouture affole miss Jan par sa résistance à ses agaceries. Elle s'épuise à la tourmenter, grattant le mur de ses ongles ou usant de son humour blessant, acéré. La seule manière de parvenir à vexer Nessa est de la traiter de Sainte, injure plus certaine que les Dauphin, Chien de berger et autres Vieille Chouette. Est-ce le blasphème d'usurper le vocable réservé à la Mère qui la blesse, ou la volonté contrariée d'affirmer ses vices dès l'adolescence ? En ripostant à coups de Singe, Nessa ne fait pas mouche – bien que miss Jan soit susceptible –, car c'est un peu simple. Les traits d'esprit de Vanessa, comme ceux de son visage, sont plus épais, plus sensuels aussi. Ils tiennent du calembour médiocre ou du détournement de proverbe.

Miss Jan se demande si Shakespeare avait à subir une sœur, et si elle était aussi bassin. Du moins se le demanderait-elle si elle avait lu le poète de Stratford : son jeune âge n'a pas encore infusé les humeurs shakespeariennes, dont le flux épaissit le sang de tout Anglais qui se respecte.

Miss Jan se perd dans l'amour ambigu qu'elle porte à Nessa, un amour tissé de tellement de choses, des sentiments mêlés qu'elle porte aux Parents et au reste de la couvée mais aussi des songes qu'elle fait, pleins de moites impudeurs. À onze ans, sous Victoria, on ne sait pas de quoi il retourne de ces songes, le corps n'est qu'un encombrement. Ses longs membres, raides et minces, s'étirent dans tous les sens et il lui faut sans cesse les rameuter, sans cesse entendre sa Mère lui dire de se tenir droite. C'est qu'elle se voûte à mesure qu'elle grandit, tétanisée de se voir quitter la petitesse de l'enfance. Dans le miroir du hall elle apparaît de plus en plus et ce n'est pas simple de voir son corps prendre une place qu'on ne lui accorde pas. Surtout que l'on ne peut pas faire autrement qu'observer sa Mère charroyer sa beauté partout où elle va. L'amour pour Nessa est ourdi de cela aussi.

Voir les membres de miss Jan pousser et s'éparpiller, et tout ce que cela implique, nous impose de retourner à

St. Ives – oui, nous en venons, mais il faut exprimer les étés jusqu'à la lie et nous ne résistons pas à cette curieuse photographie prise dans le salon de Talland House : est-ce l'un de ces tableaux vivants posés dont Stella a le secret, et qui sont pour nous pierres précieuses, ou une image prise sur le vif ? Nous ne pouvons décider et ce n'est pas ce qui importe. Ce qui importe, c'est que l'on y voit Walter Headlam, un jeune poète dont la main est posée très près de Vanessa sur qui il conserve ce minuscule contrôle tandis qu'il parle avec miss Jan, maintenant les deux sœurs dans son orbite. Miss Jan joue de son charme, agacée mais séduite, cheveux ornés de fleurs elle lui fait un signe équivoque, une invitation presque, ou peut-être une tentative de conjurer les yeux bleus effrayants et splendides du jeune homme. À onze ans, elle pressent ce qui conspire entre les êtres. À tant voir de jeunes gens dans sa maison, elle n'a pas plus peur des hommes que des femmes. Gloussant et minaudant elle recherche même leur compagnie, qui la fait moins rougir que celle des femmes avec leur élégance amère, ou bien si elle rougit c'est pour d'agréables raisons, l'excitation surpassant la timidité, l'une s'augmentant de l'autre.

Headlam est un parasite sincère, toujours chez les Stephen il y fait chère lie des femmes de la maison ; il y aime chacun et chacune, mélangeant les amours, filial ou érotique, faisant la cour à qui mieux mieux. À Stella surtout – qui s'en fout – mais il garde un œil sur les autres sœurs, on ne sait jamais, pour plus tard. Julia elle-même est l'objet de ses assiduités. Il s'est mal conduit avec elle lors d'une promenade, elle en est revenue rouge et contrariée, les yeux brûlants, et l'on hésite à le réinviter. Leslie, loin de deviner quoi que ce soit sous les rougeurs, s'enorgueillit de voir à son épouse tant d'ascendant sur de jeunes hommes bien nés, bien mis, bien faits, en qui il ne perçoit que de gentils dadais faisant à ses filles, sous le regard bienveillant de Julia, leur numéro convenu. En particulier ce Jack – John Waller – Hills, un avocat sérieux, généreux et rassurant, qui fait son apparition parmi les prétendants de Stella.

Il était temps qu'il arrivât, d'ailleurs, car à St. Ives Stella s'ennuie. Elle prend des photos, passe ses journées avec George à les développer, se fait courtiser par divers godelureaux affublés de noms plus affreux les uns que les autres. Londres lui manque, où elle a eu la joie de rester tout juillet grâce à ses oreillons. Miss Jan ne comprend pas, il n'y a rien de mieux qu'être à la mer, comment peut-on penser à autre chose. Londres pour elle n'a pas pris ses dimensions car elle n'y avance pas seule, et un paysage comme une ville ne se conquiert qu'en n'ayant personne qui marche devant soi. Il faut pouvoir défricher le terrain avec son propre coupe-coupe. Miss Jan à Talland House est maîtresse de l'exploration du monde et d'elle-même, elle court, nage, joue dans l'égoïsme forcené de l'enfance – ce matin, Julia a reçu une balle de cricket sur la tête et a dû s'allonger. Sa beauté a éclipsé le ridicule de l'accident.

Profitons de ce que nous sommes à compulser quelques photos de St. Ives pour observer quelle foule s'y presse. Il y a toujours à Talland House des visites plus ou moins importunes, des invités que les enfants exultent à récupérer à la gare en conduisant leur *pony-cart*, cette carriole légère tirée par un petit cheval. Souvent Lisa Stillman est de ceux-là. La jeune peintre oblige Stella et sa Mère à poser pendant des heures pour faire leur portrait. Cela fascine Vanessa, agace Leslie et permet à Julia de nourrir des pensées matrimoniales – le fils Untel est sans titre mais fortuné, il ferait l'affaire pour Lisa. Le portrait qui résulte de ces séances ne satisfait pas la dévotion de l'époux de Julia, c'est à peine s'il avait admis le travail du peintre officiel Burne-Jones, qui pour son *Annonciation* avait peint Julia enceinte. Seuls les portraits photographiques par la tante Cameron trouvent grâce à ses yeux d'idolâtre, par ce qu'ils révèlent de la douceur vaporeuse dont se repaît sa soif de mystère. Julia dès l'enfance était un modèle pour les sculpteurs et peintres, et l'on éprouve à la regarder le plaisir de l'esthète face aux œuvres de l'Antiquité.

George Meredith est là aussi, avec son accent bizarre attrapé en Allemagne ou en Italie ou un peu des deux, son dandysme flamboyant et son lyrisme alambiqué, sa morale libertaire qui tient pour une éducation des femmes identique à celle des hommes. Meredith fait même reproche à Julia d'étouffer ses filles en leur assignant un rôle restreint – *idem* pour le droit de vote, car Julia en la matière est plus arc-boutée encore que Leslie.

Il y a parfois Henry James, nous disent les photos, le passionné Henry James, qui de passion pour ses propres paroles peut basculer en arrière et finir ses phrases sur le dos. L'ambigu Henry James, toujours malade d'avoir si peur des femmes, de la bouche d'ombre entre leurs jambes. L'ambitieux Henry James, dont le portrait est voué à être tailladé comme une Vénus impudente par des suffragettes lassées de voir les hommes en peinture.

Nous cédons ici à la tentation d'ouvrir la focale sur le futur des visites à St. Ives, où continueront de se presser les personnalités brillantes, le tout Londres intellectuel et artistique. Nous les voyons arriver, les Mansfield, les Lawrence – DH et sa Frieda, qui seront poursuivis jusqu'en Cornouailles pour intelligence avec les ennemis de tous bords. Mais nous regardons trop loin, et puis l'éminent victorien qu'est Leslie aime mieux ne pas trop songer à ces artisteries, elles font resurgir les craintes de son jeune âge, quand il croisait Julia parmi les membres de son impressionnante famille. Après tout, diable, on est chez lui désormais, il n'a plus à faire le timide. Les artistes n'ont qu'à bien se tenir, la poésie est bonne pour les livres et les déclamations au soleil couchant.

C'est que Leslie n'est pas poète, la légende et les icônes, les petites mythologies de la littérature, tout cela ne l'émeut pas, et puis tout a été dit : à quoi bon faire des poèmes, puisqu'il suffit de contempler les montagnes, que la nature est bien plus tragique que les vers. Les poètes servent surtout à galvauder ce qu'ils célèbrent, de la grâce d'un profil hellénique à l'amour du mont Blanc qui, dans l'ordre de ses adorations, vient juste après Julia. Ces diatribes contre les mirlitons du lyrisme ne l'empêchent pas de déclamer à longueur de jour et d'émailler ses textes de citations versifiées bien senties.

Miss Jan, elle, aime la poésie avec une méfiance qui tient parfois d'un vague écœurement – elle ne sait pas à quel point un poème peut sauver une vie. Le Premier et le Second Poètes – car il n'en est que deux à ce moment-là en Angleterre : Scott le viril et Byron l'émasculé, selon l'ordre du père – lui sont un peu indifférents. Elle aime surtout les poètes androgynes, ceux qui écrivent à partir de la femme qui est en eux autant qu'à travers l'homme qu'ils sont : Cowper et sa neurasthénie, Sterne et son humour empirique – qu'il emporta dans la tombe où son cadavre fut volé, sans doute par quelque anatomiste obsessionnel –, Coleridge et son opium, Lamb et sa mélancolie shakespearienne.

Elle aime Keats, d'un amour de jeune fille. Elle comprend sa douleur face à la fin qui approche, face à l'indifférence du monde : ce monde qui n'a pas besoin des livres et des poètes, pas plus qu'il n'a besoin de la souffrance qu'il faut aux seconds pour donner vie aux premiers. Elle refuse la poésie du père, celle qu'il récite chaque dimanche en place des prières – Matthew Arnold, Wordsworth et Tennyson, tous peu soucieux de l'émancipation des femmes. Whitman chante l'Universel à grands coups de points (exclamation, interrogation) et la poésie française n'est pas à la hauteur – il faudra attendre pas mal de temps pour que Rimbaud parvienne entre les mains de miss Jan. La poésie au tournant du siècle anglais est une vieillarde au cheveu rare rêvant de jouvenceaux.

Quoi qu'il en soit de leur rapport à la poésie, tous les visiteurs de Talland House ont droit à leur cliché, que Stella exécute grâce à son nouvel appareil. Ce n'est pourtant pas une mise en scène – ou bien si ? – que cette photo formidable, chérie par Leslie, scrutée par nous, où l'on voit les Parents en train de lire. Miss Jan, cachée derrière le couple empesé, a cet air ébaubi qu'elle arbore depuis l'époque du bébé joufflu, le menton dans la main elle semble attendre d'eux quelque chose, s'étonner sans cesse de ne pas le recevoir. L'amour que Leslie porte à sa femme est une barrière qui les entoure, un mur étanche qui ne peut que laisser l'enfant stupéfaite, assoiffée, lèvres entrouvertes. Entre les grains sales de cette photographie gisent les sentiments rentrés, interdits, refusés.

Le plus terrible dans cet amour désespéré qu'elle tend vers eux, c'est qu'elle pressent dans le même temps leurs limites – ce ne sont pas des artistes, seulement ce qui se fait de mieux et de plus sincère en matière d'éminence et d'empois. Peut-être Julia écrit-elle des poèmes dans le livre de comptes, après tout – penser cela est plus supportable pour miss Jan, mais elle n'est pas convaincue. Dans le journal de Hyde Park Gate, on voit bien que le ton évolue, que la révérence s'effrite : imitant leurs aînés en train de les sermonner, les enfants se piquent d'apprendre la sagesse aux Parents. Ils portent – miss Jan surtout, qui écrit l'essentiel – un regard distancié sur le couple, le mariage, et l'emprise parentale.

Ce matin miss Jan a envoyé en secret, pour un concours de nouvelles, une histoire au magazine *Tit-Bits*, un hebdomadaire que les deux sœurs lisent à l'année longue avec ardeur dans les jardins de Kensington, en mangeant des chocolats. Tout ce que nous savons de ce premier geste d'auteur – l'auteur étant celui qui cherche son public hors du cercle familial –, c'est qu'il consiste à lancer dans le monde un désir et que ce désir prend la forme d'un petit conte romantique. Il met en scène une femme sur un bateau – le bateau partirait de Londres pour une jungle d'Amérique du Sud que nous n'en serions pas autrement surpris. L'océan l'obsède, elle se raconte des histoires de naufrages et éprouve le besoin constant d'entendre le bruit des vagues : plus tard, elle vivra près de la mer toute l'année, se dit-elle en bouclant ses valises.

Il est temps de quitter St. Ives. Tout autant que nous, miss Jan répugne à retourner à l'autre bout de cette existence qui oscille entre Talland House et Hyde Park Gate, entre la grande ouverture et l'impasse, entre le bleu grand large et le brun sombre des hauteurs de manoir. Au moment de partir, un pêcheur offre trois maquereaux à Julia. Cet hommage subjectif à sa beauté lui échappe, ainsi qu'à miss Jan – les poètes eux-mêmes ne voient pas toujours l'amour contenu dans le don d'un poisson : Rimbaud s'est fait tirer dessus pour avoir moqué le hareng que lui rapportait Verlaine d'un étal londonien.

On quitte St. Ives et l'on en profite pour envoyer Laura dans un *asile pour idiots et imbéciles* – nous avions un peu oublié la sœur piaulante et balbutiante, depuis sept ans que nous la voyons si peu. La famille en a autant à son service, sauf peut-être Julia avec son soin constant de l'infortune. Du moins le départ de Laura lui permet-il d'échapper aux assiduités probables de ses demi-frères. Miss Jan la voyant s'éloigner définitivement éprouve comme tout le monde un soulagement. Elle envie les autres familles, qui lui semblent bien moins compliquées – on ignore encore à cet âge combien les autres sont si peu autres.

Elle divague, rêvant à des existences différentes de la sienne, ce que ce serait d'être ceci ou de vivre comme cela. Sans aller chercher bien loin, il y a Thoby qui à l'école expérimente une autre dimension. À l'écouter parler de la vie de pensionnat, elle est aussi désespérée d'en être privée que soulagée d'y échapper. Plus le temps passe, plus elle se détache de la couvée première mouture : ses demi-frères et demi-sœurs, ceux de la figue et celle de la piaulerie, ne sont plus que des ombres à la fois enviables et dangereuses, qui évoluent dans le manoir ou ailleurs pour remplir des fonctions opaques, vaguement inquiétantes. Par contraste, les rangs de la couvée seconde mouture se resserrent – avec Vanessa et Thoby – Nessa & Tho – surtout, le lien avec Adrian faseyant toujours un peu.

À onze ans, trouver sa place dans le nid reste une épreuve quotidienne. Elle crée des phrases à mettre entre elle et le monde, des phrases qui se font égides. Il y avait déjà eu les mots, premières armes, premiers jouets, mais à présent il y a place pour les phrases, celles qui servent à raconter des histoires. Pour les paragraphes, les pages, les livres, pour atteindre à autre chose que ce qui est narré – c'est trop tôt. Arrive le refus de *Tit-Bits*, confirmation du fait qu'il faut attendre. Pour le moment, elle invente encore, croit encore aux histoires. Elle les teste auprès de ses frères et sœurs, des Parents. Leslie qui confond tout verrait bien miss Jan en historienne – ça ne fait pas peur, les historiens, ça ne mord pas, ça n'est pas une malédiction pour les proches et pour soi-même. Et puis comme historienne la petite qui aime tant lire pourra suivre ses traces, celles de l'érudition et du savoir, tout sera ainsi dans l'ordre. Elle pourra même écrire sa biographie, les femmes éduquées sont faites pour cela, les préfaces et les hommages aux œuvres de leur père, quand ce n'est pas pour remplir les pages qu'ils ont laissées blanches comme celles du capitaine Colette. Voyez la tante Anny née Thackeray : la part sérieuse de son œuvre est bien celle qui prolonge l'ombre paternelle.

L'art, surtout chez une femme, fait peur. À Leslie, qui vient de publier le recueil longtemps médité de ses textes agnostiques, où il détaille les raisons de son rejet de la foi, les productions de l'art semblent appartenir à un autre monde, au même titre que les fables chrétiennes. Un monde qu'il peut étudier, analyser, critiquer, voire réciter sur les sommets ou au fond des barques, mais qui ne le concerne pas directement. Miss Jan, en envoyant cette nouvelle, a fait un pas de plus dans le couloir qui la mène jusqu'à nous. Et bien que son texte ait été refusé, ce pas montre que l'érudition ne lui suffit plus. Qu'il ne lui suffit plus de voir que les feuilles tombent et de trouver cela beau.

Tandis que depuis leur folie meurent Guy de Maupassant et Isabella Shawe – veuve de Thackeray et mère d'Anny ; tandis que meurt Jean-Martin Charcot dont les travaux sur l'hystérie ont démontré qu'elle n'était pas le privilège des femmes ; tandis que naissent Lillian Gish, Dorothy Parker, Louise Weiss et Mao Zedong ; tandis que la Nouvelle-Zélande devient le premier pays à accorder le droit de vote aux femmes – la mère patrie prenant du retard sur ses colonies – et qu'en France se crée la première loge maçonnique mixte, miss Jan prend conscience qu'il va non seulement lui falloir décrire la chute de la feuille, mais aussi comprendre comment cette chute transforme le monde, la transforme, elle, en ce qu'elle n'est pas encore mais vers quoi elle marche.

1894

Les rayons du début d'après-midi allument un or pâle sur le crâne de Julia qui, près de la fenêtre, s'adonne à un ouvrage quelconque. Leslie la couvant soupire à ses grâces. Il a retenu la leçon de son premier veuvage et aime plus fort ce qu'il sait pouvoir disparaître en un instant. Il aime Julia d'une violence qui s'accorde aussi mal à l'éminence victorienne qu'au regard que Julia tourne vers le passé, vers les figues, ou peut-être – mais c'est la même chose – vers une sorte d'au-delà innommable auquel aspire la charité. Mais sous la barbe de Leslie où, dès qu'il approche de la fenêtre, brûle un autre or, plus intensément roux, quelque chose bout d'également innommable qui aspire à la femme.

Car c'est d'un amour plus large que Leslie aime Julia, un amour envers toutes les femmes. Comme Père, même, il préfère les filles aux garçons : ceux-ci empirent avec l'âge quand celles-là s'améliorent. Si Leslie aime les femmes, en particulier les jeunes – bien que de son propre aveu elles l'ennuient autant qu'elles le charment –, ce n'est point tant en vieillard libidineux que parce qu'il a soif de leur sympathie et de leur approbation. Les flatteries qu'elles dispensent à son œuvre lui sont plus miel que des caresses. C'est ainsi que Julia l'a séduit : elle l'a lu, en a été vivement impressionnée, a eu le bonheur de le lui dire. Leslie a besoin des femmes, elles lui font oublier qu'il n'a jamais su être vraiment philosophe et encore moins romancier ni même poète, statuts équivalents à ses yeux – car ses yeux y voient un statut et non une nécessité.

Les corps des femmes toutefois ne l'indiffèrent pas totalement. Il fustige chez elles les affronts faits au féminin – que ce soit l'habitude de fumer ou les chignons de gouvernante – autant que chez un homme ceux faits à la virilité. Et après tout l'érudition n'exclut pas une main aux fesses de la blanchisseuse – mais rabattons le drap sur l'objectif, seule Julia compte, seuls comptent le vent qui agite doucement ses fines mèches pâlies, les cyclamens de son visage. Seule compte sa lumière – bien qu'en y regardant de moins près l'on puisse voir qu'une angoisse a rongé son aura, terni ses cheveux et sa peau – lorsqu'elle promène sur le monde les étoiles qui continuent de luire au fond de ses yeux.

Aujourd'hui miss Jan a douze ans. Les cadeaux ont été distribués et l'on ne fait plus attention à elle. Elle observe ses Parents, sa fratrie s'agiter autour des restes de tarte et de glace, des papiers de soie. Quelque chose s'éploie de très neuf, insensiblement elle se détache de la masse indistincte, son être existe un peu hors des autres qu'elle peut commencer à observer. Elle sent confusément que si la famille en général tend à effacer les limites entre les individus, à empêcher d'être soi, quelque chose chez les Stephen – un égoïsme, une capacité à l'auto-apitoiement masochiste – fait qu'ils ne forment pas réellement une famille, plutôt une sélection d'individus distincts, reliés par le hasard, plus seuls et peut-être plus libres – cela, elle ne se le dit pas tout à fait. Mais profitons de ce que son regard fait le tour de la table pour nous y absorber un peu.

Elle observe ses Parents ; elle ne parvient pas à pénétrer l'amour entre ces deux-là, il est indécelable aux yeux d'une petite fille, car une petite fille, qu'elle soit unique ou perdue dans une couvée, ne conçoit l'amour de ses Parents que dirigé vers elle seule. Elle les observe et bien qu'ignorant que la vie de couple, c'est permettre à l'autre d'être au meilleur de lui-même, bien qu'elle soit sous l'emprise du bon ordonnancement des genres selon Julia, du bon ordonnancement des esprits selon Leslie, elle sent la nécessité d'une égalité dans la différence, et il faut bien que cette nécessité existe quelque part dans le couple parental pour qu'elle la sente ainsi.

Elle observe George et sa moustache dense, sensuelle, faite pour les joies primitives. Homme à femmes, George est régulièrement en visite chez des demoiselles. Il se présente presque chaque soir dans de grandes maisons, où des domestiques en gilet rayé et queue-de-morue évoluent avec une lenteur digne dans l'odeur de cigare, de charbon, de cèdre et de santal. Miss Jan s'étonne que ce jeune costaud aux manières frustes sache faire preuve d'une appétence pour le malheur d'autrui. Car George filialement perpétue la charité maternelle, George virilement la transforme et l'élève par sa collaboration bénévole avec Charles Booth. Il œuvre depuis deux ans aux côtés du philanthrope, l'aidant à approfondir son enquête sur les classes laborieuses et à établir ses cartes londoniennes de la pauvreté.

Elle observe Gerald, peu fait quant à lui pour l'exercice de la charité, peu fait pour tout effort à vrai dire – ce qui explique peut-être qu'il préfère soulever et déposer sur les consoles des enfants que des jeunes femmes. Miss Jan observe avec un dégoût hypnotique les bourrelets de son demi-frère progresser à vue d'œil. Bien qu'il fréquente également les dîners, nous pouvons douter de son application à élaborer des ambitions matrimoniales – moins de celle qu'il met à dévorer les soupers fins des belles-mères putatives. Gerald engraisse de sa solitude d'enfant né sur une tombe.

Elle observe Stella, demi-sœur lointaine et indispensable, figure décalquée de la Mère. Stella tient miss Jan à distance. Elle est une femme déjà, elle pourrait, devrait être mariée, quelques courtisans s'agitent autour d'elle, dont Jack, que sa Mère et elle se renvoient comme une balle. Stella en attendant de se décider s'acquitte du rôle, marche dans les pas de la fée du foyer, endosse l'idéal maternel de la femme pure, vierge sainte et martyre. Outre ses innombrables devoirs familiaux qu'elle remplit avec conscience, elle s'active sur le piano, taquine le billard avec Leslie, promène la couvée dans Londres, prend des cours de soins à domicile pour satisfaire les penchants de sa Mère et s'engage auprès de la réformatrice philanthrope Octavia Hill pour voler au secours des femmes de la classe ouvrière en fréquentant les taudis de Londres. Comme Julia, Stella retrousse ses jupes pour arpenter la boue des faubourgs, où poussent les meilleurs pauvres.

(Nous ne pouvons ici nous empêcher de noter que les endroits où Julia et Stella se rendent pour satisfaire leur besoin de charité – nous allions écrire d'autrui – sont plus attentatoires à la décence que ceux que cette même décence leur interdit de fréquenter en tant que femmes. Les dégoûts surmontés – goûtés ? – dépassent de loin les dangers fantasmés du centre-ville, de Piccadilly, et de tous les endroits où ces messieurs ont leurs clubs et leurs maîtresses, et où ils préfèrent en effet que leurs épouses ne traînent pas – s'ils venaient à les croiser en embarrassante compagnie ? Ainsi la décence sert-elle d'alibi à l'adultère.)

Stella en jeune fille de bonne éducation fait même quelques voyages, bien que les ayant en horreur ; ce fut avec George l'Italie et Paris l'année précédente, c'est de nouveau Rome en avril puis Bayreuth, au point qu'ils ont tout de juifs errants, dit Julia avec son humour mâtiné d'un antisémitisme bon teint. Ces voyages font rêver miss Jan qui doit se contenter des livres, magazines illustrés, cartes et estampes tirés de la bibliothèque paternelle, représentant des villages méditerranéens blanc bleu ocre, des montagnes où planent des aigles, d'incroyables élancements rouges où nichent des troglodytes.

Miss Jan observe Stella et observant Stella voit Julia qui l'observe également. Il lui semble alors que sa Mère se regarde elle-même. Cela arrive aussi parfois – moins – avec Vanessa, mais jamais avec miss Jan. Comme si Julia au fur et à mesure de ses filles s'était peu à peu effacée, avait dérivé de plus en plus loin jusqu'à n'être plus que cette silhouette captivante, évanescente de charité, que miss Jan voit passer dans les couloirs ou descendre indéfiniment les escaliers.

Miss Jan observe Julia ouvrir les fenêtres et fermer les portes, s'occuper de tous et offrir à chacun sa tristesse attentionnée. Miss Jan observe Julia qui s'agite et voit ce que nous voyons dans l'agitation figée par les photos : une tristesse dévorante, qui envahit l'espace, se nourrit des courants d'air victoriens et circule, submergeant chacun. De plus en plus difficilement un sourire sur la bouche de Julia apparaît. De plus en plus souvent elle s'absente et son visage, au retour de ses œuvres, se perd dans des limbes où flotte un passé plein de figues, une vie autre. De moins en moins elle parle, et demeure dans ses impressions de l'après-midi comme dans une brume dont l'accès est proscrit à ses proches.

Miss Jan observe Julia qui observe Leslie qui observe ses propres mains. Il a de belles mains, comme Julia.

Elle observe les autres convives. Anny est là, bien sûr, mais aussi la tante Minna, pendant généalogique de cette dernière – Minna est la sœur du héros tennysonien. On continue de l'inviter, en dépit de son manque de distinction, pour ne pas la laisser dans sa solitude de riche célibataire. Ce n'est d'ailleurs pas une contrainte que la compagnie de cette femme toute d'humour, de gras et de générosité. Presque aveugle, elle vit seule avec un perroquet et Angelo, son domestique italien, au numéro 18 de Hyde Park Gate. Les belles-sœurs permettent de rappeler que les défunts veillent, depuis la branche ou depuis les nuées, à ce que l'on ne les oublie pas tout à fait.

Miss Jan n'observe qu'à peine Adrian, qui ne fait partie de la couvée qu'à la marge. Son regard continue de glisser.

Elle observe Thoby, blond et joyeux. Il y a peu, jouant avec un camarade, il s'est planté un couteau dans la cuisse : l'artère a été coupée, beaucoup de sang a afflué en même temps que le rire et la honte. Ce coup sur le gong n'a pas été entendu dans l'impasse, pas plus que celui de son saut par la fenêtre du pensionnat, brisée d'un coup d'épaule, pas plus que celui de ses crises de somnambulisme. Mais pourquoi chercher des liens entre ceci et cela. Freud ne fait que balbutier ses syllabes compliquées dans l'oreille d'Anna O. et le siècle n'est pas encore mort : inutile de le tuer prématurément en d'épuisantes spéculations.

Profitant de cet éloignement au présent que lui a permis l'observation des siens, miss Jan s'apitoie sur son sort. Elle-même, il y a quelques jours, de colère a passé le fil d'un couteau sur ses poignets, ne parvenant qu'à dessiner de fines lignes rouges d'où ne sourdait pas même une goutte de sang, un léger picotement, un gonflement de quelques jours que personne n'a seulement remarqué. À quoi bon alors ? La vie dans la couvée est un combat permanent pour exister, une succession de rages pourpres où Nessa & Tho excellent à mettre miss Jan. Le duo se venge de la précision acérée de sa langue en tirant sur le fil de ses nerfs à vif.

Un grand vide soudain. Elle détourne son regard de l'assemblée rieuse, le détachement se prononce et elle sent plus que jamais le néant où elle se trouve. Si les êtres de chair sont séparés, c'est que l'on est seul, vraiment, comme le lui a dit son Père trop tôt. Elle n'a pas la consolation de croire en Dieu. Elle fait parfois semblant de prier, s'agenouille – mais cela ne dure jamais. Il n'est pas question de transcendance au manoir où, à tout prendre, Il revêt l'apparence d'une sorte d'otarie. La foi n'a jamais été une question ; Voltaire est passé par là, et Leslie près de basculer dans la prêtrise a retenu ses pas au seuil de l'ordination en tranchant : ce ne sont décidément que des fables. Il distingue néanmoins entre la foi qui attribue yeux, bras, ongles de pied à l'entité divine et celle, plus abstraite, moins enfantine, qui s'abrite dans les replis d'une évanescence et tient de la poésie.

Julia quant à elle a fait basculer sa foi dans l'oubli dès après la mort de Herbert. L'injustice de ce deuil trop précoce a suffi à démotiver la fable. En bonne fille de l'Empire, pour qui le travail est la morale du siècle, elle a remisé ses croyances, qui ne sont qu'encombrement dans les jupes retroussées de la sœur de charité. Miss Jan envie à ses Parents cette occasion d'émancipation. Le choix courageux qu'a fait son Père de renoncer à la religion lui a donné une contenance, une identité même. Pour elle, l'absence de Dieu a été une évidence : ce que l'abandon à la foi implique de renoncement critique lui a d'emblée été inenvisageable, elle n'a pas eu besoin de trouver en elle la force de s'opposer. Il faut à miss Jan un autre tuteur autour duquel s'enrouler – ou à abattre, ce qui revient au même.

C'est mars. Le frère de Leslie, James Fitzjames, meurt, emporté par la folie taurine de son fils Jem et la déception qui en a résulté, gâchant son existence. Leslie a pour premier réflexe d'écrire sa biographie, manière de conjurer le deuil, mais aussi la petite rivalité intellectuelle entre eux alimentée par le révérend John Llewelyn Davies. L'éminent pasteur – dont les petits-enfants inspireront l'histoire de *Peter Pan*, ce qui en dit long sur la famille – est un alpiniste notoire, un socialiste chrétien et surtout le mentor de Leslie. Il voit pourtant en Fitzjames un plus grand esprit qu'en son frère. Celui-ci se réapproprie l'esprit supérieur de son aîné en le cernant dans les pages d'un livre : les blessures d'orgueil ont parfois des conséquences bibliographiques. Sur sa lancée, Leslie achève aussi sa biographie de sir Victor Brooke, athlète chasseur et fervent naturaliste.

L'été, dans le train qui mène la couvée vers St. Ives – c'est le treizième et dernier été en Cornouailles, mais chut –, elle observe la mer surgissant, les vastes plages blond terne qui ondulent au rythme du voyage. Tant de terre sur tant d'eau, songe-t-elle. Ce qui n'est qu'une moitié d'alexandrin, songe-t-elle encore. Elle songe tant de terre sur tant d'eau et repense à ce qu'elle a lu dans un livre d'histoire, sur l'époque où les continents n'étaient pas séparés, où toute l'Angleterre n'était que fougères et rhododendrons. On lui tend un sandwich au concombre et aux œufs durs, elle détourne le regard un instant puis, mâchonnant, fixe de nouveau ses yeux sur la mer. Elle aperçoit une bouée au loin, qui fait comme une cage. Un homme pourrait y tenir. Elle s'imagine dans cette cage, frissonne. La sensation d'être prise par le grand corps souple et hargneux de l'océan, à la ligne de partage avec la mer, l'attire comme peuvent le faire les bras insondables d'une mère inconnue.

Cet été-là n'a rien de particulier. On a délaissé la gazette ces derniers mois, l'envie est passée de décrire le quotidien et d'inventer des histoires, cela ne suffit plus et elle commence à ne plus y croire. Il faut trouver la façon de relier le tout et pour le moment elle n'en a pas les moyens. Alors c'est l'enfance dont on jouit, les promenades, l'éveil du corps, les remuements. La nature est pourtant fertile en réflexions d'ordre spirituel. La vision d'un serpent s'étouffant à vouloir avaler un crapaud suscite un dilemme – écraser les deux bêtes pour abréger leurs souffrances ? Laisser faire la nature ? Tenter de sauver l'un des deux, comme l'on fait lors des accouchements difficiles ? Où est la lâcheté, où la force morale ? Le dégoût l'emporte, elle passe son chemin, en proie à une culpabilité où saigne la pensée informe du suicide.

En septembre, la déchirure devient fracture. Thoby entre au Clifton College après avoir échoué à entrer dans les bottes du Père : Eton l'a refusé. Il aurait pu y venger les humiliations paternelles avec sa carrure imposante, tempérée d'un regard au-delà du myosotis. Mais il ne faut plus y songer. Miss Jan, qui ne peut rien espérer venger, lit. Christina Rossetti par exemple – oui, la sœur de Dante Gabriel, mais avant d'être une sœur c'est une poétesse, l'une de ces rares femmes qui ont des biographes. Christina Rossetti qui aux derniers jours de cette année-là ferme ses yeux globuleux et tait son chant de rossignol, ce que l'on sait peu malgré les biographes. De même que l'on sait peu que Suzanne Valadon est la première femme admise aux Beaux-Arts et que Selma Lagerlöf, qui sera la première femme à recevoir le prix Nobel de littérature, tombe cette année-là amoureuse de Sophie Elkan. Que naît la plasticienne et écrivaine Lucy Schwob, qui choisira comme tant d'autres de créer sous un nom d'homme. On sait davantage que sont morts Robert Louis Stevenson, Maxime Du Camp, Leconte de Lisle et Gustave Caillebotte, ou que sont nés Louis-Ferdinand Céline et Aldous Huxley. On ignore en tout cas que c'est la dernière année de l'enfance. On ignore qu'il suffit d'une feuille de plus pour que le monde bascule.

1895

Il fait atrocement froid. Pas un brin de soleil pour donner à cet hiver l'apparence de l'endurable. Dans quelques jours on accueillera dans le manoir la réception de mariage de Millicent Vaughan, la nièce de Julia, qui épouse un futur baronnet, *if you please*. La grande maison sombre est mise sens dessus dessous, tapis et meubles sont brassés, nettoyés, ajoutés, déplacés. Julia, comme toute épouse en phase avec son temps – et lorsque ses charités lui en laissent le loisir –, est obsédée à l'idée de marier ses enfants. Elle est sincère lorsqu'elle dit vouloir avant tout que chacun s'aime, mais elle rêve surtout que chacun fonde foyer. Elle se lamente d'avoir quatre filles à caser – disons trois, car pour Laura il faut renoncer –, quelle malédiction. Elle s'inquiète moins pour ses fils, les aînés ont le charme irritant de leur père et grande facilité dans le monde, et Thoby est un bon garçon, robuste, intelligent – Adrian, on n'y songe pas.

Un mariage est la circonstance parfaite, on le sait, pour susciter d'autres mariages. Et puis il y a le bal de tante Minna dans quelques semaines : toutes les occasions sont bonnes pour constituer une cour en prévision des disettes galantes. Mais Stella tombe malade, et l'on craint qu'elle ne puisse assister au bal. Nessa, qui va avoir seize ans au printemps, a beau regarder ailleurs : elle n'y coupera pas.

Miss Jan est trop jeune pour être courtisée. Qui plus est, elle se montre, depuis l'époque des séjours à Bath, de santé fragile. Il faut la préserver. Le lait est l'expédient réflexe des temps, on lui fait donc boire du lait, beaucoup de lait, trop de lait, c'est du lait qui coule dans ses veines et elle est tentée de cisailler l'onde bleue sur son poignet pour voir en couler le liquide opalin. Elle ramène ses manches sur ses mains. Ses doigts tous les jours se recroquevillent, tirent et tiennent le tissu, elle va finir par l'user, lui reproche Julia qui ne va pas sans cesse lui racheter corsages et chemisiers.

Dispensée de galanteries, elle revient au journal de la maison avec une avidité plus tenue, plus consciente aussi : ses historiettes ont désormais une portée morale, mais également sociale et politique. Elle pond une petite nouvelle sur un personnage féministe, texte mâtiné de fatalisme où se lit la vanité des êtres. Elle a lu son Thackeray, bien sûr. Le regard naïf et parfois condescendant qu'elle pose sur les classes populaires n'est pas exempt d'un certain sens des discriminations. Sous l'influence vague de sa Mère, de Stella, de George même, elle prend mollement la défense des opprimés et des pauvres, notamment face au clergé. Mais qui sait s'il y a plus de matière dans le for intérieur d'une blanchisseuse que dans celui d'une dame de bonne famille. À treize ans, elle aimerait savoir lire dans les pensées d'autrui, ne sait pas combien c'est mensonger.

En février, l'eau des lacs a gelé, on va patiner à Wimbledon. Nessa s'y montre, comme en tout, très gracieuse et moque, d'une pique acerbe ou d'un crobard vite exécuté sur son cahier, les pas gauches de sa sœur.

Pas vexée, miss Jan s'élance sur la glace dans un grand rire guttural (nous qui tentons d'en saisir l'écho en patinant devant le Muséum d'histoire naturelle de Londres ne pouvons que broyer du silence). Plus que par le patinage, elle est stimulée par l'idée des nourritures qui revigorent après l'effort et, presque autant, par la façon dont elle rendra compte de cette intéressante activité.

Ce soir-là – est-ce d'avoir été mise à l'épreuve par les grâces autant que par les railleries de Nessa –, miss Jan rêve qu'elle est Dieu. Ne croyant pas en Lui, elle en est réduite à interroger sa propre existence. Elle ne parvient déjà pas à se distinguer dans le miroir, faut-il qu'elle rêve d'elle-même comme d'un néant ? Elle ne s'étreint pas, elle ne se voit pas, comme toutes les adolescentes ou peut-être comme tous les voyants elle est aveugle profondément. Il n'y a que nous qui en miss Jan voyons Virginia approcher à grands pas maigres.

C'est mars. Adrian, atteint par la rougeole, est resté à la pension. Les maladies infantiles ne sont pas de petites affaires. Non plus que la grippe, qui est partout. Les médecins peinent à la contenir bien que, depuis Pasteur ou Semmelweis, ils se lavent les mains et ne se flattent plus d'avoir à leur costume des revers bien amidonnés de puces desséchées. Julia aussi tombe malade à force de vouloir faire à la place des autres, être utile, se sentir exister, etc. Elle se soigne mal, se lève en dépit des ordres du docteur, de la mine affligée des siens. Lorsque Adrian réintègre le nid – Julia ne fait pas confiance à l'école pour le soigner correctement –, on envoie miss Jan à l'abri des miasmes quelques numéros plus loin dans Hyde Park Gate, chez la tante Minna. Les portes claquent dans l'impasse, les maladies sont des pièces de boulevard qui parfois finissent mal. Thoby, à quinze ans, a pris ses proportions de Goth ou peu s'en faut et conjure le mal de son rire franc et de sa blonde intelligence.

Le printemps arrive, timidement. C'est avril et l'on reste sur son quant-à-soi, on fait plusieurs plis aux châles sur les épaules. Ce matin, dans la gazette du manoir, miss Jan s'est peinte elle-même pour la première fois ; qui plus est, elle s'est peinte en autrice et cette déclaration d'intention se mêle d'une autodérision qui fait défense, au cas où elle n'y arriverait pas. La décision est prise, bien que peut-être on l'ignore ou se la dissimule – quelle audace ce serait ! Écrire ! –, mais pour se l'avouer il faut se peindre vieille, laide, fluette, le cheveu rare et la ride profonde. Une autrice aux humeurs théâtrales, posant sur le monde et sa page un regard lointain qu'assombrit le dégoût de la poésie.

Car que peut un poème contre la maladie ? Miss Jan jette à terre livres et papiers. C'est avril et tout le monde est malade, elle est malade, sa Mère est malade, l'odeur de maladie s'attache à tous les objets, se fait plus forte à mesure que l'on approche de la chambre de Julia. On entoure d'un linge le marteau de la porte, on étend de la paille devant la fenêtre pour amortir le grondement des voitures, le sabot des chevaux. Kitty Lushington et sa sœur Margaret s'empressent au chevet de Julia, filles de substitution plus dignes que les authentiques. Julia est depuis dix ans une deuxième mère pour les demoiselles Lushington, une mère immaculée, plus sainte de ne pas les avoir mises au monde.

Miss Jan face à l'état de sa mère ne ressent rien, sinon

ses propres symptômes. Elle serait bien en peine de s'empresser, il lui faut se débattre avec le lait et la poésie, deux dégoûts, et puis cette odeur ! Tout cela ne semble pas réel. Les traces de ce qu'était Julia avant qu'elle ne tombe malade s'estompent dans la mémoire de miss Jan. Il a suffi de quelques semaines pour escamoter la vie et la santé, les longues marches décidées dans les faubourgs, les jupes froufroutantes. Julia souffrante est dans ce purgatoire abstrait qui annihile toute réalité passée ou future, tout ce qui ressortit à l'humaine condition. Le dos du monstre lacustre dépasse la surface.

C'est mai. Miss Jan n'a plus le goût d'écrire depuis ce matin où elle s'est prise pour un écrivain. Assise au bord de l'eau elle contemple les nénuphars et songe aux guirlandes de fleurs qu'elle aimerait offrir, elle a la pensée vague d'un amour dans lequel on s'offrirait sans cesse des guirlandes de fleurs, jusqu'à l'écœurement. Elle contemple les nénuphars brouillés de lumière et soudain l'eau frémit, elle s'agite, elle déborde, elle monte et se referme sur elle, son corps fond dans le liquide glacé, tout se répand. Elle se réveille. La bonne est penchée au-dessus de son lit et lui secoue doucement l'épaule. Elle se lève, vacille dans le couloir jusqu'à la chambre maternelle. Dans l'obscurité elle devine un souffle, une rosée. Les lèvres fines renouvellent leur inoubliable et traumatisante injonction, disent à la petite chèvre de se tenir droite. Miss Jan se raidit, se penche sur le visage de madone, l'embrasse. Il est tiède. Miss Jan va se recoucher.

À l'aube la scène se reproduit mais, le temps de traverser le couloir, miss Jan est redevenue Ginia. Elle entre, nulle injonction cette fois. Elle se raidit tout de même, se penche, embrasse le visage de madone, il est froid. Vingt-huit ans jour pour jour après son mariage avec feu Herbert, qui jamais n'a cessé de tendre le bras vers elle, Julia l'a rejoint dans le néant où peut-être, s'est-elle dit sans trop y croire au moment d'expirer, les figues sont restées sucrées. On meurt plus souvent le jour de son anniversaire, paraît-il, or c'est lors de son premier mariage que Julia naquit à elle-même. (Nous qui regardons de vraiment loin savons aussi que tout cela prendra réellement fin cent dix-sept ans jour pour jour après la mort de Julia, avec celle d'Angelica, la dernière représentante de Bloomsbury. Mais c'est une autre histoire.)

Quelqu'un pleure dans son dos, Vanessa ou peut-être l'infirmière. Ginia y croit de moins en moins, elle a presque envie de rire devant ce gros mensonge de la mort, devant ce dos énorme qui a presque vidé le lac à force d'énormité. Elle a envie de rire et c'est bien tout ce qu'elle éprouve. Elle appuie son front contre la fenêtre pour, au moins, sentir le froid de la vitre. Les branches dehors remuent, aux arbres de mai les feuilles brillent dans le jour qui se lève. Un autre sanglot derrière elle, elle ne se retourne pas. Il se met à pleuvoir doucement.

La culpabilité est, comme le froid de la vitre, tout près d'être une brûlure. Elle comprend soudain que Julia est morte d'avoir sacrifié son malheur, de s'être interdit de le vivre. Les enfants, la conscience du devoir l'ont empêchée de crever la figue, l'abcès s'est infecté, a gonflé, s'est empli d'un jus purpurin qui a fini par la suffoquer en ce jour de mai. Ginia se répète les mots du désastre, sa Mère n'est plus, sa Mère est morte. Les beaux yeux pâles de la sainte ont été refermés de la pulpe d'un pouce et d'un index experts, entérinant la canonisation. Le docteur s'en va et par la fenêtre elle voit son ombre savante disparaître dans le matin. La paille qu'on a répandue sur la chaussée fait une bouillie sale. Dans la pièce une odeur sucrée d'alcool et de regret flotte, le roucoulement des pigeons – cette fois elle en est certaine, ce sont des pigeons, pas de place pour la douceur –, le roucoulement est paisible, bizarre.

Le front glacé, miss Jan/Ginia – le va-et-vient est constant de l'une à l'autre – se retourne vers le lit où la peau se fond dans l'écru des draps. Elle cherche dans le visage de madone la couleur et la consistance de la cire dont on parle dans les romans. Elle le voit surtout granuleux et froid comme le fer forgé. Vanessa se tient près du lit, noyée dans une ombre irrévocable. Ginia ne ressent toujours rien. Stella entre dans la pièce, rejoignant ses deux sœurs. Déjà installée dans son nouveau rôle, la demi-sœur diaphane se penche sur la dépouille et a ce geste incroyable, toucher le corps de la Mère. Elle se penche et ouvre un bouton de la chemise de nuit que porte la défunte, elle aimait mieux comme cela, se justifie-t-elle en souriant. Ginia soudain voit une silhouette d'homme s'asseoir sur le lit. Julia n'est pas seule, leur Mère n'est pas seule ! Ginia sourit à Stella, qui n'a rien vu.

Les trois filles sortent de la chambre. Dans le couloir Leslie titube, frôle ses enfants sans les voir, bras tendus, poings serrés, les bras se tendent et les bras restent vides. L'idée du bonheur est écrasée comme un insecte. Les bras des filles se tendent vers le Père, les bras restent vides, tous les bras.

Les fleurs autour ne flamboient plus.

Ginia ne sent toujours rien, mais comme il faut bien

qu'elle sente ou que l'on fasse comme si elle sentait on l'enveloppe dans des serviettes, on lui donne du brandy dans du lait. On remet aussi entre ses mains hébétées – en précisant que ce n'est pas pour publication – une boîte contenant les lettres de son parrain poète. Elle ne sent rien jusqu'au moment où elle se rappelle – elle n'y avait plus songé – que quelques jours auparavant ses règles sont survenues pour la première fois ; ce sont deux fins, qui se superposant font le craquement sourd d'un navire fracassant une banquise.

Les jours qui suivent ont des lueurs et des silences de chambre froide, où de temps en temps entre l'un ou l'autre des membres de la famille pour y déposer son obole de sanglots hypertrophiés, comme les visiteurs déposent dans le hall quantité de bouquets. On va chercher Thoby à la gare, qui a manqué l'événement, resté sur l'autre bord de la fracture. En chemin vers Paddington, le soleil de mai est incompréhensible. Ginia reçoit comme une blessure les éclats du couchant sur la grande verrière, les volées de fer forgé.

Nous ne voyons personne aux funérailles de Julia, ou personne ne se souvient y être allé, ce qui revient au même. Si miss Jan/Ginia s'était rendue au cimetière de Highgate, c'est l'odeur écœurante des genêts qui aurait prédominé, qui serait devenue l'enterrement lui-même, et plus jamais elle n'aurait pu la sentir sans malaise. Elle se serait aussi souvenue à jamais du cercueil de métal blanc, qui paraissait trop neuf pour être recouvert de terre, elle se serait souvenue du bruit dérisoire de la petite pelletée mêlée de cailloux qu'elle aurait jetée dessus.

Dans les semaines qui suivent, en signe d'impuissance,

on augmente les rations de lait. Le dos est à demeure hors du lac, sa peau sèche à l'ombre du malheur. Le père a plongé, il n'est plus vraiment là. Le père perd sa capitale. Définitivement sorti de l'alphabet et des hommes illustres, il est incapable de reprendre ses travaux. L'obsession s'appelle désormais Julia. Elle l'a abandonné, lui qui aurait dû couler des jours bien moins longs qu'elle. Il se retrouve seul pour affronter la fin, imminente, sans les soins prodigieux dont il était prévu qu'elle les lui apporterait à la perfection jusqu'à son dernier souffle. Écrire Julia est le seul viatique. Il exhume lettres et souvenirs – il a bien changé, celui qui dans sa jeunesse, avant deux veuvages, prétendait ne rien ressentir à la vue de reliques du passé –, trie leur correspondance et sous prétexte d'une lettre à ses enfants dresse un mausolée à son obsession. Dans la fièvre et dans un grand cahier vert siglé des lettres formant le mot *Privé*, il écrit ses mémoires amoureux à la gloire de la disparue – ou de son chagrin.

Leslie n'écrit pas pour ses enfants comme il le prétend, il écrit d'abord pour lui. Écrire permet d'éviter de parler. Il collecte ainsi des souvenirs comme on ramasse des pierres ou des brins de paille, pour faire un nid de douleur. Ainsi font les veufs, les damnés, les errants. Il écrit pour lui mais très vite il écrit pour être lu, il ne peut pas s'en empêcher, la lettre devient livre, le confidentiel livré sous le sceau du secret devient ébruitable, la publication d'abord interdite devient, au fil de la plume, négociable. Leslie n'écarte pas l'idée que sa personne puisse intéresser le futur et se refuse à prévenir tout à fait la divulgation de ces souvenirs après sa mort. Orgueil des pères, qui jamais ne soupçonneraient (supporteraient ?) que leurs filles soient capables de les supplanter dans la postérité. Ces mémoires pleins de détails embarrassants et d'allusions économiques déplacées nous sont précieux comme des reliques de seconde main, de celles qui font valoir l'or des plus authentiques.

Leslie dans son mausolée réinvente son amour pour Julia, bricole à grand renfort de mauvaise foi et de mots humides une passion complaisante, que le quotidien victorien ne rend guère plausible. La mort – *nihil nisi bonum* – s'entend à parer de qualités nouvelles les êtres et surtout leurs sentiments. Par-dessus tout il réinvente l'amour que Julia aurait éprouvé envers lui, un amour qui n'a pourtant jamais rien eu de tennysonien. Un amour qu'elle lui a écrit une fois pour toutes durant leurs fiançailles, mais n'a jamais pu proférer à voix haute, son cœur étant asséché et le sentiment amoureux, à jamais enfoui dans la chair de la figue.

Lorsque Leslie exhume lettres et papiers de Herbert – curieux, cette manière de conserver toute trace, Ginia elle ne garde aucune des lettres qu'elle reçoit, car l'amour s'en évapore dès la première lecture et sitôt lues elles meurent –, l'odeur du bonheur se répand, avant de se dissiper à jamais. Il n'y a plus rien sur la branche. Leslie ainsi dépourvu ne résiste pas à l'envie de se venger un peu en évoquant son premier amour. Il espère ressusciter l'odeur de son propre passé, mais c'est aussi vain que de se complaire dans la lecture morbide de la correspondance posthume, aussi frivole que de croire qu'en réinstallant le héros tennysonien sur sa branche il a une chance de ressusciter Julia.

Le père s'apitoie et étale – l'impudique – son deuil, l'intimité fantasmée de son mariage, sa canine dévotion envers Julia et l'amour et l'admiration qu'elle-même, dit-il, lui portait. Il étale ses dénis et se félicite – l'aveugle – de l'amitié que certains hommes éprouvaient pour Julia, Lowell et autres Headlam – qui révèle son ambiguïté dans un poème obituaire –, sans voir qu'il s'agissait d'autre chose. Il étale même – le fat, le goguelu – l'intérêt que d'autres femmes ont pu avoir pour sa petite personne et qui n'est qu'une dérisoire riposte aux branches, aux regards tendus, à la poésie.

Il étale ses fantaisies gluantes sur les têtes plus ou moins graciles de sa couvée, surtout les quatre fruits de leur amour. Pourtant, dans ses mémoires, la présence des fruits en question est limitée. Les aînés, les enfants de la figue, y tiennent davantage de place, étant plus à même de lire peut-être, ayant plus longtemps connu aussi la défunte. Ils sont des témoins – dont Leslie se porte garant de l'impeccabilité morale – de cet amour. Un amour qu'il regrette de n'avoir pas su exprimer à temps et qu'il s'exagère, à présent qu'il est figé dans le souvenir d'un visage éteint de madone.

Les fruits font ce qu'ils peuvent, et la couvée se désagrège. Chacun face au malheur éprouve avec violence son individualité, la fatalité d'une existence séparée. Vanessa fait face, Thoby se détourne. Adrian – que Leslie, l'indélicat, cite comme le favori des quatre fruits, signant la disgrâce sans rémission de l'enfant auprès de ses sœurs et frère – s'interrompt. Il reste coincé dans les jupes vidées de présence maternelle, empêtré dans ses douze ans désormais indépassables. Virginia, elle, agite ses yeux en tous sens – car miss Jan, à défaut de pouvoir demeurer Ginia, est devenue Virginia d'un coup.

Mais une Virginia en instance, puisque avec le deuil il n'y a plus de place pour écrire, les bordures noires sur le papier à lettres sont trop larges, elles dévorent tout l'espace vierge. Plus de gazette non plus, on ne chronique pas un quotidien sous apnée. Privée d'écriture, rétive à la lecture, elle tourne en rond face au temps qui s'écoule, clapote et goutte, figé dans la sempiternelle révolution du passé. Elle arrache des feuilles au calendrier, les roule en boule pour se débarrasser de la journée qui vient de s'écouler.

Elle peine à croire que ce soit arrivé. Les images d'elle avec sa Mère, leurs habitudes font partie du passé, sa Mère est morte, et pourtant le monde continue à exister, les femmes à faire leurs provisions, les pauvres à aller les jambes en manches de veste, les servantes variqueuses et les ouvriers amputés à recevoir la charité d'autres fées d'autres foyers. C'est intolérable, cette vie qui continue à s'occuper des vivants. Pourtant elle-même occulte parfois brusquement, pour un rien, le fait établi de la disparition maternelle : il suffit qu'elle soit avec Adrian, à singer le tic d'une cousine ou l'obsession d'un voisin, qu'il rie de ses mimiques et tout d'un coup s'arrête, coupable, pour s'en rendre compte – ils avaient oublié.

Après tout il faut se reprendre, elle ne peut passer sa vie à pleurer, à traverser les foules les yeux brûlés de larmes. Il faut bien se nourrir, se laver, s'habiller, reprendre les gestes sans fin, les plus triviaux aussi, ceux qui ramènent le plus sûrement à la vie. Il faut bien continuer à rire, à se disputer ou à se donner des surnoms d'animaux – la petite chèvre surtout, puisque c'est aussi une fidélité au dernier souffle de Julia. Il faut bien se remettre à lire – plutôt de la poésie, c'est plus supportable : le vers s'accorde avec l'apnée, bénéficie même de l'aveuglante lucidité du deuil. Ce matin, dans les jardins de Kensington elle a lu et compris et senti un poème – du Milton ou peut-être du Blake –, tout lui est apparu clairement, comme un puzzle qui s'assemble dans le brouillard.

Et puis il faut bien continuer d'être seul – car elle est seule, il n'y a aucun doute là-dessus. Ça ne date pas d'hier, mais à présent rien ne permet plus de le nier. Malgré les visites, malgré les innombrables amis et membres plus ou moins éminents de la famille qui se pressent dans l'impasse, malgré la présence réconfortante d'Anny et le fait que Vanessa songe encore à lui donner du lait, elle est seule. Tout le monde d'ailleurs est seul, et entend le rester. Leslie ne fréquente plus que le fantôme de Julia, qu'il croise sans cesse au détour d'un couloir ou d'un livre. Même lorsqu'il reprend les conférences, il en choisit les thèmes de façon à pouvoir y parler de la défunte à demi-mot. Il n'y a plus de couple dans la grande maison et cela change tout. Julia en mourant laisse des individus séparés. Elle meurt en ayant échoué au plus crucial de son grand œuvre matrimonial : avec ses enfants, là où elle avait réussi avec mille autres qui lui doivent d'avoir pu convoler.

C'est l'été. On n'ira plus à Talland House. C'est ce gâchis presque plus que la mort qui est insoutenable, cette certitude que les meilleures parts de l'enfance ont été arrachées d'un coup. On ne vieillira pas doucement avec ses souvenirs, laissant l'habitude admettre peu à peu leur absence. La maison a été louée à une veuve, qui sert de relais entre St. Ives et ce qui reste de la famille. Elle rapporte de là-bas les nombreux témoignages d'affection envers Julia, dont la sainteté s'est répandue dans tous les foyers malheureux de la ville. St. Ives remercie chaque jour la défunte pour son œuvre – elle a permis l'installation d'une infirmière permanente sur place, est à l'origine de la création de l'hôpital. Son investissement envers les miséreux trouve à s'exercer jusque dans l'au-delà et c'est comme si, depuis la tombe, elle continuait d'agir pour d'autres que les siens.

À défaut de St. Ives, on file chez la tante Anny, à Freshwater, pour fuir un Londres torride. Les premiers remuements du monstre – car il ne lui suffit pas d'affleurer, ce n'était qu'un prélude –, les premiers remuements de la terreur ou de la folie sont des angoisses. Ce sont peut-être aussi quelques voix, mais d'ici nous n'entendons pas bien, ce que c'est que d'être loin, il faut sans cesse tendre l'oreille et douter. Ce que nous entendons en revanche, ce sont les voix du passé que répercutent les murs de Freshwater et qui ne laissent guère de repos. La demeure, plantée à l'ouest de l'île de Wight, abrite une autre part de la mythologie familiale, réunissant Cameron, Tennyson et autres Watts.

Virginia comme nous ne peut pas ne pas entendre la voix des flopées d'artistes tyrannisés par l'appareil photo de la vieille tante Julia Margaret. Elle ne peut pas ne pas entendre la voix d'Ellen Terry, une comédienne fameuse liée par alliance à la famille Cameron. L'anecdote dit qu'un jour l'on pensa Ellen noyée, et qu'elle dut accourir à Londres pour rassurer tout le monde : la victime n'était que son double – homonyme, sosie ou avatar –, elle était bien vivante. L'histoire ne dit pas si on la crut tout à fait, et Virginia chaque fois qu'elle rencontre Ellen dans l'une ou l'autre des réunions familiales croit déceler l'ombre d'une algue dans ses cheveux. Elle ne peut pas non plus ignorer la voix de Minny, qui hante les lieux pour se rappeler au bon souvenir de Leslie, ballotté d'un deuil l'autre.

Cette année-là meurt Thomas Huxley, biologiste, paléontologue et philosophe, créateur de la commode notion d'agnosticisme et grand ami de Leslie, qui consigne dans ses mémoires cette nouvelle affliction. Meurent aussi Mary Davies – la femme du révérend – et Berthe Morisot, sur le certificat de décès de laquelle est mentionné « sans profession » malgré les centaines d'œuvres qu'elle laisse derrière elle. Meurent Louis Pasteur malgré l'éradication des puces aux revers des médecins, Alexandre Dumas (fils de) et lord Randolph Churchill (père de). Parallèlement naissent Paul Éluard, Albert Cohen et Jean Giono, Henry de Montherlant et Marcel Pagnol. Mais aussi le cinématographe en France et, en Angleterre, l'arrière-petit-fils de Victoria, Albert Frederick Arthur George, le fascinant roi bègue. Naît enfin l'injustement oublié William Gerhardie, ce romancier qui savait gré aux femmes d'éponger le front des génies et de rester à leur place. Tant de naissances et tant de morts. Les feuilles tombent sur les cimetières et les corps suppliciés.

II

Le silex et l'amadou

« Tôt ou tard, ai-je pensé,
il va falloir que tu te mettes à parler plus fort. »

Claire-Louise Bennett, *L'Étang*

« Désormais, je parlerai toutes les nuits.
Je marcherai
dans le bleu argenté de la lune glaciale. »

Sylvia Plath, *Notes de Cambridge*

« C'est le fait d'écrire
qui me donne mes proportions. »

Virginia Woolf, *Journal* du 30 décembre 1930

1896

Brouillard, sans rémission concevable. La vie se poursuit, privée de Julia, dans une confusion chronique étourdissant les ombres de la *maison de toutes les morts*, selon le mot aimable de Henry James, que nous prenons décidément plaisir à citer. La réalité semble désormais tout à fait impossible à empoigner. L'absence de sensation demeure, engluée dans une terreur muette, qui a à voir avec le risque que cette anesthésie ne soit définitive. Quelque chose a disparu, que quelque chose doit remplacer, mais on n'a pas la moindre idée de ce dont il s'agit. En attendant, on avance les mains devant, à la fois prudent et tout à fait libre de hurler, de manifester les premiers sentiments qui nous viennent aux lèvres, les impulsions qu'on se préoccupera plus tard d'expliquer.

Leslie a pris le relais pour les leçons mais le cœur n'y est pas, davantage encore qu'avant il s'emporte devant l'incompréhension des enfants. C'est la présence de leur mère qui donnait sa raison d'être à toute cette progéniture ; Julia partie, les petits deviennent insupportables à leur père – en particulier Adrian, cet adolescent capricieux et désormais privé de toute légitimité. Les deux filles cadettes, sidérées, ne valent guère mieux. Seule Stella trouve grâce aux yeux de l'érudit, et encore : elle n'a que pour elle de porter vaguement l'écho pâle de sa Mère sur son visage. Kitty Lushington, l'ancienne pupille de Julia, comprend en revanche la douleur de Leslie. D'avoir déjà perdu une mère, elle sait le manque, l'impossibilité où il est désormais d'éprouver de la joie. Là où les autres voient l'expression d'un caractère irascible et hypocondriaque, Kitty voit la peine. Elle s'occupe du père et prend en charge les enfants. Elle rend avec magnanimité aux jeunes Stephen les soins que Julia leur avait prodigués, à elle et à ses sœurs. Kitty s'incruste, prend la place qui reste, enfonçant le coin de l'obsédante figure qu'elle est pour Virginia depuis l'enfance.

Stella, qui n'a pas d'autre choix que de subir, achève d'entrer dans le rôle de fée du foyer qui lui est échu. Elle renonce définitivement à la passion qui l'en détournait, troque la focale photographique pour l'esprit focal. La féerie domestique vaut bien l'amour de l'art. Elle tente de remplacer la Mère, auprès du père mais aussi des autres, à commencer par Virginia qui en a tant besoin et ne trouve rien auprès de Vanessa qui résiste aux urgences affectives de sa petite sœur. Stella tâche de rejouer la partition à l'identique : distance, efficacité, pragmatisme – lui manque la grâce, qui vient avec la vocation. Mais elle sait commander le dîner, ordonnancer la place de chacun, adapter sa voix à la présence des domestiques, comme elle l'a vu faire à sa Mère, au point que Leslie l'appelle *la Gouvernante*, ce que Stella fait mine de trouver drôle. Malgré le peu de forces dont elle dispose, elle attrape de ses doigts maigres la barre du navire familial. Mais sans cesse ils menacent de lâcher prise, démangés par la folie du père.

La Mère n'est plus là pour faire régner la beauté, harmoniser toute chose de sa douce tyrannie ; Julia a brisé le pacte et tout se délabre, se défait, se détraque, notamment chez Leslie. En proie aux insomnies et à des crises d'épouvante, c'est un vieillard dépressif de soixante-trois ans, avare et obsessionnel, geignant du matin au soir, qui traîne savates et robe de chambre le long des corridors. Il récite des poèmes tout haut, sans voir l'embarras de ses enfants – de ses filles surtout, les fils étant au loin ; il se tient mieux d'ailleurs devant les hommes.

Virginia à qui le bon docteur a prescrit de cesser les leçons et de jouer dehors au moins quatre heures par jour – la grande santé kensingtonienne –, Virginia ne mange plus. C'en est fini de la gourmandise, elle gobe des miettes par nécessité, même si la vie, hélas, a repris. Elle observe désormais le monde comme à travers une vitre. Parfois surgit l'image d'un papillon blanc qui se désintègre. La poussière calcaire de l'image l'assaille avec violence et ne la lâche plus, c'est un entêtement, un combat. Virginia n'a pas le recul, pas la force pour mettre l'image au tapis en en faisant une phrase. Le dos lacustre éclipse tout, on ne sait plus si, une fois disparu ce que l'on prenait de bonne foi pour la réalité, la joie est encore possible.

Le deuil est un désastre, le désespoir un ciel d'orage qui ne crève pas. Dans ce chagrin à l'orientale que joue Leslie, excessif et grotesque en ses gémissements, il n'y a pas de place pour les pleurs des enfants abandonnés, pas de place pour se livrer, pas d'instance rassurante auprès de laquelle se défaire des images obsédantes, démons noirs et velus. Le dos du monstre stationne à la surface du lac. La question de savoir quelle est la meilleure façon de mourir devient celle de savoir quelle est la meilleure façon de se punir pour toute cette souffrance qu'il faut garder en soi. Le plus souvent Virginia songe à ce que serait un repos au fond d'un lac, ou de sa chère mer, ou d'une rivière.

Elle voit de plus en plus souvent sa Mère lui apparaître, entre deux démons. Les visions se font annoncer par des éclats de voix pâle, on croit alors que ce qui est arrivé n'est jamais arrivé. Ce sont parfois des gestes, des scènes presque : Julia passant dans le jardin parmi des fleurs qui vibrent. Julia, un buvard sur les genoux, assise à sa table à écrire chargée de papiers et d'un portrait de, disons, sa propre mère Maria quand elle était jeune – nous ne voyons pas de qui il s'agit. Julia sous l'ombre de la vigne vierge qui, l'été, donne aux pièces des lueurs de tropiques. Julia à la fenêtre, front blanc et large éclairé par les offrandes du brouillard. Julia entrant dans la nurserie avec une bougie pour vérifier que les enfants dorment. Virginia ouvre les yeux, le fauteuil à oreilles de sa Mère a été remisé, et à sa place un paravent flamboie ses joncs et ses hirondelles. Outre les visions, les obsessions mentales s'aggravent, de celles qui prennent souche dans la nuit ou dans la fièvre – retrouver la fin d'un poème, ne pas oublier de rendre un livre emprunté, chasser de sa mémoire le visage grené.

La présence pénible de toutes ces tantes et cousines, plus ou moins vieilles filles, qui vous accablent de leur deuil sous prétexte de vous plaindre et vous empêchent d'en sortir alors qu'une année déjà s'est écoulée, que la vie reprend chaque jour de plus belle, n'arrange rien. Les rombières sont aussi soucieuses de conserver la bonne réputation de la famille qu'avides de ragots menaçant cette réputation. Mais l'édifice victorien s'écroule, les apparences ne sont plus sauvées au quotidien, et la famille n'est plus qu'une vieille charrette grinçante qui avance péniblement, traînée par Stella, un tombereau sur lequel pèsent les sept autres enfants et le père. Kensington commence à se montrer pour ce qu'il est : l'endroit d'où il faut partir, quand on est jeune et que le siècle s'apprête à tourner.

Stella la première doit partir. Elle s'efface à mesure de l'effort, son visage se délave de plus en plus sous les larmes et les non-dits, les indécences recouvertes de crêpe. Tyrannisée par Leslie – après tout il n'est que son beau-père, entre eux le sang ne coule que symbolique et cela laisse des interstices pour tous les excès, toutes les dérives –, elle ne peut appartenir qu'à lui. Il ne lui concède nul désir propre et la condamne au célibat, terrifié qu'elle puisse le quitter pour un autre. Or il y a Jack Hills. Il rôde depuis longtemps déjà, bien avant la mort de Julia, qui encourageait ses assiduités. Il est décidé à conquérir Stella – autant pour ses attraits physiques que pour sa capacité à générer la féerie du foyer – avant qu'elle ne s'efface tout à fait sous le joug beau-paternel. Grâce à un discret mélange de faloterie et d'obstination canine, Jack est parvenu à garantir son siège au coin du feu près de Stella qui brode, et son couvert le dimanche avec cette famille où chacun est plus que jamais une solitude. Il sent qu'il touche au but.

La vie continue.

En mars, Thoby a les oreillons. C'est presque rassurant, les oreillons, ce n'est qu'une de ces petites maladies essentielles de l'enfance, pas de monstre à l'horizon. Même si

Thoby a quinze ans et que des conséquences – indicibles – sont toujours possibles.

En mai le dos affleure de nouveau. L'anniversaire du désastre fait revivre en chacun le moment poignant, les pigeons, le ciel bleu, le silence anesthésique. Ça passe.

Un nouvel été sans Talland House arrive à pas comptés. La maison de St. Ives apparaît à Virginia par éclairs réguliers, il lui arrive de se réveiller et de croire qu'elle s'y trouve. Elle s'imagine y retourner, grimper jusqu'au portail, observer la grande maison vert et blanc par-dessous les branches, à travers la haie d'escallonias tenter de distinguer, derrière les vitres illuminées, sous les bribes de parole lui parvenant, la vie étrangère qui a remplacé son enfance à peine échue. Des gens y seraient visibles à travers les feuillages, dans le jardin ou sur le toit, menant de menus travaux. Ou bien ce serait le soir et les fenêtres éclairées laisseraient passer des voix inconnues. Elle se demande si la vue est toujours aussi magistrale sur la mer et la bruyère, ou si elle est désormais gâchée par des maisons de vacanciers. Elle se demande si la mâchoire de mouton est toujours là, et dans quel état. Peut-être la bâtisse a-t-elle tout entière disparu, peut-être ne reste-t-il que la mâchoire, un bout de mur ou un éclat de porcelaine dans les orties. (Nous qui cherchons les guenilles savons que tout demeure quand tout est fini et que cela ne répare rien.)

Mais c'est trop tôt, beaucoup trop tôt pour songer sérieusement à un pèlerinage. De toute façon elle ne souffre plus le bruit de la mer, celui de son cœur est trop enragé pour se doubler de celui des rouleaux, et ils passent leurs vacances dans le Surrey, chez la veuve Tyndall. Le père se console en donnant à cette dernière des conseils – c'est une seconde nature – pour la biographie de feu son mari, grand ami de Darwin et de Leslie dont il partageait l'agnosticisme. Virginia respire, la moindre mouette est à trente miles. Il y a bien un lac, avec une hirondelle qui au crépuscule frôle la surface – l'impact chaque fois est une douleur et un soulagement –, mais point de vagues.

Jack est là bien sûr, avec sa ténacité de cabot à poil ras. Et cela paie : le bon et bénin personnage parvient à ses fins, l'amour obsidional enfin est récompensé. Stella qui ne tient plus par grand-chose à la terre se fiche bien de savoir qui elle épousera, autant respecter le désir de sa défunte Mère. Par une nuit sans papillons, le couple échappe à la surveillance des autres et va fomenter dans l'obscurité. Stella lève les yeux vers Jack, un nuage découvre la lune, la brillance soudaine sur le visage de Stella l'engage. Dans cet engagement quelque chose d'irrévocable a lieu, qui est une joie mais aussi, aux yeux de Leslie, le prolongement du désastre, la réactivation du deuil : c'est un nouvel abandon. Leslie souffre de voir sa fille, belle-fille pardon, accepter un autre homme que lui. La médiocrité du gendre putatif le soulage un petit peu. Mais enfin, le voilà décidément seul – Kitty étant retournée à ses obligations conjugales et mondaines. En ours blessé, il va grogner dans sa tanière et enduire ses plaies du baume des émotions littéraires, inoffensives à l'érudit.

La grâce molle de Stella a trouvé un appui en Jack, sans quoi elle finirait de s'effacer peu à peu, de noyer dans l'éther sa monotone beauté de blonde, fondue au noir dans l'atmosphère. Chaque habitant du manoir ne tient plus qu'à un fil. Virginia ne se sent ni solide ni tout à fait éthérée non plus, il lui manque la légèreté. Sans cesse elle est rappelée à son encombrante charpente, pleine de vide, de manques et de trous, un châssis que l'air à l'intérieur précarise et soumet aux contraintes et influx extérieurs. Son corps, cet autre monstre, impossible à tenir à distance, la fait souffrir de ses sollicitations perpétuelles. Elle hait l'animal en elle, qui active sans cesse la relation entre mort et désir. Le lien bizarre que les demi-frères entretiennent avec Vanessa comme avec elle ajoute de l'horreur à la détresse. Eros effleurant Thanatos, un classique écœurant.

En dehors du fait que la vie tente de reprendre, nous savons peu de chose de cette année qui suit le trépas de Julia. La mort a plongé de larges pans du réel dans un désespérant bokeh, taché les photographies de noir à reflets de sodium et déchiré les lettres, journaux, témoignages. Nous savons que Vanessa commence les cours de dessin et qu'Adrian entame à Westminster ses études secondaires, relayant Thoby dans la fracture. Nous savons que l'on reprend les visites, que l'on va au music-hall voir des pantomimes où des acteurs au visage indécelable se livrent à force déguisements animaliers, scènes d'amour improbables et escamotages de décor. Pour Virginia – en qui Ginia resurgit de temps à autre tout de même –, le public est un ravissement presque autant que la représentation. Elle observe les variations dans les costumes des spectateurs avec plus d'attention que dans ceux des acteurs, y lit l'histoire de chacun, de même qu'un sociologue lit la classe sociale dans le placement à l'orchestre ou au poulailler. Quand le spectacle l'absorbe, c'est tout entière. Les scènes un peu vulgaires la font rougir et détourner le regard, mais elle n'a pas de mal à battre des mains et à rire aux plaisanteries faciles.

Car Virginia en dépit du désastre aime rire. Elle rit aux mauvais jeux de mots de Vanessa, aux potacheries de Thoby – la scatologie ne l'effraie pas, et elle ne répugne pas à proférer çà et là quelque juron libérateur. Elle rit aux défauts des autres, rit même aux siens tant que c'est elle qui les souligne – un rien suffit à la faire douter de l'amour de l'autre, et donc à la blesser. L'autodérision reste ce qu'elle préfère, alors elle maîtrise sa flèche et peut choisir sa cible, viser là où cela sauve. Elle rit ainsi de son propre ridicule, quand ses jupons sont soulevés par le vent devant l'église juste au moment où en sort le vicaire, laissant voir ses bas de flanelle aussi rouges que ses joues, et que celles dudit vicaire. Elle raconte l'épisode à Thoby – le rire et l'aveu sont deux formes de salut – dans une lettre qu'exceptionnellement elle tape à la machine.

C'est Leslie qui lui a enjoint de s'y exercer : il la teste, il veut voir de quelle vitesse elle est capable, on fait besogne de tout loisir chez les enfants de l'Empire. Elle s'applique, il laisse tomber du bout des lèvres un satisfecit humiliant – c'est *mieux que ce que j'escomptais* –, elle sourit mais intérieurement décide qu'elle ne touchera plus à ces machines avant d'être émancipée du regard de Leslie.

Lui s'est remis à écrire, et recueille les textes de ses conférences sur la question des droits et des devoirs sociaux. Sa santé fragile ne lui permet plus autant d'escapades que par le passé. Il développe en guise de revanche une passion pour la botanique, les plantes exotiques et les cactées en particulier le fascinent, ces microscopiques et brutales ouvertures sur une autre existence possible. Lors des moments qu'il consacre à ses enfants entre deux manuscrits, il s'applique à leur enseigner le nom des plantes du quartier. Il les promène dans les rues ou les allées du parc, muni d'une emblématique boîte en fer noir qui sert à collecter ses spécimens et dont Virginia hume parfois, lorsqu'elle est remise à sa place sur l'étagère, les relents de métal et de tabac, qui sont tout à fait l'odeur paternelle. Mais la botanique, comme l'écriture, est une affaire d'hommes, et Virginia n'est pas engagée à poursuivre trop avant. Tout au plus le bon docteur lui conseille-t-il un peu de jardinage, préférable à la lecture pour effacer les ombres.

Le remède s'ajoute au lait et aux promenades, le grand air étant aussi nécessaire à tout éminent victorien que la culture, *mens sana*, etc. Virginia exécute donc chaque jour, depuis qu'elle s'est remise et en dépit de son désir de rester à la maison avec un livre, sa tournée des jardins de Kensington. Pas tout à fait prête à les troquer contre les rues, plus attirantes et plus effrayantes, elle commence par s'approprier les flâneries auxquelles dans le passé elle ne pouvait se livrer qu'en compagnie de son père, elle rêvassant et lui rythmant ses grandes enjambées de poèmes de Scott ou de Henry Newbolt. Elle se promène seule et, sans personne pour dicter son pas, elle a le temps désormais d'observer les choses, insectes ou humains, oiseaux ou plantes. Elle savoure les lois qui régissent le monde végétal, les envie – non pas comme elle envierait la félicité des bêtes, mais pour leur caractère plus lisible et plus noble, plus britannique en somme. Là où noblesse et aristocratie dépendent de la futilité d'un blason, la plante tire son honneur de la pure nécessité biologique de ses parures.

Universelles, les lois végétales dépassent les vaines préoccupations des hommes. Voir des plantes étranges, observer les mouvements subtils et extraordinairement logiques de la nature lui donne toujours envie d'écrire, seul moyen à sa portée pour tâcher d'attraper quelque chose de ces mystères.

Elle a aussi le temps d'apprécier des images qui laisseraient Leslie indifférent. Ainsi : voilà un couple, sur un banc près du Round Pond. La très jeune femme semble nerveuse, son pied chaussé d'un soulier à large boucle s'agite tandis que le très jeune homme lui parle sans la regarder, l'œil suivant le vol statique d'une libellule. Il parle et fixe la libellule, et l'on croirait qu'il espère, du seul pouvoir de ses mots et de son regard, inciter l'insecte à se poser. Y échouant, l'homme s'occupe alors à enfoncer dans la terre meuble le manche de l'ombrelle de la femme. Tous deux rougissent de ce geste, Virginia aussi.

Plus loin c'est la femme bizarre qui, à midi chaque jour, se promène en peignoir de chamois jaune et robe écrue – tous deux très sales. Elle fait un peu peur à Virginia. De l'autre côté c'est un vieillard qui tient un chat blanc en laisse. Des enfants courent derrière des cerceaux. Virginia se désintéresse des humains et concentre son attention sur le parcours délicat d'un escargot dont la coquille brille sous la lumière d'août. Un oiseau observe le colimaçon, son bec s'approche et rêve de fondre dessus. Mais Virginia a chaud. L'été brouille l'atmosphère, délave les couleurs du parc. Surgit, brève giclée d'enfance, l'envie soudaine d'une glace. Elle se dirige résolument vers la sortie et le glacier de High Street. Au moment de franchir le portail, elle lève la tête, observe un freux qui passe d'arbre en arbre à grand renfort de cris mystérieux. Elle voudrait décrire le battement de ses ailes – mais les mots, les mots ! Chargée de toutes ces images et d'une glace à la vanille, Virginia rentre chez elle.

Tandis qu'elle délace ses bottines dans le hall et redresse la tête, un éclat d'elle dans le miroir lui renvoie la fulgurance d'une vision : la nuit précédente, elle a rêvé de sa Mère. Elle la suivait dans l'une de ses expéditions de charité, elle filait la silhouette superbe, enveloppée de son châle et panier au bras. Mais soudain Julia changeait de route, délaissait les taudis pour se rendre au cimetière. Virginia voyait sa Mère lâcher le panier au pied d'une tombe et s'étendre sur la pierre glacée. Elle gisait sur le tombeau de Herbert, où elle restait des heures à sangloter en grignotant les biscuits destinés aux petits pauvres. À un moment de son rêve, Virginia comprenait que sa Mère était enceinte. Elle s'est réveillée avec l'impression que c'était d'elle-même, et cela lui revient à présent que son visage changé lui apparaît dans le miroir du hall. Les jours s'engluent et pourtant quelque chose se transforme, c'est presque indécent.

C'est novembre. Tentant une trouée dans la brume déposée par le désastre, et pour changer un peu du lait, George emmène Vanessa et Virginia dans le nord de la France. C'est sa première frontière franchie, bien que brièvement, timidement, comme le brouillon gris et humide d'un récit de voyage exotique, mais tout de même cela compte. Quitter l'Angleterre un instant est une panique, mais une panique vivante. On n'en conserve que des images floues, et l'on doute si cela s'est passé vraiment, comme tout ce qui arrive cette année-là.

Comme ce qui arrive au pauvre Jack qui, étant allé jusqu'à Paris, se flanque une mort sur la conscience. Le corps de son ami Hubert Crackanthorpe, critique et nouvelliste, est retrouvé la veille de Noël flottant sous le pont de l'Alma, en état avancé de décomposition. Quitté par sa femme deux mois plus tôt, après que celle-ci l'a trouvé dans un lit en compagnie vénérienne, l'homme a peu apprécié de voir que Jack était l'avocat de l'épouse. D'ici à en conclure à la responsabilité du falot personnage, il y a bien trop de pas à franchir : nous nous contenterons de constater qu'à Paris comme ailleurs – et tandis que l'on déplore la disparition de ce cher Coventry Patmore mais aussi du poète William Morris dont on se rappelle surtout le papier peint, de Paul Verlaine, de Clara Wieck-Schumann, d'Alfred Nobel, d'Edmond de Goncourt ou encore de Harriet Beecher-Stowe, autrice du roman abolitionniste *La Case de l'oncle Tom*, tandis que naissent Breton et Tzara, Masson, Triolet et Artaud, tandis que Mileva Marić rencontre Albert Einstein qu'elle épousera et aidera discrètement à élaborer la théorie de la relativité, en un effet Matilda tout à fait caractérisé, tandis qu'Alice Guy réalise la première vraie fiction de l'histoire balbutiante du cinéma –, à Paris comme ailleurs, donc, feuilles et hommes ont le sens de la chute.

1897

La vie ayant repris, le soleil s'est couché levé couché de façon prévisible, respectant les lois de l'éphéméride et de l'angoisse. Virginia tente de redevenir miss Jan, à qui elle prête encore l'exclusive de sa plume. À défaut de gazette – qui n'est plus envisageable depuis le désastre –, elle commence un journal intime, dans un petit carnet de cuir brun orné d'or et muni d'un cadenas, qu'on lui a offert pour ses quinze ans. Elle y écrit comme son père se perd dans ses ambulations infinies : pour sauver de l'oubli une petite part de vie. Mais pas plus que lui elle n'est consciente que c'est d'une entreprise de sauvetage qu'il s'agit. Elle sait seulement que chaque journée, restituée même sommairement, est un peu plus supportable d'être consignée.

Elle se fixe des règles : pas plus d'une page par jour. Le réel s'actualise en lettres noires, en ponctuation heurtée et en abréviations illisibles, en ces ronds incompréhensibles qu'elle barre, double, assortit d'un « N ». Des cercles qu'elle inscrit près de la date, presque quotidiennement de début janvier à mi-mars, puis seulement une fois de temps en temps jusqu'à septembre. Des ronds qui ne sont pas des roues de chariot et qui, de ne pas en être, font fantasmer le biographe. Autre règle : écrire pendant que Vanessa est à son cours de dessin. C'est seulement en l'absence de sa sœur qu'elle sent la liberté et l'intimité nécessaires au déploiement de son journal. À moins qu'elle ne veuille, lorsque Vanessa est là, profiter de chaque instant avec elle – ce qui raconte la même chose. Ce « N » près des ronds, d'ailleurs, peut être mis pour Nessa, mais ne fantasmons pas plus avant.

Avec le journal nous pouvons délaisser les photos, en savoir davantage, nous qui nous fatiguions la cornée sur des grains brouillés gagnons un accès plus fluide à ses pensées. C'est à peu près à ce moment-là, de ce que nous pouvons lire entre les lignes, que naît l'idée : écrire son grand œuvre. Un livre sur elle-même, sur la religion et l'importance de n'en avoir pas, sur les femmes, sur sa propre famille – sur tout, comme tout premier livre qui se respecte. Cela s'appellerait *Éternelle Miss Jan*. L'éternité qu'elle s'attribue ici est moins une immortalité qu'une lassitude, celle de Virginia à cohabiter avec miss Jan, et vice versa. Elle étouffe en elle-même, empêchée qu'elle est de se déployer, privée d'éducation véritable, cantonnée à se nourrir des livres et des outils au rabais que son père met à sa disposition – hier Leslie, vexé de l'envoi qui lui a été fait d'un dictionnaire des synonymes par quelque impudent, a rejeté l'insulte sur sa fille en lui refilant le volume, atrophiant son rapport au langage.

Elle compense les frustrations de ce purgatoire en développant des habitudes épistolaires. C'est une époque de lettres : le timbre-poste, inventé par les sujets de Victoria – dont le visage fut le premier au monde à être envoyé, depuis les rues de Bath, sur un petit carré noir d'un penny collé à une enveloppe –, n'est plus très cher et le téléphone pas encore dans les mœurs. La lettre que l'on envoie est une manière de justifier le fait d'aller au terme de chaque jour. La lettre que l'on reçoit apporte l'autre tout chaud qui palpite à l'autre bout et qui est tout entier dans le papier, dans l'encre où a puisé sa plume. Les lettres ont ceci de supérieur sur le journal qu'elles permettent d'atteindre l'autre, de lui dire la faim qu'on a de lui ou d'elle, de maintenir une conversation dans la solitude. Elles ont ceci d'inférieur au journal qu'elles rendent dépendant de ce même autre.

Contrairement à l'intimité du journal, que l'on réserve aux rares moments d'isolement, l'écriture de lettres se fait dans les salles communes – où Virginia s'en trouve régulièrement interrompue ou parasitée par une sollicitation extérieure, un soin à donner au chien, les récriminations d'une tante, les sons du voisinage ou l'odeur d'une botte de mimosa –, comme s'il fallait pour s'adresser à autrui un peu d'autrui autour de soi.

L'autre au bout de la lettre est aussi pour elle le réceptacle de ses gammes d'observation et d'introspection. Elle écrit essentiellement à Thoby, à qui elle parle d'elle-même à la troisième personne. Elle signe sous le nom de *Goatus Esq.* – le chevalier à la Chèvre. L'hommage aux derniers mots de sa Mère est devenu parodique. Quant à Thoby – dont elle parle également à la troisième personne, on s'y perd –, elle l'appelle Herbert : allusion tennysonienne inconsciente ? (Sachant que Vanessa est nommée Maria, et Stella, Becca – mais nous qui fouillons n'avons que peu de conclusions à tirer de ces références cryptées.)

Elle lui décrit, drôle et cruelle, le quotidien du manoir, visites et jardinage, expériences entomologiques et bulletins de santé divers, à grand renfort d'italique, de *private jokes* et de sarcastiques flatteries, qui masquent sa gêne autant que l'excès de son amour.

La gêne vient de ce que la différence se creuse entre les garçons qui étudient à l'extérieur et les filles maintenues dans leur intériorité. Elle ose moins être elle-même, sa voix sonne un peu faux, même par écrit. Elle sent qu'elle agace son frère à mélanger ainsi tous les grades, les noms de ses professeurs, les matières. Elle pourrait faire un effort mais le moyen, ainsi claquemurée ? Il existe bien quelques *colleges* pour femmes, mais outre que Leslie n'y songe pas, ce sont des concessions que l'on accorde aux fantaisies féminines, des diplômes en crépon qui ne valent pas ceux des hommes. Les femmes ne sont pas vraiment intégrées à la vie universitaire, elles n'ont pas droit aux initiales symboliques devant leur nom. Encore un bon siècle à attendre pour cela – c'est toujours moins que les deux mille ans que l'inoubliable journaliste Walter Bagehot estimait nécessaires pour que le cerveau féminin parvienne à l'âge adulte. La lumière du savoir brille dans la nuit de la femme, inaccessible comme un désir d'homme.

Seul moyen de sortir du vibrion clignotant de la fée du foyer, de trahir la fidélité à l'injonction maternelle, les livres, toujours les livres. Elle a déjà dévoré les dix beaux volumes de la *Vie de Scott* qui lui ont été offerts pour son anniversaire, et n'a plus rien à se mettre sous la dent. Les prêts de la Mudie's ne brassent que la lie de la littérature, il ne faut pas y songer. De la London Library, Leslie lui rapporte de lourds ouvrages sur l'histoire d'Angleterre, des récits de voyage aux pages jaunes qui la comblent d'une joie livresque. C'est que l'idée de son père songeant à elle entre les travées la ravit presque autant que les textes eux-mêmes. En tant que président, Leslie supervise la rénovation du petit bâtiment de St. James's Square, ce qui dans l'esprit de Virginia fait de son père le créateur de l'institution, à plus de titres encore que son fondateur Carlyle. Malgré les gémissements, les tremblements, malgré la tyrannie, Leslie est une figure magnifique. (Dont nous pouvons encore aujourd'hui, non sans une timide émotion, admirer le portrait dans les escaliers rouge velours et humer les vapeurs d'éminence en levant le nez vers le plafond mouluré de la bibliothèque.)

Pour faire pendant à cette image de puissance paternelle, Virginia s'installe dans son rôle d'adolescente fragile. Elle suscite l'inquiétude de chacun, enfermée dans ses livres et sa nervosité, toujours au bord de la crise ou d'une maladie qu'elle n'attrape pourtant jamais (nous qui fourrageons dans les archives trouvons surtout trace des maladies des autres). Sa fragilité irrite, car le génie n'est pas encore là pour la justifier. Tant qu'elle n'est pas advenue à elle-même, il est inimaginable qu'on l'aime pour ce qu'elle est. Elle n'est pour l'heure qu'une cause de souci. Tantôt des angoisses l'accablent sans qu'elle en connaisse la raison – elle passe en revue les causes possibles, les élimine une à une et se retrouve les mains vides de tout, sauf de cette souffrance anesthésiante. Tantôt elle a des excitations, des enthousiasmes soudains qui, autant que ses apathies, alarment de plus en plus ses proches. Elle a grandi trop vite, au point d'en perdre son centre de gravité, son long corps accusant le décalage avec la vulnérabilité de son esprit. C'est une autre manifestation de ce qu'elle se montre excessive en tout.

Virginia compense aussi les interdits de son éducation à coups d'excursions culturelles. Peu après son quinzième anniversaire, elle visite la maison de Thomas Carlyle avec Leslie, qui avait lui-même œuvré à cette muséification – en dépit de ses réticences vis-à-vis de la légende et des reliques. Elle gravit derrière son père les quelques marches de la maison de brique rouge nichée dans une ruelle élégante de Chelsea, à deux pas de la Tamise. L'endroit est tout en hauteurs étroites, obscures, qui rappellent le manoir de l'impasse. Répondant au carillon du vieux tire-cloche, une certaine Mrs Strong ouvre la porte. C'est la gardienne du temple, qui fait visiter la maison aux admirateurs du grand historien calédonien. (Nous qui n'avons nulle réticence vis-à-vis des reliques tirons la sonnette, pour voir la porte s'ouvrir et le fantôme d'Isabella Strong disparaître dans l'escalier.) La digne vieille dame à l'accent écossais se montre intarissable sur le sujet de Carlyle et presque autant sur celui de Leslie, dont elle est un peu amoureuse.

Leslie chez Carlyle est d'autant plus à l'aise que, le grand homme étant mort, il n'est plus de raison de s'en effrayer. Carlyle, l'immense esprit de son siècle, faisait peur à ses contemporains, qui s'accordaient à le porter au pinacle sans l'avoir lu – car il faut bien reconnaître que sa prose est illisible. Carlyle l'impitoyable, que tous admiraient et qui les méprisait tous, de Browning à Dickens en passant par Darwin – les femmes, elles, avaient droit à sa condescendance. Carlyle dont le charme, la stature et l'accent aussi épais que la fumée de sa pipe enveloppaient chacun d'une mante de respect tétanisé. Mais Carlyle est mort et désormais c'est Leslie le grand homme, le plus éminent des victoriens – sans l'accent écossais, qui plus est. Sur une affiche offerte à Carlyle pour son quatre-vingtième anniversaire, Virginia admire la signature de son père, en compagnie de celles de personnalités distinguées comme Alfred Tennyson et Charles Darwin, George Eliot et Anny Thackeray, Anthony Trollope et Robert Browning. C'est un vertige, dans son esprit d'enfant Carlyle s'est toujours un peu confondu avec son père, comme avec Thackeray et son rival Dickens, comme avec tous ces grands hommes impressionnants qui peuplent l'imaginaire britannique. Un portrait de Jane, femme d'esprit plus impitoyable encore que son historien d'époux, et dont il fut veuf pendant quinze ans – cette manie qu'ont les éminents de survivre à leur épouse –, la frappe : le visage grené fait surgir la vision de celui de sa Mère.

Pour conjurer la mort, Virginia lit des vies, celles de Walter Scott ou de la reine Elizabeth par exemple. Elle lit compulsivement, manière de surnager malgré la tyrannie du père et l'indifférence de Vanessa. Manière aussi de conjurer le souvenir des difficultés de lecture de Laura dont, enfant, la lenteur de pierre la terrifiait, la menaçait comme une contagion. Rien ne la réjouit davantage que de faire l'inventaire des livres, soigneusement marqués d'un ex-libris à ses initiales, à emporter pour les longs séjours à la campagne, de rassembler dans sa malle les couvertures de toile ou de cuir, les épaisseurs de papier qui la réchaufferont. La bibliothèque de Leslie, dans son bureau tout en haut du manoir, est un monde accueillant qu'il lui a grand ouvert : c'est sa seule concession à la fracture. Parfois elle s'assoit dans un coin et, tandis qu'il travaille, lit au son de la plume d'acier qui court, des pages qui se tournent.

Dans le mystère de ces bruits naissent des articles à foison, des biographies aussi, bien sûr. Leslie déniche dans la vie des autres de quoi inventer une cohérence à la sienne. Il passe de son bureau au rocking-chair où il fume, en se balançant, sa courte pipe d'argile. Il songe à la vanité de la postérité et cela le console – il serait bien étonné de nous voir, de là où nous sommes l'observant dans son rocking-chair pour mieux saisir son ombre sur le visage de sa fille. Il laisse traîner son regard sur ses bibliothèques, où palpite tant de savoir par lui accumulé. Un jour elles ne seront plus que des marques sur le mur d'un passé défunt, parmi les éclaboussures d'encre et les relents de pensée morte.

Le bohémien, le buissonnier qu'il se flattait d'être lui apparaît de plus en plus nettement sous son vrai jour. Il prend la mesure de sa paresse, la flemme laborieuse de qui n'a su se tenir à une obsession pour en faire véritablement œuvre. Le prétendu marginal, à l'anticonformisme tout relatif, comprend qu'il n'a été que couard. Il sait bien au fond que c'est par peur de l'art véritable, d'une grandeur authentique, qu'il se dissout dans un dilettantisme forcené, se perd avec excès dans des travaux méritoires mais de peu de poids posthume. Diable, il aurait pu faire de grandes choses ! Il donne un coup de poing sur son bureau, qui fait sursauter Virginia. Elle ne sait rien de tous ces doutes et continue, bonne *fille de*, d'ouvrir de grands yeux admiratifs, un peu craintifs, sur la maigre silhouette qui se déplace dans la pièce, cet *Apollon devenu moine* – le mot cette fois est de Meredith.

Il va et vient, marmonnant des vers épars en un fredon

inaudible, caresse du regard ses livres, les boiseries teintées d'érudition comme d'un inaltérable brou, le râtelier où rouillent les souvenirs de ses grimperies, bâtons alpins, piolets. Dans cette grotte où la lampe enfumée fait une lueur de marée, l'amour filial se glisse entre William Cowper et Walter Scott, entre Byron et Carlyle. Le vert falot que diffuse l'abat-jour fait naître en Virginia une impression d'intimité, qui bientôt se transforme en prise de conscience : elle sent profondément l'importance d'avoir un lieu où se construire hors des regards d'autrui. Il suffit peut-être de se sentir chez soi quelque part pour sentir que l'on est soi. Leslie pour qui tout cela ne fait pas question, à qui l'évidence d'une chambre personnelle où développer son être est de toute éternité, presse les bouts de ses doigts les uns contre les autres et ses deux mains sont une pyramide de circonspection qui, sitôt qu'il lève les yeux sur Virginia, devient malice.

Le père aime sa fille d'un amour victorien, peut-être même davantage, mais sans aller jusqu'à la prendre au sérieux. Il lui a ouvert sa bibliothèque car il pense, et c'est un penseur moderne, qu'une jeune fille anglaise a droit à une instruction la plus large possible – tant que c'est sans bourse délier. Elle lui en est reconnaissante. Pourtant elle pressent que la pensée moderne et l'éducation parfaite des jeunes filles, c'est bien joli, mais qu'en dessous se trame quelque chose qui a plutôt à voir avec la vie et la mort. Tant qu'elle est dans la chambre de Leslie et non dans la sienne, tout cela ne peut affleurer la surface de la conscience, encore moins de l'écriture.

L'année s'égrène ainsi, à tâcher d'être dans le peu d'espace disponible. Les choses, comme l'on dit, se tassent.

On tente de vivre, entre petits voyages, petits événements qui ponctuent la grande étendue de quotidien.

En février, c'est le Sussex avec Stella et Jack. Séjour monotone, mer morne, sable dur. Au retour on aperçoit le haut du chapeau de la reine dans Kensington. George revient de Paris et couvre la famille de dispendieux cadeaux.

En mars, tout le monde est malade, sauf Stella.

En avril, Stella et Jack se marient. Virginia là non plus ne ressent rien. On l'impose demoiselle d'honneur, de loin elle voit les cadeaux s'accumuler, cela l'indiffère. Seul sursaut, son refus de s'agenouiller à l'église, où elle se rend contrainte et forcée. Au repas de noce elle regarde longtemps le petit tas de sucre qu'elle a amassé sur le bord de son assiette.

Le lendemain du mariage, car la joie ne serait pas justifiable si l'on oubliait de la teinter de chagrin, on se rend au cimetière pour déposer sur la tombe de Julia les fleurs qui restent de la cérémonie.

Les mariés partent pour une brève lune de miel, on va tromper le temps à Brighton, son front de mer, ses mondanités sur galets. On rentre.

La machine fonctionne à merveille : dans les semaines, les jours qui suivent, Stella tombe enceinte. Le jeune couple emménage au 24, Hyde Park Gate. Leslie est rassuré, son petit monde reste pris dans la résille de l'impasse.

Fin avril, Stella tombe malade. Rebelote : marteau entouré d'un linge, paille répandue sur la chaussée, comme on a fait pour Julia. Virginia erre toute la sainte journée entre le 22 et le 24 de l'impasse.

En mai l'anniversaire de la mort de Julia a plus d'acuité encore – les roucoulements sont stridents, le ciel violet.

Le même jour de la fin mai, Stella fête ses vingt-huit ans et Vanessa ses dix-huit.

En juin, on renonce à un voyage à Oxford car Stella ne recouvre pas de sa maladie – George est entré dans la chambre de Virginia ce matin pour le lui apprendre. Il s'est assis sur le lit et a caressé la joue, l'épaule de sa sœur très doucement, en lissant de l'autre main son abondante moustache.

Il fait très chaud et moite. Dans le petit jardin à l'arrière, pour tromper l'ennui, on sème des graines qui sont dévorées par les moineaux. On lit un peu de tout – le *Cromwell* de Carlyle, la vie de lady Burton, une histoire de Rome, *Shirley* –, on mange des glaces à n'en plus finir. On se promène dans les jardins où pèse une brume tépide.

Ce soir du fond de son lit Virginia remue ses inquiétudes dans la chaleur étouffante. Des bruits de voix la redressent brusquement. Elle repousse les draps et court à sa fenêtre – son père, les grands sont dehors, il est plus de minuit, est-ce que Stella est au plus mal, a-t-on fait venir le docteur ? Elle se précipite en bas où elle découvre qu'il n'y a aucun malheur, pas la moindre ombre déclarée, qu'on est simplement occupé à chasser des chats miaulant leurs chaleurs au pied du manoir.

D'autres fiançailles ont lieu au fond de l'impasse, Julia perpétuant depuis la tombe son grand œuvre matrimonial : la cousine Adeline Fisher s'engage auprès du médiocre Ralph Williams. Virginia observe ces destinées s'unir, ces couples se former pour l'éternité et se trouve bien de sa solitude, malgré une pointe de jalousie face au romanesque – certes périssable – de l'atmosphère. S'il n'y avait pas cette chaleur et les caprices de Stella qui, sous prétexte qu'elle est malade, veut dicter ses conditions. Il faudra l'accompagner, lorsqu'elle sera en convalescence, quelque part hors de la capitale. Mais Virginia depuis qu'elle y marche seule ne veut plus quitter Londres – jamais elle ne vivra en banlieue ! –, car il n'y a pas plus bel, plus romantique endroit au monde, Londres est la matrice, la ville *per se*, la métropole que Rimbaud trente ans plus tôt avait déjà crue moderne, avec ses spectres de charbon qui roulaient et le mal qui piaulait – Londres comme un seul cri du ventre maternel. Pas question d'en partir, surtout pour s'occuper de celle qu'en cachette on continue d'appeler *la vieille vache*. Hier Vanessa et Virginia ont eu leur petite revanche sur la malade : ayant oublié leur clé en revenant du théâtre, elles ont dû la réveiller en lançant des cailloux à sa fenêtre. Voilà ce que c'est de vouloir être au centre des choses. Elles ont ri longtemps.

Fin juin, Victoria fête son jubilé de diamant. Foule, militaires, mouchoirs agités, poneys isabelle – et le vieux sourire nonchalant de la grosse reine, écrasée par l'âge et la chaleur au fond de son carrosse.

Les jours sont pleins d'orage, Virginia est agitée. Il fait trop chaud pour ne pas être égoïste et toute bonté l'exaspère comme un caprice. Après tout elle souffre elle aussi, le lait n'y fait rien, on s'inquiète autant pour elle que pour Stella, c'est épuisant et l'on ne sait plus qui veille qui. Virginia dort chez Stella, dans une chambre faisant face à la sienne. Toutes deux malades, elles se parlent à travers la porte. Un soir de la mi-juillet, Virginia est jugée apte à rentrer au 22 et George l'emporte, emmitouflée dans une cape en fourrure, loin de la maladie diaphane. Elle entend un faible au revoir à travers la porte.

Le lendemain, Stella est morte.

Comme Minny, Stella meurt alors qu'elle attendait un enfant – c'est une manie épocale, de faire ainsi d'une mort deux coups. La lignée de beauté est menacée, avec trois générations de femmes – Maria Julia Stella – emportées en l'espace de cinq ans : c'est presque le record des Brontë. On accuse le coup. Vanessa fait face, Thoby se détourne, Adrian resté nain jusque-là d'un coup mesure deux mètres – six pieds cinq pouces. Virginia ne ressent toujours rien.

Là encore, aucun souvenir qu'il y ait eu un enterrement – nous qui fouissons n'avons pu en trouver trace, ce qui dit tout. Plus tard, quand ce qu'il reste de la couvée désagrégée va, recroquevillée sur elle-même, se recueillir devant les deux tombes pâles à Highgate, c'est avec le sentiment qu'on a creusé la fosse à l'intérieur de leur vie.

Une fois de plus, l'été arrive et on n'ira pas à St. Ives. On va n'importe où, cela ne compte plus vraiment, on pointe un nom quelque part sur la carte, dans le Gloucestershire, ça pourrait être Bourton mais c'est Painswick, un nom où se lit la douleur. On ne peut faire un pas sans réveiller, comme le pied sur la mine, mille souvenirs désespérants – car on n'ira plus jamais à St. Ives, on ne voit pas comment il serait désormais envisageable d'y retourner, et l'été est un rappel constant de cette perte, au détour d'un cri de mouette ou d'une connaissance cornouaillaise rencontrée par hasard.

Avec le mariage et, a fortiori, la mort de Stella, Virginia a gagné une chambre à elle. Elle s'installe dans l'ancienne nurserie. Ce n'est pas encore un bureau, ni une bibliothèque, mais déjà c'est tout un monde pour une jeune fille, une liberté à rideaux bleus et murs blancs : les poètes peuvent y chanter moins à l'étroit que dans les livres, les objets prendre les proportions exactes que l'on désire qu'ils aient. Virginia y écrit – debout devant son haut bureau, comme Vanessa devant son chevalet. Elle écrit son journal, explore les recoins moelleux de l'intimité. Et puis elle lit, elle lit, elle lit. La mort de Stella ne résonne qu'en sourdine. On n'en parle qu'avec Jack, sinon c'est inutile.

Elle œuvre à présent, avec ses modestes moyens, à compenser la fracture. En lisant, bien sûr – Hawthorne, Arnold, les Brontë et Carlyle, miss Mitford et lady Burton –, mais aussi en s'inscrivant au King's College pour étudier la littérature classique avec le Dr Warr, qui a contribué à fonder les cours pour femmes. C'est une petite concession cosmétique à la fracture, mais elle la saisit à pleins bras, se passionne pour l'apprentissage du grec et rédige avec un feu très sérieux ses premières dissertations. Une césure nouvelle alors se creuse doucement entre elle et Vanessa, devenue l'aînée – George et Gerald ne comptent pas, avec leurs mains baladeuses et leurs moustaches il vaut mieux faire comme s'ils n'existaient pas vraiment. Nessa fait mine de remplacer dans sa mission Stella, qui elle-même remplaçait Julia. Elle a revêtu le masque fatigué et tendre, inquiet et indulgent de la maîtresse de famille, et mime un sens du devoir que l'artifice rend trop sévère, bégueule même.

Le masque s'ajuste mal, Vanessa n'est pas faite pour cet idéal féminin. Stella est morte d'avoir sacrifié à l'esprit focal et renoncé à l'art, mais Vanessa évite l'ornière. Elle se rebiffe à la tyrannie du père, qui lui demande des comptes obsessionnels sur la tenue du ménage – il n'est pas question que Leslie y touche, cette gestion-là est celle de la fée du foyer – comme si cela pouvait compenser l'abandon où il se trouve. Le sens des responsabilités que l'on veut attribuer à Vanessa ne s'accommode pas de ses fureurs intérieures ; elle résiste et son père ne le lui pardonne pas. Tout se désagrège, le passé commun s'effondre par pans.

On compte les survivants, omettant Laura qui vient de sortir de l'asile, où elle n'a cessé de piauler – *garçons lit famille* sont les mots qu'elle couine, obsessionnellement –, pour entrer dans une institution de soins privés. La voilà irrévocablement sortie de la couvée, comme on réchappe d'un monde en cendres pour tomber dans l'oubli cotonneux du néant. De toute façon, elle ne reconnaît plus personne et l'on ignore si les béances faites dans la famille l'ont seulement atteinte, dans l'obscurité où elle est.

Septembre. On accompagne Jack chez sa mère, l'affreuse Mrs Hills, au luxueux et inconfortable château de Corby. Il y a quatre domestiques rien que pour servir les innombrables plats de l'interminable dîner. On s'ennuie à cent pence de l'heure, entre les radotages de l'aïeule, la pêche pour seule activité et le chien qui promène sa carcasse malade et déprimante parmi les vieilles pierres. Jack surtout ajoute à la déprime : il était déjà un gendre peu utile ; veuf, il en devient absurde.

Octobre, on est de retour à Londres et cela ne change rien. Les jours passent dans la même uniformité grisâtre, la tristesse irrite de sa monotonie la peau qu'on voudrait de rhinocéros mais qui n'est que de tulle sale. On est muet.

C'est le soir. On a fait du feu car, déjà, les soirées saturent la maison d'humidité. Jack, qui s'est installé à demeure, parmi les débris, est dans le grand fauteuil et regarde la flambée. Un papillon de nuit, tigré jaune et noir, meurt dans une veilleuse. Virginia regarde Jack dont les yeux semblent dépourvus d'iris, comme si les larmes en avaient effacé les contours, comme s'ils continuaient à suivre Stella s'éloignant à pas tristes vers une lune irradiante. Elle regarde Jack et brusquement la colère la prend : on peut toujours se noyer tant qu'on veut dans des poèmes du XVIe siècle, le sale réel est bien là et Stella est morte et Julia aussi et il faut pourtant continuer.

Elle regarde Jack et brusquement la colère devient de l'envie. Elle sait que la mort de Stella, en le brisant, l'a accompli. Leur amour, dans la mort, est devenu immortel. S'éteignant dans ses bras, elle lui a livré en son dernier souffle ce dont chacun, au moment de tomber amoureux, croit être le pionnier ; ce dont chacun comprend vite que c'est une utopie ; ce que chacun souffre toute sa vie de ne pouvoir obtenir : la fusion avec l'autre, l'éternité de son amour – du moins la croyance en cette éternité. Virginia pense à sa Mère ; peut-être n'a-t-elle jamais été plus authentiquement elle-même que lors des premiers temps de son veuvage, peut-être la souffrance la plus ultime a-t-elle aussi été une épiphanie, une euphorie de douleur, que même la passion amoureuse n'égalait pas – sans parler de la ferveur douceâtre du second mariage. Cette nuit-là, elle rêve de Jack. Il lui montre un arbre qu'elle ne peut pas voir autrement que nu.

Virginia clôt son journal – elle a tenu un an, c'est bien suffisant, et quelle année ; la contrainte et le sérieux l'ont épuisée, elle n'a après tout pas même seize ans et déjà le lot de deuils d'un adulte fané. Un an de froidure, recouvert comme le Pond d'une fine strate glacée, un an où près de Stella se couchent Johannes Brahms, Alphonse Daudet et sainte Thérèse de Lisieux, tandis que se lèvent William Faulkner, Georges Bataille et Kikou Yamata, la Japonaise de Paris au nom de chrysanthème, mais aussi Irène Joliot-Curie et Joseph Goebbels, Enid Blyton et Louis Aragon ; tandis aussi que Millicent Fawcett, la femme de Henry dont Leslie a écrit la biographie, fonde la National Union of Women's Suffrage Societies et que Marguerite Durand, en attendant d'adopter une lionne et d'en faire son vivant étendard, fonde un journal entièrement conçu et réalisé par des femmes. Virginia ne va pas pouvoir rester muette longtemps. Sa voix gronde sous le tulle, s'entraîne en silence à prendre les inflexions qui la feront sienne – pas le choix, désormais, il va falloir parler depuis soi. Le reste n'est que béance et les arbres sont nus.

1898

La lumière du soleil, fondement de toute vie et de toute intelligence, défait le chaos pour un instant, autorise l'espoir, justifie l'errance. Et dans ces clignotements, les survivants survivent, portant ce qu'il y a à porter quand on est de ceux qui restent. Des silhouettes nerveuses, à la limite de l'effacement, se croisent avec hystérie dans le haut manoir. Les papiers peints sont toujours plus sombres, plus lourds, les visages au soir tombant sont d'effrayants Rembrandt. Heureusement dans la maison il y a le havre, la petite pièce vitrée où entre la pauvre lumière londonienne, qui par contraste avec l'obscurité des couloirs semble méditerranéenne. Les filles qui restent y peignent, lisent, écrivent, respirent – survivent, donc.

Les jours passent comme des vagues répétitives sur le sable : lundi succède à dimanche, mardi précède mercredi. La vie d'un lundi, celle d'un mardi sont indicibles tout autant. Peut-être que tout cela change, peut-être que l'ordre des jours est enfin modifié lorsque l'on devient adulte, lorsque l'on devient une femme. Elle tente de s'imaginer à vingt ans, vingt-cinq ans, trente, quarante, cinquante-neuf, renonce. L'après-midi, elle lit à haute voix tandis que Vanessa inlassablement peint. Elle lit Homère dans le texte, échoue à lire Xénophon ; elle lit Thackeray, George Eliot et Platon. Elle lit enfin Shakespeare mais pas encore avec un véritable plaisir, elle s'y efforce surtout pour complaire à Thoby qui estime que tout est dans le Barde – le rejet étant peut-être une rébellion, elle n'est pas à une contradiction près. De toute manière son frère adoré se tient goguenard de l'autre côté de la fracture, agitant de lourds volumes reliés au bout de son bras désormais colossal. Lire, quoi qu'il en soit, est nourrissant, apaisant. Étudier aussi, le grec surtout, avec le cher Dr Warr.

Écrire est un effort, pas loin d'être désespéré. *L'écriture est une torture, la littérature est une torture* – où a-t-elle entendu cela ? Écrire est un désespoir, le frottement incessant du soufre et du phosphore en espérant que la flamme naisse, le poignet douloureux, l'intoxication et la brûlure toujours menaçantes. Elle n'est pas si pressée de s'y mettre, malgré la nécessité qui pousse en dedans, qui mûrit au fil des mois. Elle lève la plume, pense, pose la plume trempe la plume lève – une tache, son beau papier est gâché. Elle sort, rerentre, soupire. Impossible de décrire un coucher de soleil sans tomber dans le cliché. Vanessa, concentrée, grogne. Tais-toi.

Virginia se tait, soit. Elle poursuit son bavardage en elle-même. Peut-être qu'elle pourrait écrire ce qu'elle pense, ça vaudrait toujours mieux que des histoires, qu'elle trouve de plus en plus suspectes. L'invention pure lui fait l'effet d'un manque d'imagination. Et puis peut-être que cela pourrait faire du bien à quelqu'un, un jour, qui ne serait soudain plus seul à penser ainsi, ou bien qui parviendrait à formuler sa pensée intime en la lisant sous la plume d'une autre. Elle n'a pas eu beaucoup l'occasion de lire ce qu'elle pense sous la plume d'autrui. Peut-être parce que la plupart des auteurs qu'elle a lus sont des hommes.

Pendant longtemps, hors les disciples de Sappho sur leur île, hors l'autrice du *Dit du Genji* assise dans la soie et les fleurs et les danses, sous le vol des oies sauvages dans le ciel d'un siècle lointain au Japon, pendant longtemps les femmes se sont tues. Sans cesse elles ont dû poser la plume pour prendre soin d'un malade ou ôter les yeux des pommes de terre, alors les noms sont rares, en nombre fini du moins. Virginia liste les exceptions, la norme étant inlistable : Jane Austen, Elizabeth Browning, Frances Burney, Mary Shelley, Harriet Martineau, Elizabeth Gaskell, Ann Radcliffe et les sœurs Brontë – elle ne songe pas à inclure sa tante Anny –, ou encore quelques autres, bien sûr, Mitford ou Burton, mais qui s'en souvient ? On excepte les *ladies* écrivant au boudoir, qui desservent la cause et que fustige George Eliot – qui, justement, distingue sous ce nom d'homme celui de Mary Ann Evans ? Qui se souvient que le premier poète américain était une poétesse ? Thackeray aurait-il écrit son admiration à Currer Bell s'il avait su qu'une jeune vierge se cachait derrière ?

Pour le vieux Thackeray, les rares femmes qui écrivent ne peuvent produire que niaise poésie ou romances morales, tout juste bonnes à orner les photos des *keepsakes*. Thackeray fait écho à l'encore plus vieux Robert Southey, qui plus d'un demi-siècle auparavant expliquait à Charlotte Brontë qu'une femme ne peut ni ne doit faire de la littérature la grande affaire de sa vie – c'est bien tout ce que l'on retiendra de lui. Leslie reprend le flambeau quoique dans son dictionnaire apparaissent quelques femmes – des demoiselles, qui sont *miss* comme d'autres sont révérends – dans une proportion louable d'environ une pour quarante hommes, et qu'il ait brièvement écrit sur Austen, les Brontë ou George Eliot. Un début, auquel a même contribué Julia en faisant la biographie de sa tante, la tyrannique pionnière en photographie – qui se mêlait aussi d'écrire des poèmes, nous l'avions omis. Si Leslie lui-même écrit sur les femmes qui écrivent, c'est bien qu'il y a quelque chose qui flanche dans cette théorie, ânonnée comme un mantra par les tenants du style et de la plume.

Mais l'idée reste inadmissible. Peinture et musique, passe encore, elles se pratiquent en amateur. Pas l'écriture, qui est soit universitaire – les femmes ne vont pas à l'université –, soit mortelle – les femmes ne meurent pas pour l'amour de l'art. Et Leslie ne laisserait pas sa fille courir ce risque. S'il croit à l'éducation des femmes, il ne va pas jusqu'à leur prêter l'idéalisme nécessaire à l'art véritable, celui qui fait se noyer dans la tempête en articulant les vers d'un dernier poème, tandis que les veuves restent derrière la vitre, retenant leurs larmes de peur qu'elles ne tombent sur le front des enfants endormis. Les femmes n'ont pas l'étoffe spirituelle, elles répondront toujours aux considérations élevées de ces messieurs par quelque ragot sur une servante malade ou le prix d'un chiffon.

Virginia se demande si cela existe, l'écriture féminine, la phrase féminine – tiens, deux mots féminins, se dit-elle, bien sûr que non, elle ne se dit rien puisque la langue anglaise là non plus ne se pose pas la question, voilà qui explique sans doute beaucoup de choses. Il s'agit d'écrire comme une femme qui a oublié qu'elle est une femme et n'a donc plus besoin de s'en cacher. Il s'agit de tordre le cou à celles qui ont précédé, en particulier à Jane Austen qui malgré son génie n'était qu'une première étape, une première autorisation donnée aux femmes. Et encore, post mortem, puisque de son vivant elle n'a vu ses livres paraître que sous d'anonymes périphrases – *a lady*, *the author* – et que son épitaphe la désigne surtout comme la fille de son père. Tordre le cou aux Brontë, aussi, qui choisissant d'en passer par le pseudonyme masculin n'ont pu oublier qu'elles étaient des femmes écrivant.

Difficile même pour nous qui lisons fiévreusement, opiniâtrement, entre les lignes des lettres, de savoir si ses phrases, féminines ou non, commencent à devenir des paragraphes. Il est impossible d'où nous sommes de bien distinguer les signes sur sa page. Nous savons seulement qu'elle n'écrit pas son journal, qu'elle ne songe pas à consigner cette année-là – il est bien suffisant de tenter de faire quelque chose de ce qui gît au fond de soi. Nous savons aussi que les médecins déconseillent l'écriture aux femmes dont la santé psychique est friable, ces pauvres créatures ne sont pas de taille face au pouvoir des mots. Ce qui ne l'empêche pas de songer à écrire ses mémoires, mais elle n'a toujours pas assez vécu.

Qu'elle y songe suffit à démontrer qu'elle est bien de son milieu. Le réflexe mémorialiste est celui d'une élite convaincue de sa légitimité et de l'intérêt qu'elle revêt aux yeux du reste du monde. Mais c'est aussi cette légitimité qui retarde l'écriture. Elle commence à voir combien l'arbre généalogique pèse, avec quelle conviction les ancêtres – et si peu les ancêtresses, même si la vieille Cameron, en tête du cortège féminin, brandit une oriflamme de velours rouge tyrannie –

barrent la route, elle commence à sentir combien encombrante peut être une si remarquable famille. À commencer par le vieux Thackeray, avec son style un peu affecté resté dans la glu du XVIIIe siècle et ses plaisanteries pêchées dans les gargotes. Il constitue le premier obstacle, même s'il n'est pas de son sang. Car il se trouve toujours un importun pour lui parler de son ancêtre, la rappeler à son ascendance pourtant indirecte comme si elle l'avait connu. Surtout, l'admiration que Leslie porte au grand homme a infusé comme un poison, corsetant le désir de se livrer à l'imagination.

Mais il n'y a pas que Thackeray. Il y a l'arrière-grand-père abolitionniste et la lignée de grands hommes à qui la patrie restera reconnaissante. Il y a tous ces artistes, famille ou amis fréquentant le cercle des adultes, qui freinent la possibilité d'en faire partie. Les écrivains, les philosophes, les penseurs de toute espèce, les peintres préraphaélites, tous ces personnages qui forment le terreau mythique de la famille, où s'enracinent fermement les maisons des légendes familiales, celle de Melbury Road où Julia faisait des pèlerinages mais aussi celle de Freshwater, sur l'île de Wight. Il faudrait s'approprier ces pesanteurs pour s'en défaire, écrire sur cette exigeante parentèle une pièce de théâtre ; Virginia la mettrait en scène et l'interpréterait avec ses frères et sœurs, si prompts à se déguiser. Une pièce exagérant les ridicules des ancêtres pour mieux dire ceux des vivants. Elle ferait rire tout le monde aux larmes, personne ne s'y reconnaîtrait – ou, s'y reconnaissant, en serait plus flatté que vexé.

Assis sur ce tas d'ancêtres trône Leslie. Écrivain, fils d'écrivain et petit-fils d'écrivain. L'idée de savoir si un peu de cette encre éminente a coulé dans le sang de Virginia, si surtout elle peut s'en servir pour fabriquer sa propre formule, mêler au vieil acide un peu de sa propre aniline, est une obsession dont il s'agit de se débarrasser. Car la généalogie, le passé glorieux, la vanité des ancêtres, le génie héréditaire des Stephen sont des embêtements, et non des privilèges. L'une des manières de les éliminer consisterait à rendre un hommage définitif au père. Ce serait comme écrire sa biographie pour ensuite la brûler. Ou mieux, pour la serrer à jamais dans les rayons de la *London*, la réduisant ainsi au silence. Gerald d'ailleurs fonde une maison d'édition où il va pouvoir proclamer fidélité à son beau-père. Pour Virginia le prix à payer s'annonce bien plus grand.

Pour l'heure il consiste à circonscrire l'écriture, qui en reste aux lettres. Virginia développe ses habitudes épistolaires et, manière de compenser les dislocations de la couvée, la relation s'intensifie avec ses cousines. Notamment avec le clan Vaughan, les enfants d'Adeline – cette tante qui lui a donné le premier de ses prénoms. Pas tant avec Millicent – qui s'était mariée dans l'impasse peu avant la mort de Julia – qu'avec la fille aînée Margaret, dite Marny, dont elle partage le goût pour le grec, et surtout avec Emma, la cadette. C'est à celle-ci que Virginia réserve ses soins et ses moqueries les plus tendres. Emma est son reptile, son Crapaud – Toad, qui donne Toadlebinks, Todkins, Todelkrancz, voire l'équivoque Todger –, qu'elle malmène de son exigeant amour, faisant ses gammes en tyrannie affective.

Madge, une des figures impressionnantes de l'enfance, fait désormais partie du clan car – toujours selon le vœu et le pressentiment de Julia – elle vient d'épouser le cher cousin William, le fils aîné des Vaughan. Par cette alliance, elle perd automatiquement une part de son prestige aux yeux de Virginia. Elle se réserve une existence plus austère et conventionnelle que ses goûts ne le laissaient supposer. Elle eût sans doute écrit brillamment – elle est notamment l'autrice d'un récit de voyage en Italie remarquable de sensibilité –, n'était le rôle de maîtresse de maison que la société a prévu pour elle. Elle doit taire ses brillantes idées devant son mari, et ses aspirations à l'écriture céder le pas devant les nécessités domestiques. Ce qui a pour effet de mettre Virginia en colère, mais aussi de l'émoustiller vaguement.

Quelque chose vibre en elle qui lui fait écrire de plus en plus souvent à ces femmes, toutes plus âgées qu'elle. Avec Emma, l'élue du moment, elle se montre d'autant plus insatiable que la cousine semble muette – elle l'est totalement pour nous, qui n'avons pas ses réponses aux lettres de Virginia. Nous assistons impuissants à ses rages et protestations face à la langueur de sa cousine, qui est la plupart du temps en Suisse ou en Allemagne ou que savons-nous, et qui met des lustres à répondre. L'irritation teintée de mélancolie amoureuse acère davantage l'humour de Virginia qui, peu respectueuse de son aînée – Emma a vingt-cinq ans –, se moque et exige dans la même phrase. C'est réflexe, elle moque tout le monde – sauf Madge peut-être, Madge c'est autre chose – à mesure qu'elle aime ou qu'elle déteste, tout un chacun devenant victime de sa corrosive intelligence, depuis les fantasmatiques cousines jusqu'aux vieilles bigotes qui errent dans la famille, matériau trop tentant pour les crocs de qui sait mordre.

Leslie quant à lui ne sait rien de la corrosion, qui dans

ses biographies se montre désespérément honnête. Il publie les premiers volumes des *Studies of a Biographer*, pour la plupart hommages à ses congénères en éminence. Le genre de la biographie – et non de la *vie*, la distinction est de taille – rassure son auteur autant que son lecteur, en faisant de l'existence une totalité cohérente. Leslie est maître en cette réconfortante littérature : il peut passer des heures, des jours à rechercher le prénom de l'oncle d'Untel ou la date de rédaction d'un ouvrage quelconque. Cette obsession étriquée le rend aussi attachant qu'irritant – et irritable.

Virginia, ambivalente vis-à-vis de la discipline biographique qu'elle ne peut, par piété filiale, tout à fait rejeter mais qu'elle soupçonne de ne rien dire de l'être véritable, hérite du meilleur de cette obsession. Elle aime entrer yeux grands ouverts dans l'inaccessible vie de l'autre, frotter son audace à cette aporie. C'est pour satisfaire ce plaisir qu'elle cède parfois au culte victorien voué aux maisons d'artistes. Fin mars, elle visite à nouveau la demeure de Thomas Carlyle, cette fois en compagnie de Vanessa et de Hester Ritchie, la fille d'Anny, une gentille demoiselle sans beaucoup d'esprit. De nouveau, c'est le carillon, Mrs Strong qui leur fait les honneurs. La chaste Écossaise ne reconnaît pas la fille de l'éminent Stephen, pas plus que la petite-fille du très éminent Thackeray qui l'accompagne. Virginia en l'absence de son père perçoit différemment la maison, ainsi que la dame. Quelque chose brûle – comme disent les enfants approchant du trésor – en même temps qu'autre chose gèle et s'éloigne et coule, qui est un trésor trop lourd. Virginia laisse derrière elle un bout d'enfance, un morceau d'iceberg qui se détache très lentement avant de filer vers le large et de disparaître dans le tumulte des eaux passées.

Elle regarde autour d'elle. Elle voit bien mieux qu'à sa précédente visite, où son père occupait tout l'espace. Elle sait à présent lire les signes que délivre la maison quant à l'homme et à la femme qui l'ont habitée, des indications muettes plus parlantes que toutes les biographies. L'œil et la pensée, plus que la main, façonnent l'habitat, une pièce conserve les saveurs de la fonction qu'on lui a attribuée – c'est pourquoi un bureau ne devient pas impunément une chambre, ou un séjour, bureau. Elle passe de pièce en pièce, d'étage en étage, grimpe l'étroit escalier avec ferveur (nous qui grimpons à sa suite plaçons notre main sur la sienne le long de la rampe boisée, nos pieds s'enfoncent dans ses pas silencieux sur la moquette des marches), monte jusqu'à la chambre insonorisée conçue par Carlyle pour échapper aux rumeurs de Chelsea.

Contempler la petite chaise ou le sofa de Jane et rêver à leurs amours, admirer le paravent de Jane et rêver à son ennui, examiner la lampe ou les casseroles du couple, manipuler la plume ébouriffée, la longue pipe du grand homme ou sa robe de chambre en poil de chameau, tout cela est aussi dérisoire qu'excitant. Les reliques la frustrent et la stimulent. Elle se demande ce qu'elle aurait ressenti en présence de l'illustre personnage, décédé quelques mois avant qu'elle-même n'entre en scène. Elle se souvient de la frustration blessée de Leslie découvrant que celui qu'il considérait comme son maître avait légué sa table de travail à son frère Fitzjames et non à lui-même. S'il était mort plus tard, et non un an avant sa naissance, le vieil Écossais l'aurait-il choisie comme légataire ? Aurait-il senti qu'elle était de ces jeunes gens qui veulent savoir, faire et dire ?

Elle contemple les portraits de Jane Carlyle, qui se sont multipliés aux murs depuis sa dernière visite. Jane – un temps soupçonnée de se cacher derrière le nom de Currer Bell, l'auteur de *Jane Eyre* – a largement contribué à faire de son mari une légende. La lumière dans ses yeux ranime en Virginia l'excitation suscitée par les conversations des adultes qui, lorsqu'ils évoquent la femme de Carlyle, le font toujours avec une curieuse altération dans la voix, quelque chose de vaguement clandestin. Elle a cru comprendre qu'il existait des lettres entre Jane et une autre femme qu'il serait sûrement très interdit de lire. Elle pense à sa Mère, à ses Parents, à leur relation, sans bien comprendre pourquoi et quel rapport il y a avec le couple Carlyle. Simplement la sensation est là, l'obsession est là, cerclée d'un étau de malaise. Elle se souvient que son père, après la mort de Julia, espérait ne pas avoir eu envers elle les torts que Carlyle a eus envers Jane. Nul n'a su de quoi il parlait, et nul n'a cherché à le savoir.

Lorsqu'elle sort de l'antique demeure de brique, l'excitation retombe, la dégoûte même un peu. Mieux eût valu rester chez elle et tâcher de déchiffrer les pensums du philosophe historien, plutôt que d'aller admirer des chaussons consacrés et d'illisibles bouts de papier en fantasmant sur des potins conjugaux. L'émotion est un trompe-l'œil. Quitte à tenter d'éprouver l'influence d'un lieu sur l'écriture de ses habitants, elle devrait plutôt visiter le presbytère de Haworth : les Brontë, comme sœurs aînées en littérature, se posent là, tandis que le moyen de s'identifier avec un vieux barbu ? Mais un chemin doit être respecté, elle sent obscurément qu'il lui faut d'abord passer par les ancêtres et les rejeter pour y comprendre quoi que ce soit.

Les jeunes filles sur le seuil se séparent, Nessa sûrement file, juchée sur son vélo, à un cours de dessin ou une exposition quelconque, Hester à ses occupations qui nous sont il faut l'avouer aussi inconnues qu'indifférentes. Virginia, que les chevaux certains jours effraient de leurs sabots et ruées, décide de prendre l'omnibus. Observant les voyageurs elle constate qu'elle est la plus jeune de tous et il lui semble que ce sera toute sa vie le cas. Elle regarde les gens et frémit de curiosité ; à chaque cahot du véhicule, elle s'interroge : quel est le prénom de celui-ci ? Que fait celle-là chaque jour ? Où se rend ce vieil homme et à quoi pense cette gouvernante aux yeux marqués ? Que mange ce couple au petit déjeuner ?

Les êtres qui s'agitent en ce monde lui sont une source de curiosité permanente. Il lui est difficile de prendre quiconque au sérieux. Qu'elle appelle autrui par son prénom ou lui donne du mister & mistress, qu'il ou elle ait des plumes à son chapeau ou trois galons sur l'épaule, elle ne parvient souvent qu'à voir la caricature de soi que chacun promène ici ou là. Et pourtant, comme elle demeure timide et rougissante face à tous ces gens qu'elle méprise un peu, comme elle aimerait se tenir fière et les joues calmes devant eux, et ainsi recevoir leur affection et leur respect ! Comme elle recherche leur compagnie, aussi, à ces médiocres – mais plus elle l'obtient, plus elle se sent seule, et plus elle en recherche, plus les autres l'irritent, tout en continuant de l'attirer, de susciter la traîtresse, la tragique érubescence. Sa solitude se creuse dans ce paradoxe.

La vie continue, hystérique et flottante à la fois. Thoby se remet de la rougeole de mars, qui a menacé ses études et sa stature de Goth. En avril, ce qui reste de la couvée est à Hove – autant dire Brighton –, autre *place-to-be* qui a même supplanté Bath en chic, et où s'échangent les rôles de la foire aux vanités en un ballet dérisoire et subtil. (Nous qui cherchons ne pouvons malgré nos efforts en retrouver les échos : en place des charmes désuets de la bonne société ne subsistent que façades décrépies à bow-windows, immeubles découpés en logements bon marché et parodies graisseuses du divertissement.) On lit les livres de la bibliothèque locale, on visite les musées, on magasine, on fait de la bicyclette le long du front de mer en dépit du vent. Seul manque George, à qui Virginia sororalement écrit – elle signe d'un affectueux *the Goat* mais s'adresse à lui avec une crainte un peu méprisante, escamotant l'humour qu'elle réserve à ses cousines. Ou à Thoby, à qui elle rend visite en juin à son collège de Clifton. Impressionnée, elle s'y comporte en bonne petite chèvre : il n'est toujours pas question de remettre en cause la fracture, mais de rester coite pour qu'elle ne palpite pas trop douloureusement.

L'été arrive, prévisible, et il faut de nouveau contrer les nostalgies. On choisit Ringwood, à dix miles de la mer – on se rapproche. Il fait très chaud, très sec, le souvenir des séjours marins est une torture. Quelle idée de passer l'été à la campagne, dans cette vilaine maison. Rien que du chaud à gober, et la seule rivière pour se rafraîchir – jusqu'aux genoux, la pudeur interdisant davantage. Face à la nature grillée, désœuvrée, elle rêve à son retour à Londres, sa chère Londres – elle pense au Dr Warr soudain idéal, aux cours exaltants qu'elle va pouvoir reprendre (n'étudierait-elle pas le latin en sus du grec ? Il y a bien cette miss Clara Pater qui pourrait lui enseigner d'utiles rudiments), quelle chaleur, on pourrait s'évaporer que personne n'y trouverait à redire (Pater est une vieille fille un peu rabougrie, qui inspire une pitié indécise).

Quel ennui, cette nature immobilisée. Même le petit torrent est inoffensif, que l'on franchit d'un bond et où l'on peut tomber sans conséquence. Pourtant, dès qu'elle trouve l'énergie de se mouvoir dans le paysage, elle éprouve un curieux sentiment de puissance, de possession même. *Tout est à moi. Je peux en faire ce que je veux. Tout est moi.* Chaque arbre est le seul arbre au monde, ou l'essence de tous les arbres, ou un arbre qui lui serait familier et l'aurait attendue longtemps, elle. Mais ça ne dure qu'un instant.

À d'autres latitudes songe-t-elle, arpentant un sentier puisque c'est en marchant que l'on songe mieux, à d'autres latitudes en ce moment même, voici ce qui se passe : il fait nuit, le jour se lève, on se met à table, un camion passe, les verres s'entrechoquent ailleurs. Une branche craque dans une forêt, un arbre tombe dans une autre et nul n'entend le bruit formidable que cela fait. Encore ailleurs une biquette met bas deux chevreaux attachés par une patte, un crabe se dissimule sous une roche plate. Tous ces événements ont autant d'importance les uns que les autres, autant d'importance que la mort.

Elle observe les lumières changer, le passage des nuages qui captent et relâchent leur proie d'ombre et le tragique vient de l'impuissance qu'il y a à embrasser tout cela d'un seul regard. Elle voudrait savoir créer le silence de l'image, l'image dans le silence. Elle voudrait la liberté verticale, celle de qui se tient debout et se meut pour recréer le monde, pas celle de l'écrivain qui, enchaîné à sa pierre, ne peut agir qu'assis. La peinture peut-être permet cela, saisir d'un seul trait les choses, embrasser le réel d'un coup. Vanessa le pressent depuis longtemps et Virginia la jalouse. Elle a beau se lever, se tenir droite devant l'écritoire, le geste n'y est pas, ce n'est qu'imitation. Son désir d'abstraction est parfois insoutenable, elle voudrait créer des mots pour dire l'indicible, offrir le choc de perception immédiate que permet la peinture.

D'un autre côté la peinture est aussi une limite, un cadre au regard, tandis que les mots permettent de se glisser partout à la fois. L'écriture peut épouser le mouvement, rendre compte d'un battement d'ailes – Virginia ne sait pas encore que l'on peut peindre ce battement, même si le flou dans la photographie lui en donne l'intuition, il inscrit l'image dans la durée, fait récit de l'instant immobilisé. Mais si elle envie Vanessa c'est moins parce que la peinture l'emporterait sur la littérature que parce qu'elle est déjà plongée dans la création, tandis qu'elle-même ne parvient qu'à y tremper un orteil de temps à autre. Or l'art est le seul remède à la souffrance ; Vanessa, elle, fait quelque chose de sa douleur, lui ôte de son absurdité en la rendant féconde. Dans cette famille désagrégée où l'on ne dit rien, où l'on ne parle jamais des mortes, où l'on se dissimule l'essentiel au quotidien, où l'on ment sur ce qui importe le plus, dans cette famille où la parole ne se fait jamais balsamique puisqu'elle ne dit jamais ce qui aurait le plus besoin d'être dit, pour tenir le monstre à distance il n'y a d'autre solution que de créer.

La mort est là tout le temps, dans tous les esprits, puisque jamais elle n'est expulsée dans l'adresse directe à l'autre. Elle ne fait que rebondir dans la solitude des couloirs, des escaliers. Virginia aimerait ne pas s'en rendre compte mais la pensée de la mort s'est infiltrée, elle enveloppe tous ceux qu'elle aime d'un halo triste qui lui donne envie de se jeter sur eux pour les retenir. Elle craint sans cesse pour les survivants, au premier rang desquels Vanessa. Mais Thoby et Adrian, sans parler de son père, font aussi l'objet de scénarios morbides, que son imagination déploie malgré elle à tout instant. Même Gerald et George, même Laura l'absente sont aspirés par sa facilité à se représenter le pire. Éprouvant une solitude forcenée, elle remue complaisamment l'idée qu'elle pourrait l'être encore davantage. À chaque instant elle se projette dans un futur où ils ne seraient plus, comparant le présent au passé.

Elle ressasse en comptable des scènes de leur enfance, égrène les disparitions ; ainsi du rituel du thé : Vanessa, Virginia, Thoby et Adrian se moquant des conversations futiles et vaines autour de la table à thé, animées par Julia et Stella. Puis Julia disparaissant, laissant Stella seule cible des moqueries. Puis Stella à son tour disparaissant et Vanessa contrainte de renoncer à rire pour à son tour se livrer à la servitude du dimanche après-midi. Il est impossible à Virginia de concevoir que le rôle pourrait lui échoir. La table à thé est aussi impensable que la mort de Vanessa – pourtant sans cesse soufflée à sa cervelle douloureuse par les démons velus.

La pensée de la mort, gluante, pourrit les âmes. À la moindre contrariété elle surgit comme une négation de tout espoir et Virginia voudrait disparaître, arrêter la souffrance, figer le monde en elle et autour d'elle. Elle aimerait surtout faire cesser les visions qu'elle continue d'avoir de sa Mère. Elle a une astuce pour calmer provisoirement ces obsessions, même si cela ne fonctionne pas à tous coups : observer non plus les êtres, même abstraits comme ceux de l'omnibus, mais les choses. Plus que les êtres eux-mêmes, elles sont la preuve irréfutable de leur existence. Ainsi la coupe emplie de fruits atteste-t-elle mieux la réalité de l'être qui a permis la présence de la coupe devant elle – il a bien fallu décider d'acheter les fruits, les choisir, les disposer dans la coupe – que la présence de l'être lui-même. Autre truc : observer les oiseaux lorsqu'ils guettent l'escargot ou le ver permet d'épouser le sens de la mort propre aux bêtes, qui est déjà plus soutenable.

(Nous pouvons à notre tour nous poser toute sorte de questions : les pommes et les bananes, dans la coupe sous ses yeux, ressemblent-elles aux pommes et aux bananes du temps présent ? Et qu'est-ce que le temps présent quand la mort englue tout ?)

Cet été-là, on persiste à feindre que tout ne se désagrège pas, on assiste incrédules et muets au lent écroulement, on regarde les boulons sauter un à un, les fissures grimper, les façades trembler. C'est le soir, c'est août, on est au jardin. On voudrait y rester toujours, que la nuit jamais ne cesse et qu'il ne faille plus jamais revenir dans le jour où la vie inexorablement persiste, on voudrait que dure toujours la fraîcheur du soir d'août, se complaire dans les odeurs excessives et corrompues de l'été quand tombe la nuit. La porte s'ouvre, la voix du père, un peu rauque, se fait entendre – il bat le rappel pour la rituelle partie de whist. Mais l'idée de rentrer est inenvisageable. Les enfants d'un regard s'accordent pour ne pas répondre, pour se cacher et laisser le père à sa solitude. Le pauvre homme, qui commence à perdre l'ouïe, se tient sur le seuil, pathétique dans ses petites injonctions désormais sans effet. La faille est consommée.

Tandis que la duchesse d'Uzès obtient le premier permis de conduire féminin, que l'on assassine l'impératrice Sissi, que meurent Eugène Boudin et Stéphane Mallarmé qui ont montré que la plume et le pinceau pouvaient être des outils aux ressources semblables pour dire le battement ; tandis que le jeune Winston Churchill exhorte les jeunes hommes et les jeunes femmes à être bons, mais féroces ; tandis que meurt Richard Pankhurst, vingt ans avant de voir s'accomplir ce pourquoi il avait lutté aux côtés de sa femme ; tandis que meurt Matilda Electa Joslyn Gage, première sorcière revendiquée comme telle, et dont l'effet du même prénom qualifie le déni des contributions des femmes aux découvertes scientifiques ; tandis que naissent Maryse Bastié, Rose Valland, Bertolt Brecht, Arletty, Mireille Havet, Joseph Kessel, Oum Kalthoum et Federico García Lorca – ou encore René Magritte avant que sa mère, tentée jusqu'au bout par le désespoir et n'ayant plus le courage d'observer quoi que ce soit, ne fige le monde en elle et autour d'elle en se noyant –, on rentre à Londres où les feuilles nimbées de brouillard expirent dans la faille qui désormais irrémédiablement bée.

1899

Le soleil continue de se déplacer sur le cadran victorien, la vie change, les êtres disparaissent ou deviennent fous et il est désormais presque indifférent de le noter. Le manoir seul reste fixe, gnomon lugubre que l'on déteste mais qui pose repère. À dix-sept ans, Virginia se décide à faire de l'écriture une chose sérieuse. Elle reprend son journal, sérieusement. Observer, sans arrêt. Assembler les images morcelées du monde qui lui parviennent. C'est une tâche épuisante. Dans ces premières écritures adultes elle tente, se relisant, d'entendre sa propre voix et non plus celle de ses parents, des ancêtres, des gènes. Les mots vibrionnent en elle, se cognent aux parois intérieures qui résonnent, comme un écho de sa propre vacuité. Les mots. Les mots anglais. Peut-être n'aurait-elle pas autant aimé les mots si elle avait été française, tchèque, suédoise ou albanaise.

Écrire, certes, mais quoi écrire. Elle ne se sent pas de goût pour le poème. L'élégie, peut-être, mais sans conviction. Elle sait que c'est le roman qui pulse dans sa poitrine, mais pas n'importe quel roman. Le roman qui dit ce que les gens ne disent pas, qui dit les interstices de silence et les doutes. Écrire sur le connu, le familier, se défaire des histoires et de l'invention, bannir à tout prix l'exotique – sauf à transplanter le familier dans l'exotique, juste pour voir, manière d'alchimie ou de boutade. La question se pose du vieux rapport entre vérité et vraisemblance, entre ce que l'on invente et ce que l'on rapporte du monde, à se demander si ce n'est pas au bout du compte la même chose. Celui qui écrit est la seule réalité au moment où cela s'écrit.

Il s'agit de trouver la meilleure façon de décrire ce qu'elle voit – faut-il bannir la subjectivité les sensations le sang pour saisir le cœur du réel ou au contraire laisser l'intériorité décider de ce qui est vrai ? –, de fouir sous la surface de la langue pour dénicher le vrai avec une obstination de courtilière. À force de fouir elle a trouvé quelque chose qui, dans la ponctuation erratique, dans l'usage échevelé du cadratin et de l'esperluette – *ampersand*, le mot anglais est trop beau pour le taire –, ressemble à de l'eau, à du morse, au ru qui coule et s'interrompt sans cesse. Restent les questions triviales, celles qui ne comptent pas ou seulement parce qu'elles rassurent par la binarité de leurs réponses, comme de savoir si l'on a le droit de faire fleurir le lilas en mars, les tulipes en août ou les roses à Noël.

Mais la question de l'histoire, celle de la vérité n'ont pas de réponse et de n'en avoir pas prennent désormais toute la place. À table, lorsqu'elle s'ennuie et joue avec des boulettes de mie de pain, ce n'est plus l'incarnation enfantine, quand elle décidait que l'une des boulettes serait un homme, l'autre une femme et qu'elle se racontait l'histoire de ce couple mou et friable. Se pose à présent la question de ce que l'on peut bien faire des boulettes, puisqu'il est à peu près établi que solliciter le pouvoir des mots, leur difficultueuse magie, pour raconter une histoire est un gâchis sans nom – peut-être, après tout, que dire les boulettes de mie de pain en dit davantage sur le monde que d'imaginer qu'il leur arrive effectivement quelque chose. Peut-être ces agglutins de farine et d'eau ont-ils une signification bien plus grande, à l'échelle de l'humanité tout entière dont ils incarnent le destin possible. Mieux vaut alors garder les mots pour un but plus spécifique et plus complexe, plus grand en somme, que celui de raconter des histoires.

En attendant, non de trouver une réponse définitive puisqu'il n'en existe pas, mais d'échafauder la sienne propre, elle observe. Elle étouffe presque sous l'excès de ce qu'il y a à observer, suffoque de devoir sans cesse choisir ce qu'elle regarde. Les mouvements des gens, leurs gestes retenus, avortés, leurs paroles qui restent en suspens, sous son œil deviennent prothèses, matière factice du monde. Les choses et les êtres sont entourés d'un halo qui est celui du regard que l'on porte sur eux, et cette matière subjective, translucide, qui enveloppe le monde est celle, peut-être, de l'écriture.

En avril, comme l'année précédente, Leslie et les enfants retrouvent Thoby à Brighton où aussitôt le Goth attrape une pneumonie. Les printemps cauchemardesques de 1895 et 1897 grimpent sur le dos du monstre, font un petit signe de la main. Mais grâce à sa stature, et en dépit des errements de la médecine, la maladie recule, le monstre replonge, on respire pour un temps et l'on reprend le rythme interrompu de la villégiature. Rythme n'est pas le bon mot, tant le temps se répète en visites mornes et en mondanités sans sel. On s'ennuie tellement dès que l'on quitte Londres qu'un rien excite les nerfs à l'excès – une scène où Vanessa perd sa jupe mal fixée occupe les pensées et les rires pendant plusieurs jours.

À l'été, on se déporte à Warboys pour les vacances, ce qui plaît à tout le monde sauf à Leslie, plus grognon que jamais. Mais les enfants profitent, on oublierait presque Londres, presque St. Ives. On découvre la vraie mesure du ciel, on sympathise avec les nuages, on hume l'air humide, le foin frais de la campagne, les bois et les champs élargissent les poumons et aèrent l'esprit, remettent le corps en jeu. On voudrait faire des sonnets de toutes ces sensations et en même temps on ne veut que se laisser aller au bien-être bovin de la nature, sans rien faire, sans nécessité d'exploiter l'instant. Le soir on observe les étoiles, qui à Londres se taisent – pour une fois que la cité le cède à la campagne. On roule à bicyclette sur les rubans lisses et plats des environs, la plaine dure et uniforme, on voudrait l'écrire et on y échoue, on se voudrait musicienne pour dire la beauté du monde. On regarde les paysannes moissonnantes, on se compare, on se prend à rêver d'une vie à la campagne, une vie de légumes que l'on cueille et de fraîcheur vespérale. Ça apaise. Même si dans le fond on sait qu'on ne sera pas fâchée de quitter cette campagne pour retrouver la capitale, l'été s'achevant, et de redevenir une citadine endurcie, ignorant points cardinaux comme cycles de culture.

Elle aime le presbytère vieux de plusieurs siècles où l'on s'est installé, la bâtisse toute de briques, de murs épais et de poutres apparentes. Elle aime la cuisine au sol de petits carreaux rouges, elle aime le bruit que font les hirondelles qui filent dans les combles, le cri que la chouette blanche lance chaque soir à la même heure. Dans le village, une grande église médiévale entourée de tombes s'accorde à la vision éternelle des femmes et des enfants portant là des cruches, ici cultivant des navets. On randonne, on découvre des bourgades dont l'une s'appelle St. Ives – ce n'est pas la même, mais le nom fait un peu mal. Dans le jardin du presbytère Virginia cueille des roses, soudain la joie factice de l'été reflue. Elle pose la rose à l'envers dans son panier.

Les agréments de la campagne finissent toujours par ternir sous l'effet de la mélancolie et, où qu'elle soit, l'ennui par l'étreindre. Elle compte les heures, dans le paradoxe du temps ressenti qui fait de tout séjour une éternité et un instant. Et puis il faut faire et recevoir maintes visites de maints Stephen plus ou moins assommants. Elle trompe l'ennui passager en écrivant des lettres, à sa cousine Emma la plupart du temps. Ou en lisant – quoi ? Nous avons beau feuilleter journal et lettres, nul indice, sinon qu'elle chasse les livres comme des phoques sur la banquise. Nous avons champ libre pour imaginer qu'elle lit *Au cœur des ténèbres* de Conrad, publié cette année-là en feuilleton dans le *Blackwood's Magazine*. Nous la voyons seulement entrer chez le bouquiniste et en ressortir avec à la main un vieux traité de logique, dont elle recycle la couverture pour orner son journal intime.

C'est à présent un véritable objet, chargé de solennité et de souvenirs, de promesses aussi. L'effet est immédiat, une fièvre la prend dont elle entend profiter, la sachant de courte durée. Elle le remplit ligne à ligne, frénétique, emportée par le plaisir physique de l'écriture presque autant que par les images dont il lui faut absolument rendre compte sous peine d'étouffer. De la relation de son quotidien, excursions ou visites, elle glisse vers des descriptions plus articulées, portraits pittoresques, récits familiaux cocasses, puis vers des essais littéraires plus ambitieux. Sa plume mord dans la chair des êtres, pourchasse la sensation avec un filet à papillons qu'elle n'a pas besoin de faire gourdin. Elle s'échevelle sur sa page et désespère de pouvoir dire le monde. Cette fois c'est la musique dont elle suppose qu'elle y pourvoirait mieux.

C'est matin. Elle part en promenade dans la campagne, histoire de délivrer son corps des mots. Les paysans ramassent le foin en bottes, elle aimerait s'y ébattre – quelque chose bouge un peu dans son ventre qu'elle se représente comme une fleur dont les spathes s'ouvrent et se referment lentement, quelque chose comme un crocus peut-être – mais cela doit tout de même picoter, ces brins jaunes, et faire éternuer, sans parler des insectes qui sûrement grouillent dans toute cette priapée. Ces petites répugnances ne freinent pas sa marche, non plus que les fossés qu'elle saute, les barrières qu'elle franchit, les barbelés qu'elle combat. Un héron passe, à l'église douze coups dorés sonnent dans la lumière. Le bruit des cigales est celui des serpents à sonnette, les arbres sont les hommes tordus des légendes, les champs des mers impossibles à naviguer.

Soudain notre lunette, qui sait désormais faire le point à son rythme, la capte alors qu'elle s'immobilise. Elle s'est assise sur une pierre, près d'un étang. Elle pense à des choses sublimes, qu'interrompt la vie – son œil attrape une fleur, un souvenir remonte, sa cheville dans les herbes piquantes la démange –, elle s'efforce de reprendre le fil de ses pensées exemplaires – a-t-elle bien répondu à la dernière lettre d'Emma ? –, elle immerge son regard dans l'étang pour concentrer sa pensée, voit les rêves, les vœux et les questions, les rires et les serments, les promesses et les confidences qu'on y a jetés au cours des siècles et qui remontent en bulles souples, inexorablement, refusant d'éclater. Elle ôte ses souliers, touche le sol de ses pieds nus, rêve d'oser les plonger dans l'eau. Les sensations ne sont rien d'autre que les pulsions sourdes et féroces du corps empêché, ce sont des tigres, des fauves à dents de sabre qui bondissent sur vous sans prévenir après avoir longtemps guetté dans les hautes herbes, pleins d'une espérance muette.

Elle rentre et il faut affronter autrui. Les paroles des autres sont elles aussi des tigres, il est insensé de songer à les arrêter, à deviner leur élan. Parfois, même, ce sont nos propres paroles qui bondissent et nous déchirent, ou qui nous enlaidissent et nous rapprochent de la mort. Ses frères et sœur sont tout excités, on a trouvé près de l'étang d'où elle revient le cadavre d'un chien noir. Elle n'a rien vu. Des romans se bâtissent toute la soirée pour reconstituer l'histoire de ce chien. L'imagination de Virginia est à son zénith. De cet épisode, histoire de jouer avec l'idée de la mort – ce sont des choses qui se font lorsqu'on a dix-sept ans, que l'on ait ou non connu un deuil terrible –, elle tire une tragédie parodique, un vertigineux fait divers qui met en scène sa propre noyade en compagnie d'Adrian et d'Emma, plaisamment survenue dans une mare aux canards.

De retour à Londres, fin septembre, elle regarde la pluie qui tombe sur les toits londoniens et songe qu'il pleut ailleurs, sur les campagnes, sur l'herbe haute, sur les pétales qui s'ouvrent, sur le flanc des vaches. Déjà elle sent la nostalgie de l'endroit d'où elle revient, qu'elle désirait pourtant quitter. Mais c'est l'automne, saison des croyances – quand le printemps et l'été sentent la mort –, et elle caresse l'espoir que les choses changeront un peu, qu'elle trouvera sa place dans la famille comme dans le monde, que Vanessa l'aimera autant qu'elle en a le besoin, que Thoby la prendra plus au sérieux.

Mais la fracture devient gouffre : Thoby entre cet automne-là au Trinity College de Cambridge – Leslie tient sa revanche, la carrure de Thoby alliée à sa tendre intelligence en fait un demi-dieu. L'entoure et l'adule une bande d'apôtres – Clive Bell, Lytton Strachey, Leonard Woolf –, une confrérie potache à laquelle ont appartenu des éminences comme Tennyson ou le grand-père James et qui, entre deux toasts à la sardine, usine les pièces de la future élite anglaise. Ce n'est pas encore Bloomsbury, ce n'est qu'un cercle de jeunes étudiants, une société plus ou moins secrète comme il en a toujours et partout existé, une de celles dont il sort toujours des maris pour les sœurs, des amitiés inégalables et des légendes plus ou moins durables.

Malgré l'affinité grandissante entre Virginia et Thoby, ou peut-être justement à cause d'elle, elle sent plus que jamais ce qui sépare hommes et femmes au sortir de l'enfance. C'est à Cambridge que l'on apprend à préférer l'érudition à la poésie, l'abstraction à la chair du monde, la prophétie au réel. Elle sait que Thoby fera honneur à l'Angleterre, son destin est d'un grand homme. Sans qu'elle sache ce que peut bien être une grande femme. Quand on voit que montrer à son père ce qu'elle écrit est déjà presque inconcevable – elle lui a soumis un essai sur les voyageurs élisabéthains et a été vaccinée de la tentation, du moins c'est ce que nous imaginons puisque tout le geste se confond dans une ombre indiscernable –, alors devenir l'égale de son père, ou d'un homme tout simplement, n'y songeons pas. Une femme ne peut être qu'épouse ou sœur.

Virginia voyant Thoby s'éloigner vers son destin de grand homme souffre et songe à la douleur que sa Mère eût éprouvée en le voyant partir. Les mères ne savent pas dire, ne disent jamais, elles camouflent sous la description des maux des autres – voisins, famille, tout fait l'affaire – leur désir profond de voir leurs enfants revenir en elles. En particulier leurs fils, et au fond peut-être seulement leurs fils, dont elles voudraient sans se l'avouer qu'ils réintègrent leur giron plutôt que de fouailler celui d'autres femmes. Les filles n'ont pas ce contraignant privilège ; pour s'en consoler, s'acérer le cœur et se donner une chance d'être, Virginia pille le monde. Autrui – c'est une illusion éphémère et courante à cet âge d'arrogance – lui semble s'éclaircir de jour en jour, devenir plus lisible à mesure qu'elle affûte son regard et rend le pillage plus précis.

Pour piller, une méthode qui en vaut bien une autre est celle qui consiste à railler. Elle qu'un rien suffit à blesser ne se lasse jamais de se moquer d'autrui. Personne ne trouve grâce à ses yeux, pourtant comme elle aime les gens, comme elle a besoin d'eux – nous qui rédigeons de loin, dans une fièvre maladroite, avions écrit *eaux*. Elle rit aux maladroits justement, autant qu'aux bigots et aux vaniteux. Mais la raillerie vient avant tout de ce que la peur du ridicule la dévore ; dans la rue elle sent les gens rire sur son passage, sur ce qu'il y a en elle d'excentrique, sur l'animation de son visage, sur ses grands membres maigres et mal articulés. Elle n'est pas, comme Julia, protégée par sa beauté. Il faudrait que quelqu'un voie de quelle puissance ce ridicule est le signe pour qu'elle soit vraiment aimée. Elle raille parce qu'elle a honte et elle a honte parce que le corps pousse en dedans, que des pulsions naissent qui à Cambridge seraient tolérées comme potacherie nécessaire mais qui ici, dans ce corps de jeune Anglaise de dix-sept ans privée de consœurie, sont à taire résolument. Alors ces pulsions sortent comme elles peuvent, en fichaises, moqueries, acides expulsés à tire-larigot sur les membres de sa famille, qui ne sont que des ersatz d'apôtres.

Les pulsions deviennent des envies d'évasion sociale, vouloir sortir de la prison qu'est son corps devient désir de transgression – sortir de son milieu, se faire embrasser par des garçons de ferme, manger des pommes de terre à l'heure du thé, savoir nourrir les poules, n'avoir pas à s'habiller pour le dîner, ignorer la valeur d'une toile de maître, ne pas songer aux convenances, tout ce qui n'est pas son existence lui est matière à fantastiquer. Elle doute de qui elle est et a beau piller, fouiller, fouir, la courtilière est jeune encore et ses mouvements sont désordonnés. Il lui faudrait d'abord mettre au clair ceci : être soi-même ne peut pas dépendre de ce que les autres en font.

Ce matin, tandis qu'elle fixait un homme dans le métro, se posant les questions habituelles – prénom, profession, composition du petit déjeuner, marié ou non, heureux ou non, propriétaire de chat ou de canari –, l'homme a abaissé son journal et l'a regardée un bref instant. Son corps a frémi, s'est ouvert un peu, aussitôt s'est refermé. Tandis qu'elle se levait, descendait du wagon, frôlait d'autres passagers, sortait du métro, remontait à l'air libre, marchait, l'éros s'entrouvrait et se refermait doucement entre ses jambes, au rythme de questions de plus en plus pressantes – à quoi cela peut-il ressembler d'être amoureuse ? d'être aimée ? Est-ce une révélation ? un incendie, ou une brève allumette éclairant un morceau de nuit ? Elle a lu, certes, sa Jane Austen, mais la violence, la colère des jeunes femmes amoureuses, ne l'a jamais traversée et à ses yeux l'amour peut aussi bien être un rôti de bœuf ou une assiette de potage quand on a faim. Ce ne sont ni Austen ni les sœurs Brontë, pas plus qu'Ibsen ou Shaw qui l'aideront à s'en faire une idée.

C'est encore moins – et c'est tant mieux – le père. De plus en plus obsessionnel, Leslie note tout, calcule tout, il se sert même du nombre d'or pour penser le monde tel qu'il va chronologiquement. Même les dates les plus triviales, celles qui concernent non pas ses grands hommes mais les membres de sa famille, font désormais l'objet de ses soins. Il s'efforce de ne plus les oublier, en l'honneur de Julia qui en avait une telle mémoire. De plus en plus sourd par commodité, il s'épargne de comprendre ses enfants en s'abîmant dans des parties de patience, sa nouvelle marotte, qui calment ses mains tremblantes. Leslie se complaît dans la sidérante impéritie dont les pères sont parfois capables vis-à-vis de leurs filles, tout autant que dans le bain de sainteté où il continue plus que jamais de faire mariner le souvenir de Julia. Privé de sa femme, de sa chère belle-fille et de ses chères Cornouailles, ne reste plus que sa face sombre. L'homme de l'air, des sommets alpins, le pédestrianiste forcené étouffe dans le manoir et fait étouffer tout le monde avec lui.

On cohabite dans le vertige d'être passés en quelques années de onze à trois – nous exceptons ici les domestiques que le deuil a avalés dans les combles ou les sous-sols – comme on cohabiterait dans une cage. Virginia est un singe au zoo, son père est un vieux lion irritable qui fait les cent pas dans son nid de paille souillée. Elle est seule face à ses barreaux, face à sa solitude, face à ses questions qui pressent. Vanessa est toujours à son atelier ou à courir les expositions, Vanessa peint et peint encore pour ne pas avoir à se demander quoi que ce soit – il ferait donc beau voir qu'elle subisse les questions de sa sœur. Thoby est loin et Adrian, de plus en plus gras, ne sert à rien. Impossible en telle compagnie de comprendre les choses qui s'entrouvrent en elle. Est-ce que tout le monde a peur, de tout, tout le temps, comme elle ? Elle craint d'être la seule à douter. Nous n'avons pas de réponse à lui donner.

C'est novembre. Elle sort de Saint-Paul, où elle a passé un moment à errer dans les échos du marbre blanc. Elle aime s'y promener, y est toujours saisie autant par l'admiration que par une forme jouissive d'ironie. Elle descend les marches glissantes vers le parvis, tout s'ouvre et pourtant l'impression de cage persiste. Il pleut de nouveau sur Londres, elle a oublié son parapluie – ce qui semble impossible à une Anglaise mais pas à elle, voilà qu'il lui faut en acheter un énième qui rejoindra la collection gouttant sempiternellement dans le hall. Les omnibus passent dans de grands jaillissements, qui menacent guêtres et bas de robe. Un vieil homme est là qui, de son sac en papier, tire des miettes qu'il donne aux oiseaux. Il fait cela chaque jour devant la cathédrale, ponctuellement, peu avant quatre heures. C'est peut-être le même que celui des jardins de Kensington, dont le chat serait mort d'avoir été tenu en laisse trop longtemps. Le vieux cherche l'âme du matou dans l'œil d'un pigeon ou d'une mouette.

Elle n'a pas atteint le bas des marches qu'elle voit arriver un cortège de religieux. Ils gravissent le grand escalier avec autant de contrition que s'ils étaient à genoux. Elle est percutée par leur pâleur. Ô blancheur cadavérique de ceux qui croient trop fort, de ceux qui se traînent sur les pavés citadins comme dans la poussière des routes bordées de figuiers, dont ils ne songent pas à cueillir les poches sucrées, les poches violettes et lourdes, ou peut-être y songent-ils mais ils craignent que leur cœur n'en crève. Elle tourne les talons, sous son parapluie se hâte vers le métro. L'air bleuté est un peu froid, l'ombre de Julia est à ses côtés, ses yeux ricochent dans les flaques et l'évidence lui saute à la conscience : nous ne sommes que des fragments reflétés par des miroirs brisés – nos rêves, nos espoirs, nos vies, nos visages sont des illusions, des brièvetés mensongères et incomplètes. *NOUS, assemblée d'âmes errantes.*

À ce moment précis, qui est celui où Camille Claudel entame son long chemin vers la folie, celui où Natalie Clifford Barney se présente habillée en page dans la loge de la grande horizontale Liane de Pougy dont elle veut se faire aimer ; mais aussi celui où l'on exhibe sans vergogne la géante russe Liska à l'Aquarium royal de Londres, tandis que Sarah Bernhardt joue sans vergogne le rôle d'Hamlet sur toutes les scènes d'Europe et que meurt Rosa Bonheur – ces deux dernières éminentes étant parmi les rares femmes à obtenir de la préfecture une autorisation de travestissement ; tandis que naissent Suzanne Lenglen, qui sera la première à porter une jupe s'arrêtant au-dessous du genou sur un court de tennis, et Anita Conti, première femme océanographe ; à ce moment précis également naissent, comme pour compenser, une flopée d'hommes : Francis Poulenc, Alphonse Gabriel Capone, Vladimir Nabokov et Duke Ellington, Henri Michaux et Fred Astaire, Ernest Hemingway et Jean Moulin, Jorge Luis Borges et Alfred Hitchcock. Il ne serait pas loin de quatre heures de l'après-midi et l'on se hâterait dans l'air bleuté un peu froid…, pense-t-elle, voulant être ailleurs, être hier, n'importe où et n'importe quand d'autre. Elle disparaît dans les escaliers menant vers le métro, les arbres frissonnent, les réponses en suspens.

1900

Le siècle tourne. En tournant le siècle frissonne, près d'amorcer une légère déviation d'orbite, mais non – Victoria est là, qui au tournant attend son peuple. Une rotation singulière de la Terre autour du Soleil a donné naissance à une nouvelle plage de temps historique, et un nouvel âge commence pour Virginia, dix-huit ans, qui regarde par la fenêtre. Elle se représente, vu du ciel, le monde entier, puis descend vers l'Europe, zoome sur l'Angleterre, fait le focus sur Londres, les fourmis travailleuses ou errantes que nous sommes, Kensington, et nous revoilà à hauteur d'homme ou de femme, aussi bas que nous soyons, qui que nous soyons.

Elle regrette de ne pouvoir regarder Londres vraiment : la grande maison, coincée au fond de l'impasse où mourra Winston Churchill et où les seuls corps qui se meuvent aujourd'hui sont diplomatiques, lui refuse l'animation et les anecdotes du West End. L'asepsie des quartiers chics la prive de réel, fulmine-t-elle. Virginia pressent que c'est dans l'anodin que se trouve le prisme de la vie, beaucoup plus que dans les aventures extraordinaires ou les grands chocs de l'existence. Même si elle ne serait pas prête à vivre là où l'on dresse la table du déjeuner entre un gros vase rempli d'herbes de la pampa et un guéridon au bois rayé, là où l'on sent les camions passer au tremblement du sol et où sans cesse il faut séparer les verres qui s'entrechoquent, coupant l'élan d'une conversation déjà laborieuse.

Elle regarde au-dehors, où le froid anglais dans janvier prend toute sa dimension. Le froid anglais qui est aussi le génie anglais, le froid qui a fait l'humour anglais, les papiers peints anglais, la moquette sur les marches, les manteaux de théière en tricot et le *shortbread*. Le siècle a tourné et elle se demande si elle est de son peuple. Est-elle plutôt anglaise ou victorienne ? Songer qu'en tant que femme elle n'a pas de nationalité propre, qu'elle n'est anglaise que parce que son père l'est, qu'elle ne le restera que si elle épouse un Anglais, la fait se sentir apatride – malgré l'enfance, le *shortbread*, les chansons, les ormes et le bruit des vagues –, ce qui est un manque et une liberté tout autant. Soudain elle éprouve le désir d'être seule de son espèce, qu'il n'y ait plus au monde qu'elle, les plantes, les pierres et de petits papillons dorés. Elle voudrait s'abstraire des autres, qu'ils l'oublient et qu'elle puisse enfin respirer. Mais aussitôt elle sent sa poitrine se contracter, une telle solitude la ferait s'évanouir. Elle se détourne de la fenêtre et rejoint le fauteuil, prend un livre, bientôt elle ferme les yeux, s'abandonne à l'ennui de l'hiver anglais.

Somnolente, elle tient son livre un peu de travers. Voilà vingt-quatre fois au bas mot qu'elle lit la phrase *Deux routes partaient de la ville, à l'est…* Elle ne parvient pas à entrer dans son chapitre, dans le projet de voyage qu'est un livre. Elle le pose et saisit le vieil album de la famille, plein des clichés pris par la tante Julia Margaret Cameron. Dans le passé, tous les visages avaient du caractère, songe-t-elle. Sa propre actualité, sa propre réalité dans le présent lui paraît absolument triviale, banale et donc, douloureuse. Dans le temps comme dans l'espace, sa place est impossible à définir. La cloche de l'église voisine, St. Mary Abbots – car depuis Kensington on n'entend pas Big Ben, l'air est chargé d'un métal moins solennel mais tout aussi pesant –, la cloche frappe ses pensées, les ébouriffe, les désordonne et en dévie le cours comme une mauvaise chansonnette parasite la concentration.

Elle soupire. À dix-huit ans le corps pousse encore davantage en dedans, les crocus agitent leurs pétales par tout le bas du ventre. Elle se demande si elle a commencé à être une femme. Elle ne sait pas bien ce qu'est une femme, sa Mère n'a pas su le lui dire ou n'en a pas eu le temps, Stella non plus, quant à Vanessa elle est d'abord peintre. Et puis les femmes n'ont que rarement l'occasion d'exprimer ce qu'elles sont. Elle est incapable de dire si le vote y changerait quelque chose, pour l'heure la question la laisse circonspecte, c'est un débat d'adultes dans une maison où les adultes ne sont plus – et qui, lorsqu'ils y étaient, n'y étaient guère favorables. Elle a toujours tenu pour acquis que son père était hiérarchiquement supérieur à sa Mère, que ses frères avaient prépondérance sur ses sœurs, et que l'existence des hommes était plus élevée et essentielle à la marche du monde. Le doute l'étreint : et si son père avait raison, si les femmes manquaient d'idéal et de romanesque, si elle devait s'y résoudre ? Mais non, elles camouflent mieux leurs aspirations que les hommes, y étant contraintes, voilà tout. Comment savoir ? Vers qui se tourner ? Il faudrait une grande sœur, une de celles qui savent dans le même geste consoler sans arrière-pensée et faire advenir à soi-même.

Elle rêvasse, mers semées d'oiseaux après la tempête ou tunnels humides, étroits, où dorment les tentations dont elle ignore à peu près tout. Son ventre s'agite doucement, crocus dans la brise. La ritournelle de questions revient, toujours plus forte. Qu'est-ce qu'aimer ? Le saura-t-elle un jour ? Est-ce la même chose d'aimer un homme ou d'aimer une femme ? Peut-on aimer plusieurs personnes à la fois ? Connaîtra-t-elle l'inévitable compromis du mariage ? Sera-t-elle l'une de ces femmes qui vivent au-dessous d'elles-mêmes ? De ces bourgeoises quarantenaires qui rêvent de collines battues par l'orage et de folles passions mais font des enfants, vont acheter des fleurs ou de la viande et commandent le jarret de bœuf à la cuisinière pour le dîner du soir ?

Sera-t-elle de ces femmes qui se doivent d'avoir au moins treize enfants pour être considérées comme dignes de la qualité de femme ? Ou de celles qui savent préserver leur virginité même dans la maternité ? De celles qui, sur la lande, se servent du vent et de ses mensonges pour accepter un mariage de raison ? Ou de celles qui perdent leur foi dans le vent et quittent leur mari pour la courbe d'une moustache ? De celles qui sont belles mais ne le montrent pas trop, de celles qui lisent mais ne le montrent pas davantage… À moins qu'elle ne soit rien de tout cela, à moins qu'elle ne soit de celles qui finissent par se noyer d'impuissance. À chaque question elle se sent émondée, tégument par tégument, de ses certitudes, et plus rien ne demeure. Ce qui est certain en revanche, c'est qu'elle refusera qu'une exigence de gigot interrompe sa soif de lecture. Mieux vaudrait, à ce compte-là, rester vieille fille. Elle veut tout, les enfants et la liberté, l'aventure et l'intimité, la passion et la sécurité.

Connaîtra-t-elle l'amour, celui qui fait dépendre d'un visage la couleur des objets, leur fonction, l'endroit qu'ils occupent dans la pièce ? Elle aimerait tant sentir ce que c'est qu'aimer. Être si émue que pour ne pas flancher, il faut concentrer toute son attention sur un objet quelconque, main/genou/rampe/autre chose, que l'on voit avec une netteté inhabituelle. Souffrir d'être enfermée en soi et de ne pouvoir parler à l'être aimé que de très loin, depuis le cœur de ses propres ténèbres. Être si malheureuse d'avoir été abandonnée que le malheur lui-même est anesthésié par la présence de l'autre, et profiter de cette torpeur passagère pour élaborer des stratégies en vue de faire face à l'assaut de la souffrance, quand l'autre ne sera plus là : s'asseoir sous un arbre, à même la terre, cela fera du bien. On stocke ces petits projets de survie tant qu'on en a la force, comme en prévision de l'hiver. Connaîtra-t-elle ces tourments de la passion, elle qui est déjà si vieille ?

Depuis que Ginia a cédé la place à miss Jan qui a cédé la place à Virginia, elle songe avec obstination au patronyme qui remplacera un jour celui de son père. Pour sa mère, la femme n'avait d'existence que dans ce nom. Elle, aimerait pouvoir s'inventer un nom à soi. Un nom d'époux l'aiderait peut-être à devenir elle-même – ou pourquoi pas un nom d'animal, ce serait plus simple, puisque après tout rien ne dit qu'elle soit plus humaine qu'animale, plus une femme qu'un homme. Reste à savoir quel animal elle sera une fois devenue elle-même et si, en devenant la moitié d'un époux, elle pourra être une femme entière. Elle a vu ce matin un couple monter dans un taxi. Leurs mouvements étaient parfaitement synchrones, comme les deux parties d'un même corps. L'homme et la femme enfin réunifiés. Elle veut tirer le meilleur du masculin qu'elle sent vivre en elle, sans renoncer au féminin qui sourd comme une eau violente dans ses entrailles.

Et les enfants ? Aura-t-elle des enfants ? Que feraitelle avec des enfants ? Tout le monde a des enfants. Est-elle comme tout le monde ? La perspective d'être mère oscille entre le lointain et le ridicule. Elle se projette, mais en elle quelque chose profondément sait : ce n'est pas pour elle, pas comme ça, pas comme les autres qu'elle envie et méprise à la fois, pas que ça surtout. Elle est multiple, ses *moi* sont dix, cent, mille… disons deux mille cinquante-deux, pourquoi pas. Tous ces *moi* pourront-ils un jour faire un être complet ? Quel imago s'extraira de la chrysalide ? Elle est vierge, elle est dévergondée, elle est une poétesse sublime et un poseur littéraire de bas étage – tiens, il ne faudra pas oublier de commander du buvard, sa réserve est presque épuisée –, elle est un homme féminin, une femme masculine, elle est un bardache pusillanime, une délicate jeune femme au regard mélancolique. Elle est Virginia/elle n'est pas Virginia. Elle est une longue silhouette qui passe, mi-vierge mi-lévrier. Elle n'est rien, elle est le monde entier.

Mais la vraie question essentielle, celle qui la hante, c'est en réalité de savoir ce que c'est qu'un baiser. Ce matin dans la clarté de la petite pièce vitrée Vanessa, retrouvant pour un instant le chuchotis du grenier d'enfance, lui a fait cette confidence : Jack – oui, oui, Jack le falot, le veuf, l'inconsolé –, Jack l'a embrassée. Virginia a d'abord eu un mouvement d'indignation toute britannique devant ce quasi-inceste et puis, après tout, on en est coutumier dans la famille, l'indignation a vite cédé à la jalousie. Et même, presque, elle aimerait embrasser Vanessa pour recevoir un peu de ce baiser – et puis recevoir un baiser de sa sœur, ce serait bon, ce serait doux ces lèvres épaisses contre elle, et cet amour dont elle a tant besoin, cette soif de tendresse que Vanessa, qui est pourtant son amie la plus proche mais demeure trop distante et fermée à son goût, ne lui donne pas.

Quelques jours après, George la prend à part. Il paraît que l'on jase. L'alliance serait contre nature entre le veuf et la belle-sœur, elle doit convaincre Vanessa de renoncer à Jack. Virginia intervient, aiguise quelques bâtons à mettre dans les roues de cet amour interdit – non qu'elle écoute les injonctions de ce demi-frère qui, Julia morte, ne lui est à peu près plus rien. C'est la jalousie qui la guide, et commence de faire d'elle un fardeau aux yeux de sa sœur. Elle ne voit pas l'éloignement qu'elle provoque entre elle et Vanessa, elle est tout entière à son trouble, et les seules questions qui l'habitent sont de savoir à quoi l'on pense lorsque l'on embrasse, si c'est vraiment à l'autre ou à tout autre chose – des biftecks ou de la bière, la pluie ou des marrons chauds, ou encore quelque larve blanche s'insinuant dans sa bouche. Elle se représente parfois le désir comme un gnome bouffi qui se recroqueville au fond d'un couloir. Mais c'est aussi l'océan, calme et moiré par le couchant. Lui revient une image souvent évoquée par Julia quand elle parlait de son enfance, devenue l'écho idéal de l'Inde et de l'ailleurs, mais aussi de la Mère, de ce qui vibre au creux du ventre : celle de femmes brûlantes et souples, au dessein incompréhensible, qui portent des cruches en terre rouge le long d'un fleuve. Peut-être les baisers sont-ils précisément ces femmes.

Incapable de répondre, dévorée par l'attente, elle s'ennuie. Ce sont les journées victoriennes ordinaires, en attendant que la vraie vie commence, les journées coupées en quatre par les repas : lecture, repas, courses, repas, visites ou parc, trajets en omnibus où elle se répète qu'elle est la plus jeune, bien entendu ce sera toujours le cas, repas. La lecture – délices du matin, lire au lit – est encore et toujours le principal recours à tout, la mort, l'ennui, les baisers. Lire au gré de sa fantaisie, de son désir, de son humeur. Lire avec de reste un peu de la liberté de l'enfance, qui n'a pas conscience de sa mortalité et peut relire cent fois le même livre. Elle lit de tout, n'importe quoi, au grand désespoir du père qui voudrait diriger ses lectures – car il y a une bonne façon de lire, marmonne Leslie dont la barbe se soulève un peu, comme il y a une bonne façon de regarder les tableaux au musée. Elle fait fi, lit avec une ferveur boulimique, dévore les pages et les volumes, se repaît des mots, manière de compenser le manque d'éducation et de fixer le monde pour mieux le posséder, manière surtout de répondre à un manque plus essentiel.

Dès qu'elle cesse de lire, remontent les eaux noires, qui rendent tout si vain et misérable. Partout de l'eau, et les livres sont des barques et des canots. Le temps goutte, le silence goutte, la vie est un lac et les êtres sont une succession de vagues qui naissent, gonflent puis s'écrasent et se brisent. Le réel est le rivage. La mort est au centre du lac, dans le bouillon de la rivière, où il faut plonger pour rejoindre le temps. Elle rouvre son livre comme une noyée reprend de l'air en surface, au dernier moment. Elle se demande pourquoi les auteurs de romans ne parlent pas de ce qu'ils pensent et sentent vraiment, intimement. Elle y voit là le vice du roman de son temps. À qui a-t-elle déjà dit cela ?

Elle lit et soudain une phrase l'immerge dans le vertige d'un souvenir d'enfance, tout son être coule au fond d'un puits, elle est prête à toucher à sa propre vérité, elle tend la main pour la capturer et c'est déjà la fin de la phrase, de nouveau le plein jour aveuglant. Elle la relit mais en vain, c'est fini, c'est parti, elle ne pourra plus jamais descendre dans ce puits-là, il lui faudra attendre une nouvelle et hypothétique concordance entre une disponibilité parfaite et une autre phrase capable de provoquer l'immersion. En écrivant peut-être davantage qu'en lisant, elle provoquera cette concordance merveilleuse. Ses paupières s'abaissent. Elle s'assoupit. Rouvrant les yeux elle voit une mèche de ses cheveux sur le dossier du fauteuil et ne peut parvenir à croire que ce sont les siens. Elle ferme son livre et, revenant à la surface, respire avec étonnement. Elle a évité la noyade.

La journée victorienne se poursuit ; les courses se passent de commentaire, elle n'y a aucun goût. Quand il n'y a aucune visite à recevoir ou à donner, on va au bord de la Serpentine, s'efforçant de distinguer entre les différentes espèces d'oiseaux, cygnes, canards, pinsons ou accenteurs, et se dit qu'elle prend de l'âge – c'est une occupation de vieille dame que de regarder les oiseaux – avant de se rappeler qu'elle faisait cela enfant. Désormais les journées, puisque le siècle et sa vie ont tourné, se prolongent par la vie mondaine : le *modus vivendi* sous Victoria a ses exigences et son calendrier. Vanessa a commencé à sortir dans le monde il y a quelque temps déjà. Virginia, loin de lui envier ce privilège, se réjouissait d'y échapper au prétexte de l'enfance.

Mais plus moyen désormais, il faut se rendre à ces soirées où le monde se divise entre ceux qui ont déjà rencontré le secrétaire aux colonies, Joseph Chamberlain, et ceux qui aspirent à le faire. Vanessa, bien que pouvant se revendiquer du titre de gloire d'avoir eu avec lui toute une conversation d'après-dîner sur les papillons, s'y ennuie autant que sa sœur. George multiplie en vain ses efforts pour les conformer toutes deux aux protocoles mondains, qui ne sont à leurs yeux que funèbres veillées. Ni l'une ni l'autre ne s'y entendent et bien souvent elles restent posées dans un coin, leurs beaux visages trop fermé pour l'aînée, trop ouvert pour la cadette. Virginia se plaît à croire qu'elle ressemble à ces gens qui, ne disant mot dans les soirées, paraissent regarder l'horizon de la mer, comme s'ils étaient assis sur une plage, les pieds enfoncés dans le sable frais et non sur un fauteuil en tapisserie trop bas, faisant grotesquement remonter les genoux à hauteur des épaules.

Si elle n'ose vraiment parler pour le moment, la vie remue en elle par tout ce qu'elle observe : pour atténuer l'ennui ou l'embarras, elle note mentalement ce qui se livre à elle. Elle remue les paroles fades qu'elle entend, les gestes convenus qu'elle décèle, tâchant d'y dénicher la vie même : celui-là, dont le visage s'est brusquement resserré comme un nœud à ce que lui a dit la demoiselle qu'il tente de séduire depuis une demi-heure, sous le sombre portrait à cheval du grand-oncle. Ou celle-ci, qui minaude de la bouclette en écoutant un gandin qui pourrait être son petit-fils. Plus loin deux jeunes fats essayent de s'attirer les faveurs d'une demoiselle et de sa tante, une belle femme de quarante ans. L'un est laid, maigre et crochu, tourmenté par la profondeur de ses pensées, quand l'autre au teint rose semble satisfait de l'instant. Virginia devine que la laideur devra se contenter de recueillir des confidences dans le creux de son intelligence, et que le teint frais basculera nièce et tante sur le même oreiller.

Ou encore : une femme et un homme. Lui, est visiblement pédéraste et pourtant tout aussi visiblement tombé sous le charme – le charme innocent, sans conséquence – de la femme. Elle, hésite entre l'amante et la mère, change de visage en voyant arriver son mari. Lequel est suivi – nouveau changement de visage chez la légitime – d'une femme qui ne peut pas ne pas éveiller chez le mari, puisque c'est précisément son intention, quelque mouvement aux alentours du bas-ventre. La seconde femme est l'amie du pédéraste et ils partiront ensemble, finissant la soirée dans son petit salon à elle, sirotant du vin doux, lui se taisant et elle maudissant en riant trop fort les épouses autant que les maris. Voilà l'histoire que se raconte Virginia, qui vaut bien la vérité, ou permet de s'en approcher.

Elle n'ose pas bien penser la question de la pédérastie ; la légende Somerset a fait rougir trop de joues dans la famille, lorsque la tante Isabel, cousine de Julia, a décidé de poursuivre son inverti de mari en justice et s'en est trouvée exclue de la digne société. Virginia songe toutefois qu'il doit être bien agréable, avec ces gens-là, de pouvoir dire tout ce qui nous passe par la tête sans que l'ombre de la moustache jamais n'effraie. Tellement agréable peut-être que l'on finit par s'ennuyer. Mais il est un peu tôt, Proust et Bloomsbury, ce sera pour plus tard, il importe de ne pas ouvrir le champ trop largement. Elle ne fait pour le moment que constater, sans certitude, l'existence d'autres repères que ceux de Victoria – toutes les vies interdites, prostituées ou invertis, sont sources de fantasmes tus à soi-même.

Les convives poursuivent leur bavardage autour des deux sœurs figées dans des contemplations divergentes. On est désormais au chapitre des femmes. La gent féminine ne se tient jamais au bon endroit de la crête en ces nobles matières. Toute la soirée des reproches ont été proférés à son encontre par diverses bouches n'hésitant pas à se contredire elles-mêmes. Des reproches déguisés en galanteries : les femmes n'ont pas besoin de toutes ces nobles choses surfaites – l'intelligence, l'idéal, la vérité – puisqu'elles ont tout le reste : la grâce, le sentiment, le bon vieux réel et ses casseroles, ses jarrets de bœuf ou ses tasses à thé du dimanche après-midi. Virginia détourne les yeux, les oreilles.

En avril c'est de nouveau Brighton, tandis que Vanessa est à Paris avec George. Nous qui regardons d'en haut pourrions nous étonner de ce voyage en solitaire avec le frère ambigu, mais la longue-vue qui nous permet de voir de près le diable tout en restant à distance nous rappelle que rien n'est jamais si simple et que ce qui paraît improbable de loin peut être perçu comme très naturel de près. Les lettres respectueuses que Virginia écrit à George, pas plus que ce voyage que Vanessa n'hésite pas à faire avec lui, n'invalident les abus, les tripotages et peut-être pire. Tandis que Vanessa, sans égard pour ces considérations, s'extasie sur les ressources picturales de la capitale française, Virginia se retrouve seule avec Leslie dans la villégiature des vanités. Le siècle continue de tourner, le père est de plus en plus souvent sujet à des vertiges et sort plus ronchon que jamais de quelques mois de maladie. Il n'y a plus qu'à se rencogner, munie de livres, dans sa carapace pour échapper à la chaleur précoce, aux humeurs paternelles et aux célébrités qui se pavanent en ville.

En mai elle va à son premier bal, à Trinity. C'est aussi effrayant et décevant que les soirées de George – voyant les valses conventionnelles et chancelantes se mettre en marche, elle tient le coup en imaginant tous ces gens guindés se lancer brusquement dans une farandole endiablée –, mais au moins y rencontre-t-elle les amis de Thoby, Clive et Lytton et peut-être Leonard mais c'est peu probable, à ce sujet les sources discordent, un flou sur la photographie du bal interdit toute certitude. Ce qui est net en revanche, c'est que ces premières rencontres ouvrent en elle ce que les mondanités kensingtoniennes gardaient recroquevillé. Elle peut se livrer à de premières conversations, s'appuyant sur les livres, les quelques cours qu'elle a pris, l'histoire et surtout le grec, qu'elle apprend avec Clara Pater – la condition solitaire de la vieille fille n'est pas encore un épouvantail pour Virginia, même si sa retenue dans les bals et les garden-parties commence à éveiller son inquiétude quant à sa propension à trouver mari.

Cet été-là, ce sont de douces vacances à Lyndhurst, chez la tante Minna, sœur du héros tennysonien – lequel a depuis longtemps déserté sa branche. Cette fois Leslie lui-même est heureux, malgré les étourdissements et les diverses défections de la machine du corps. Les promenades au clair de lune donnent des inspirations de poète et on se complaît dans la mélancolie tendre de la campagne entourée de bois. Entre deux visites – la vie sociale où qu'ils soient demeurant trépidante –, Virginia se promène seule dans la forêt ou sur la lande, cheveux au vent dans son cabriolet tiré par un poney, semant des soupirs brontéiens dans son sillage. Elle s'enivre des senteurs de pinède en songeant chaque fois aux remarques d'Emma qui, lors de son passage, les comparait à celles du poisson frit : les bois anglais certes ne valent pas les sylves helvètes, et la forêt est toujours une déception – artificielle à force de pittoresque –, mais tout de même la cousine manque autant de poésie que d'indulgence. Comme l'autre est décevant.

Tandis que la seconde guerre des Boers fait rage, empêchant Leslie de dormir, et que nombre d'enfants de l'Empire promènent leur soif d'or et leur curiosité chic en Afrique du Sud – à commencer par Violet Dickinson, une ancienne amie de feue Stella, qui continue de rôder autour de la famille, attendant son heure ; tandis que Leslie chez qui les vertiges s'intensifient publie *The English Utilitarians* et que Paris a enfin son métro, trente-sept ans après Londres ; tandis que meurent John Ruskin – toujours vierge – à quatre-vingts ans, Friedrich Nietzsche – pas complètement vierge mais toujours fou – à cinquante-cinq ans et Mary Kingsley – exploratrice et antiféministe, sans doute vierge elle aussi – à trente-sept ans, à la grande tristesse de Leslie qui voyait en elle du génie, qualité mal vraisemblable chez une femme ; tandis que rares sont les naissances éminentes, comme si le siècle en tournant refusait de générer – tout au plus voit-on naître Nathalie Sarraute quelque part dans l'Empire russe, Zelda Sayre Fitzgerald en Alabama ou Amadou Hampâté Bâ à Bandiagara et encore, celui-ci peut aussi bien être né l'année suivante ; tandis qu'Isadora Duncan et Paula Becker arrivent à Paris, la première pour libérer le corps des petites danseuses françaises et la seconde pour féminiser un peu l'avant-garde picturale ; tandis que Colette publie son premier best-seller sous le nom de son époux et que Marny Lushington, la sœur aînée de Kitty, devient secrétaire d'un festival de musique – poste mal vraisemblable pour une femme –, Leslie écrit à un ami que Virginia devient *aussi littéraire que son papa*. Sur ces belles paroles, où se lisent tant de choses que nous déchiffrons de mieux en mieux grâce aux progrès de l'optique – le siècle ayant tourné dans le bon sens –, une feuille pudiquement tombe et nous laisse sur notre faim.

1901

Trois jours avant le dix-neuvième anniversaire de Virginia, tout s'effondre : la reine Victoria meurt. Elle meurt boiteuse, hébétée et presque aveugle, mais elle meurt royale. Il va falloir prendre le pli de chanter *God Save the King*. En attendant, la vie continue de couler, obstinément victorienne. Londres et les clubs de Piccadilly, les hautes maisons labyrinthiques où le thé est gardé sous clé et servi par les domestiques, les misérables garnis des cocottes – tous ces antres abritent toujours l'esprit victorien, il faut bien laisser au ruisseau de la vie le temps de s'assécher. Les Stephen en bons sujets de l'Empire se rendent aux funérailles de la reine – celles-ci ne font pas mal, il est donc possible d'y assister. (Nous-mêmes grâce aux archives animées, impensables, de la British Pathé, y assistons sans y croire. Avidement nous scrutons la foule, imaginant y voir là le pan de la robe de Virginia, ici le bord de son chapeau.)

Les funérailles de la reine ne font pas mal comme celles d'une mère et pourtant, regardant défiler le cortège immense, la procession de cavaliers et de fantassins, de gars de la marine, de lanciers et de dragons à shako, de hauts plumets blancs, de canotiers plats et de bonnets noirs en peau d'ours, de tuniques rouges – grises pour nous qui regardons, de plus en plus incrédules, les archives animées – accompagnant le linceul sur son chariot aux roues immenses ; voyant ce long serpent de deuil, chargé du cercueil où pèse l'Empire, glisser vers Windsor et gravir péniblement, presque trivialement au milieu de tout ce faste, le grand escalier avant de disparaître dans les profondeurs interdites au peuple – on murmure que Victoria est enterrée dans sa robe de mariée, avec un peignoir du roi d'un côté et une mèche de son domestique écossais de l'autre –, voyant cela Virginia se tourne vers Jack et lui demande s'il pense qu'elle se suicidera un jour.

Mais dirigeons de nouveau l'objectif vers le 22, Hyde Park Gate. La vie coule aussi, par goulées intermittentes, s'efforçant d'être victorienne mais y parvenant de moins en moins, dans le chaos grandissant d'un deuil infaisable. La routine mime la paix, cela tient un peu le matin, dans la pièce vitrée, moins le reste du jour où la nervosité a raison des silhouettes hystériques. Virginia, de l'hiver, sort à peine de chez elle. Elle lit, écrit quelques lettres à Emma ou à Thoby, passant par-dessus le gouffre. Elle écrit moins qu'avant si nous en jugeons par les feuillets jaunis dont nous disposons – c'est-à-dire rien pour cette période –, quand Vanessa dessine frénétiquement, peint à grands coups forcenés, n'en pouvant plus d'impatience, des portraits à l'huile d'hommes au tempérament dramatique.

On installe l'électricité au fond de l'impasse. Enfin l'on sort du gaz et de ses vapeurs troubles, inquiètes, qui rendent suspect jusqu'à son propre corps. Virginia aime l'éclairage électrique. Elle trouve réconfortante cette douce lumière jaune, lorsque dehors le jour capitule devant la nuit ou le brouillard, la grise pluie anglaise. La semi-obscurité dans laquelle elle a grandi lui fait voir comme un refuge bientôt indispensable ces globes répandant une lueur orangée, adoucissant toute chose.

Autre joie de la vie moderne, les bains. Elle passe des heures, cuvant son lait, dans la longue et unique baignoire autrefois si pénible à remplir, que les désormais peu nombreux habitants du manoir se partagent et où, plus jeune, elle se baignait avec Nessa. Elle s'obstine mais échoue généralement à se détendre, les échos hystériques de la maison crispent ses membres dans l'onde tiédissante, elle plonge la tête. De l'eau jusqu'au-dessus des oreilles elle entend moins et mieux à la fois, elle entend l'essentiel, le battement militaire du sang dans ses oreilles, les gargouillis de son ventre qui résonnent dans tous ses nerfs. Virginia est impuissante à se saisir de son propre corps et dans le même temps elle en sent trop les urgences, les esclavages – ainsi de l'excrétion qui l'obsède, jusqu'à hanter ses rêves. Ce paradoxe est douloureux à proportion de celui qui a fait mourir sa Mère trop tôt pour qu'elle ait eu le temps de devenir mortelle à ses yeux.

C'est qu'il lui est impossible de concevoir que le corps, dans sa trivialité, ait pu coexister avec cette fameuse beauté familiale, si douloureuse et si pesante. Elle cherche en vain à comprendre l'aura de Julia en forant sa propre image, où elle n'en voit nul écho. Hier on a pris le thé chez la tante Virginia, à qui elle doit son deuxième prénom mais aussi, selon la légende familiale, l'essentiel de son éclat supposé : on dit de la septuagénaire qu'elle constitue l'un des spécimens les plus remarquables de la sororie Pattle. Il semble toutefois que la grâce héréditaire ait disparu depuis longtemps dans les replis de l'âge – quoique, à mieux y regarder, elle scintille dans les yeux de la vieille dame comme un rappel de la lignée féminine.

On dit Virginia belle par capillarité avec la lignée, mais elle se sent ingrate et dure. Vanessa, oui, voilà une belle femme. Qui tire d'ailleurs sa beauté d'elle-même, voire de sa peinture, davantage que de la lignée Pattle (même si, en guise de revanche, elle a toujours sur elle un portrait de l'aïeule française en médaillon, dont elle tire une grâce infuse). Virginia ferme les yeux, aspire la beauté de sa sœur, dont la figure mâle, moelleuse, s'hybride avec la sienne, comme si l'œil de l'appareil photographique, passant de l'une à l'autre pendant le temps de pose et superposant leurs visages au moment de la prise de vue, parvenait à les fusionner, à créer une image de celluloïd qui lui permettrait d'en finir avec son propre corps.

Les deux sœurs, chacune à leur manière, refusent l'héritage. C'est en elles-mêmes qu'elles puisent leur pouvoir. Vanessa l'exerce, Virginia cherche encore. Une force intime l'agite, qui a la puissance de la saxifrage perçant le bitume. Mais elle ne l'emploie pas et cette force la brûle. C'est qu'elle croit encore qu'il s'agit de traquer la beauté perçue dans l'œil maternel. Elle sait en tout cas que la littérature met à distance le sentiment de vanité, aide à cesser pour un instant de valdinguer dans l'incompréhension où nous met cet absurde attachement à la vie. Lorsque est confisqué le recours à la transcendance, reste l'art pour justifier l'humanité et donc sa propre existence. Les hommes qui l'entourent prétendent que l'art est la seule chose qui vaille parce qu'il permet d'atteindre l'idéal. Pour elle, l'art est la seule chose qui vaille parce qu'il donne sens et substance à la réalité, la rendant tolérable.

Vanessa ne pense pas à tout cela. Plus intuitive, elle ne pense à rien car pour peindre il n'est pas besoin de penser, dit-elle. Elle ne pense pas mais elle agit : elle peint franchement quand Virginia encore hésite, griffonne, lit et absorbe, pense trop pour s'autoriser vraiment à écrire. Vanessa a postulé à la Royal Academy : sans surprise elle est reçue, sans surprise elle s'y ennuie très vite. Ce qui l'a brûlée à St. Ives lorsque, adolescente, elle voyait grouiller les peintres, n'est pas dans les amphithéâtres. Virginia, elle, a vu grouiller les écrivains dans le cercle familial, mais en est plus paralysée que stimulée. Le malaise qu'éprouve Leslie à l'égard des artistes n'y est pas pour rien ; en devenir une serait une trahison, quand Vanessa a su tout de suite obéir à l'injonction maternelle en pourchassant la beauté plastique à coups de pinceau. Chacune ses fidélités.

Pour l'heure Virginia ne peut que stocker, laisser le monde fermenter en elle. Lorsqu'elle sort, les visions l'assaillent, tout est excessif à ses nerfs trop réceptifs. Les impressions lui sautent au visage en pagaille et c'est un épuisement que de vouloir tout absorber. Elle doit s'arrêter pour voir passer les gens, dont les pensées innombrables s'élèvent dans les airs et l'entourent en un tourbillon volubile, dévorant. Elle tente fidélité à sa Mère elle aussi, s'efforce de s'attacher aux visages, de classer les physionomies selon leur degré esthétique. Mais elle sent la limite de cette partition, car d'être relative la beauté devient inaccessible. Ce qu'elle cherche est ailleurs : dans la vision émouvante d'un vieil homme qui mange une pâtisserie sur un banc et dans le saisissement de cette émotion ; ou bien dans la conscience, lorsqu'elle arpente les couloirs du métro, d'être au cœur battant du siècle enfant et de sentir sa victoire sur les entrailles gravides de la Terre. Elle devient alors le centre souterrain, palpitant, de la capitale qui se déploie au-dessus d'elle. Virginia sent très nettement que Londres comme elle-même naissent à ce moment-là, à cet endroit-là. Dans le wagon elle écoute le bruit des conversations. Si elle était capable d'en faire un poème, même un poème difficile à lire ou douloureux, elle approcherait de la vérité du monde. Un poème qui réunirait le vieux et sa pâtisserie, le bond du tigre et le festin, les oiseaux en vol sur la mer calme et les dents jaunes des petits boutiquiers. Un poème où elle tisserait tout cela, tricoteuse ou arachnide. Mais les fils de la toile se séparent sans cesse et arrivée au bout du rang elle constate que le reste s'est défait comme une mite redevenue poussière d'or.

Le métro, la rue fourmillent d'instants d'être, il suffit de se servir. Elle regarde les gens, ils sont tous meilleurs qu'elle, plus généreux, plus fous ou plus courageux, mais pour rien au monde elle ne voudrait être l'un d'eux. Elle se borne à collecter des faits, frustrée par l'impossibilité où elle est de happer une individualité dans son être essentiel. Elle observe frénétiquement, portée par cette insatisfaction. Peut-être davantage les femmes en ce moment, ces inconnues sur le visage desquelles se lit le tragique et vain destin de l'humaine mortalité. Elle se représente leur existence dans le moindre détail et c'est de l'amour qu'elle éprouve. Si quelque chose vient contredire ce qu'elle s'est raconté, elle souffre mais ne les en aime que davantage.

Égrener les détails, s'imaginer leur vie la comble, nul ne peut concevoir à quel point elle aime tout cela car nul ne s'y intéresse suffisamment, occupé par sa propre impuissance à être dans la vie. Pour elle les grands idéaux, la religion, l'amour, tout cela ne vaut pas grand-chose face au plaisir de prêter à quelqu'un des obsessions, des peurs et des belles-sœurs et de savoir que l'imagination est aussi vraie que la vérité.

Parfois, saturée d'autrui, elle tire un livre de son sac et se retire en elle-même. Parmi les autres passagers, elle goûte comme une libération, une audace même de s'autoriser à lire. Les pages sont un refuge où elle entend son cœur battre sereinement. Elle en est à *un jeune homme seul dans sa chambre* quand la lumière soudain s'éteint, se rallume. Les mots ont-ils changé de place dans l'intervalle ? Elle, en tout cas, a subi une infime transformation de sa lecture. Cet instant de noir déposé sur la page, sur telle phrase et pas une autre, a imprimé en elle l'image suscitée par la phrase en question plus sûrement qu'une tache de nitrate d'argent exposée à la lumière.

En dehors de ces incursions dans le sensible, qu'elle tâche de maîtriser de mieux en mieux, le temps goutte. Les jours, les semaines passent dans l'indécision de toute chose. Virginia recherche de plus en plus la vie hors de l'impasse, autant qu'il est possible à une jeune femme dotée d'un père que révolte la nécessité de devenir adulte. De même que les cousines avaient permis de pallier la défection des membres de la couvée en miettes, les amies remplacent peu à peu les cousines. C'est dans l'ordre des choses, la famille a ses limites, et les cousinades perpétuelles sclérosent. Sans parler de la folie qui infecte les gènes, des deux côtés – le cousin Hervey Fisher, l'un des frères de Florence, vient d'être interné. De handicapé, le cousin de trente ans a revêtu le statut plus enviable de fou. Folie qu'il faut tenir à distance coûte que coûte, bien qu'elle lui apparaisse parfois comme la seule façon valable de voir le monde, bien qu'il soit incroyable qu'il n'y ait pas plus de monde dans les asiles.

La vie sociale change de forme, l'éducation mondaine devient plus choisie. Vanessa et elle se promènent, elles rencontrent des écrivains et des peintres de leur choix, hors des réceptions où il demeure impossible de parler. Pourtant quelque chose achoppe sans cesse dans la relation avec l'autre. Les gens qui l'entourent lui apparaissent le plus souvent aussi impénétrables que des objets, chaises ou parapluies, dont la fonction soudain serait devenue caduque, la nécessité de s'asseoir ou la pluie ayant disparu. Aussi étranges et incompréhensibles que de la matière inerte. Et pourtant, elle a si besoin des autres, de se sentir en intimité avec eux. Elle rêve d'une colonie où le célibat serait de mise – un tel monde ferait bien son affaire, la dispensant de songer à l'amour qui lui semble, tel l'art à Leslie, aussi passionnant que lointain. Un monde où tout ne serait fait que de musique, de livres et de peinture, un monde sans mariage où l'art seul pourrait s'épouser. Monsieur le poème de Keats, monsieur le lied de Schubert, acceptez-vous de prendre miss Stephen pour épouse ? Le pianola qui, depuis peu, anime les soirées du fond de l'impasse est une métaphore éloquente : la musique se joue désormais toute seule, comme l'amour.

Elle étourdit sa solitude à coup de visites, de sorties au théâtre ou à l'opéra. Son esprit s'y échappe, sa propre vie se mêle au récit sur la scène, comme quand elle lit. Son regard erre sur le public, soudain arrêté par le visage concentré d'une femme, qui ressemble tout à fait à Unetelle mais non, ce ne peut pas être cela, Unetelle est beaucoup plus élégante. La figure, pâlie par les lumières artificielles qui viennent de la scène, est à la fois extrêmement familière et tout à fait étrangère. À la fin de la représentation Virginia se lève, indécise, fixe la jeune femme qui se tourne vers elle et la reconnaît. Aussitôt les traits s'animent et reprennent leur place habituelle, la personne connue est bien là, extraite du masque de l'inconnue familière qu'il y avait juste avant sur son visage. Étrangeté de ce que signifie connaître l'autre.

C'est mai. Elle est au jardin, une tache lumineuse s'agite sur le mur. Un fantôme de papillon. Le pétale vivant de chitine et de soie lui passe sous le nez, sa blancheur reflète le soleil qui tintinnabule sur la pierre sèche. Elle revient dans la pièce, observe le trajet d'un rayon au sol, ce qu'il allume ou éteint. Les objets ne sont plus que des formes, des couleurs ou des reflets. Le visage de sa Mère apparaît dans un grincement de porte, un éclair du jour sur la vitre du jardin. Le papillon, pris dans la lampe, est devenu gris.

À la maison la vie est toujours terrible, de plus en plus terrible. On ne songe plus à ôter les miettes de la barbe de Leslie, qui après Cambridge vient d'être fait docteur honoraire à Oxford. Le père compte ses titres, les radote pour se persuader qu'il existe. Ses amis meurent un à un, sa santé décline bien que ses vertiges se soient calmés, et la perspective du néant le rend irascible. Il s'engonce dans la nostalgie de son corps libre en écrivant un *Éloge de la marche* qui, loin d'apaiser ses frustrations, l'irrite encore davantage. Il mène une vie impossible à Vanessa, qui continue de peindre avec frénésie pour échapper aux exaspérations paternelles. George surenchérit dans la tension, obsessionnel et envahissant, Gerald n'y comprend rien, Thoby est absenté. Avec Adrian la relation reste engourdie, le petit dernier du haut de ses six pieds cinq pouces est empêtré dans les jupes fantomatiques. Sur les photos nous le voyons toujours flou.

C'est juin. Virginia se rend à Cambridge avec Vanessa. Le trajet est aussi long que la déchirure est profonde. (Nous qui cherchons allons trop vite pour lire le nom des gares et sentons dans cette vitesse l'impossibilité de collecter la moindre relique ; par la vitre nous ne voyons plus que décharges, friches, entrepôts désespérants, vagues champs à peine semés de moutons.) Les deux sœurs errent dans les jardins, luttant contre le sentiment d'effraction.

Depuis le pont qui enjambe la rivière Cam, Virginia contemple cet univers étranger, fait de rayonnages inaccessibles et de dômes abritant des mystères aussi hauts que les crânes chauves des érudits. Elle observe la procession lente et certaine des fils d'hommes cultivés. Elle voit les briques briller sous le crachin et songe au nez rouge et au jupon troué de ses propres professeurs, à l'humidité médiocre de la salle de classe où elle reçoit un maigre bagage éducatif. Heureusement qu'il s'est trouvé des Charles Kingsley pour se charger de la tâche ingrate d'éduquer les femmes. Eton, Cambridge, Trinity, ces noms quoique quotidiennement entendus recouvrent une réalité informe, interdite. Des images de toges noires gonflées par le vent du savoir passent devant ses yeux, mais c'est trop loin, c'est flou, c'est le domaine des hommes. Elle imagine son nom suivi des lettres qui signalent un grade universitaire ou une qualité quelconque, et la simple idée la fait pouffer.

Il lui faut trouver une autre manière de s'attirer les grâces de Thoby, de se rapprocher de ce frère qui bien qu'horripilant est pour l'instant son roi – il faut disputer à Vanessa l'affection du grand frère, la présence bienveillante de l'homme, sa virilité inoffensive. Et le chemin est ouvert pour qu'enfin, à l'automne de cette année-là, elle découvre vraiment la puissance de Shakespeare, qu'elle entre dans la confrérie des idolâtres. Lire Shakespeare est l'occasion de devenir un peu plus anglaise encore – car si les femmes n'ont pas de nationalité, la britannité n'en a cure, elle gît davantage dans les *shortbreads* et dans Shakespeare que dans les papiers d'identité.

Mais elle a beau fredonner les vers de Cymbeline, l'incompréhension demeure entre hommes et femmes, au sein de la famille comme de la société. Thoby clame que les femmes n'ont pas le sens de l'observation et encore moins celui de la description. C'est qu'il ne voit pas qu'elle observe le monde, les êtres, son propre accablement, comme un vampire observe la veine battant sur la nuque. Lorsqu'elle marche, dans la campagne ou dans Londres, ce n'est pas le pittoresque qui l'attire mais la vie, et le goût de la marche qu'elle développe de plus en plus est moins une fidélité à son père qu'une manière de s'en affranchir. Elle choisit désormais sa façon de marcher comme elle choisit quoi lire ou comment regarder un tableau.

Elle marche dans Londres, sa haute taille et son long manteau bleu oscillent, sa main bat la mesure de ses pensées. Elle n'essaie plus de reconstituer le puzzle des impressions qui l'assaillent. Elle les laisse la pénétrer, qui feront d'autres lignes sur son cahier. À chaque pas le monde accroche son désir désespéré de dire. Elle attrape images et sons, jette en vrac pour plus tard, au fond de sa conscience, les taches levées de bras blancs dans la foule, les yeux malséants des petites-bourgeoises qui cherchent la meilleure affaire parmi les frusques des bazars, le marteau des talons sur le pavage en bois du centre-ville qui le soir fait des lueurs argentées dans le brouillard pluvieux. À fixer la foule des passants il lui semble que les gens regardent tous la même chose, que leurs têtes exécutent les mêmes mouvements aux mêmes endroits, comme si un ballet subtil brouillait l'espace et qu'elle n'y prenait jamais part.

Elle marche dans Londres, souvent précédée du chien Gurth – à moins qu'il ne s'agisse d'un autre, à cette distance tous les chiens nous sont gris. Elle marche dans Londres et pense à ce qu'il y avait là des millénaires plus tôt, des os, des roches, des coquillages. Elle songe qu'à l'époque elle aurait marché sans ces vêtements bien boutonnés et d'un coup elle se sent nue, avant de songer qu'en fait de roches ici c'était sans doute de l'eau, la nudité lui est alors moins désagréable, elle flotte dans la multitude et avance, comme portée par le magma de temps océaniques, prédiluviens. Puis elle se retrouve, sa forme, sa masse propre, son odeur et les petits désagréments de son corps bien à elle, ça n'a duré qu'un instant.

Elle marche dans Londres familier, elle a ses trajets, les rituels de l'enfance, les chemins faits avec sa Mère ou son père, l'un ou l'autre de ses sœurs et frères, ou les parcours neufs, qu'elle découvre depuis qu'elle peut se promener seule. Ce qu'elle préfère, c'est emprunter un chemin pour la deuxième fois : quelque chose du mystère initial subsiste, avec le réconfort de la familiarité et un obscur sentiment de territoire qui n'est pas encore une routine, pas encore un rituel ; surtout, le souvenir des pensées que l'on avait eues à ce moment-là resurgit comme par une magie de l'inconscient qui la fascine et la déroute. Elle sait que, quoi qu'elle fasse, elles resurgiront chaque fois qu'elle empruntera de nouveau ce chemin, et cela lui donne l'impression que tout n'est peut-être pas complètement perdu.

Elle marche dans Londres et ses pas l'entraînent vers les docks. De là elle observe le lent mouvement des péniches transportant les ordures de la ville vers les faubourgs, l'excédent urbain qui irrigue la campagne de ses déchets. Elle écoute la rude chanson de la cité, le bruit que fait Londres lorsque l'on se place à sa marge. Elle observe les commerces suspects, défenses de mammouth, cordiaux, panacées et spécifiques de toutes sortes, sacs de cannelle où s'est parfois glissée la longueur squameuse et fatale d'un serpent exotique. Les relents d'huile et de malt la prennent à la gorge. Des bateaux appareillent, pour l'Écosse ou pour Buenos Aires. D'autres, au carénage, gisent sur le flanc, captifs de la terre ferme. Lorsque le vent s'y prête, l'odeur de la mer parvient jusqu'à Embankment. Un bateau passe, qui porte sur son flanc le nom joyeux d'une déesse grecque.

Elle longe ensuite les quais, franchit le pont de Waterloo sur lequel une vieille éternellement chante son chant d'amour et de bruyère – la gueuse n'a pas plus vu la couleur de l'un que de l'autre depuis plusieurs siècles et en est devenue presque aveugle –, bifurque dans le quartier du Temple par le passage voûté, étroit, où comme chacun sait il est impossible de marcher à deux, avant de rejoindre le Strand qu'elle arpente dans un sens puis dans l'autre, furetant de librairie en salon de thé, évitant soigneusement les boutiques de linge qui la terrorisent. Elle pique vers le nord, passe devant l'Albany dans Piccadilly où elle imagine quelque poète célibataire et rougissant en train de soupirer derrière les hautes fenêtres, et rejoint enfin à travers le réseau de petites rues la foule d'Oxford Street. La vendeuse de violettes est là, fidèle au passant qui, une fois ou deux par jour, décidera de poser une pièce sur son plateau et d'attraper un bouquet, soucieux d'obtenir les faveurs d'une maîtresse ou de se faire pardonner auprès d'une épouse. Les chevaux et le fracas des voitures sont des molosses haineux, terrifiants.

(Si elle nous voyait, un siècle plus tard, négligeant les seuils de houspillement, fourmillant cent au mètre carré, courant sans crainte sous les rafales des marteaux-piqueurs, les sirènes, les fumées d'échappement, les musiques effarantes, les boutiques écœurantes, que dirait-elle constatant l'opulence crasse de notre misère moderne ? Chercher ce qui demeure de son époque ne mène qu'à nous faire prendre la nôtre en horreur.)

Elle marche sur le trottoir et c'est comme si elle rasait un gouffre. Mais parfois surgit dans le rythme des pas une vision de sa vie très harmonieuse, presque cohérente, débarrassée même de l'encombrant désir de bonheur, une vie de travail et d'hygiène, qu'un instant elle tient dans ses mains comme un globe bien rond ; et puis un croisement survient, un passant bouscule, et la vision s'évanouit, le chaos reprend ses droits. Elle marche. La vie des coiffeurs et des petits boutiquiers sans cesse la distrait de la métaphysique.

Au nord d'Oxford Street, le quartier de Marylebone et ses mensonges ; Wimpole Street, garante de la civilisation, dissimule parfois derrière ses dignes façades la plus crasse des misères. Le fantôme de Victoria tente bien de maintenir la fable d'une morale irréprochable, mais le roi Édouard, inspiré par les mânes de son grand-oncle George IV – le dandysme comme n'importe quel vice saute toujours une génération –, remue l'Angleterre de ses mœurs dissolues. Aux scandales du souverain répondent les fumets de la violence, du mal qui fermente dans la misère des galetas, perce par toutes les fentes. Elle marche et pense à Stella et à George, à la manière dont ils ont pris le relais de l'idéal de charité traîné par Julia, dont ils ont épousé les idées de Hill et de Booth. Quelque chose lui échappe dans tout cela, qui a sans doute à voir avec la responsabilité de l'art, et donc la sienne. Une responsabilité dont elle sent qu'elle doit s'exercer autrement que dans la charité ou la lutte politique, qui ne la concernent pas vraiment et ne sont que vains débours des vertus de la langue.

Le soir tombe. Elle passe devant un restaurant. Un œillet rouge attire son regard à travers la vitre, trônant au centre de la table où dîne un groupe. Sûrement de vieux amis, des hommes et des femmes qui contemplent leur passé évanoui dans les reflets rosés que fait l'écarlate sur la nappe. Observant ces gens si bondés d'eux-mêmes, si confiants, qui lui font horreur et qu'elle envie simultanément, tant sa foi en elle-même est médiocre ; observant ces gens apparemment heureux elle prend conscience de sa faculté d'accès à l'invisible. Ses propres failles lui permettent de distinguer en chacune de ces personnes l'enfant terrifié qu'elles dissimulent derrière leur morgue. Elle reprend sa marche et met son nouveau pouvoir à l'épreuve : se prend-il vraiment au sérieux, cet agent de commerce qui attrape le train à King's Cross d'un air pressé ? A-t-elle vraiment mieux compris le monde que les autres, cette dame distinguée qui considère avec mépris la vendeuse de lingerie lorsque celle-ci se penche pour donner à boire au ravissant bichon de la rombière ? Virginia désormais peut voir la gamine effrayée dans la dame, le petit garçon mal aimé dans l'agent. Elle leur fait un signe de la main, siffle deux fois pour héler un cab et rentre chez elle.

Pénétrant dans le hall, un frisson l'agite qui trouve écho dans les grognements de Leslie – elle est en retard pour dîner, il ne peut pas vivre comme cela, ce ne sont pas des façons de traiter la vieillesse. Il distingue le néant avec de plus en plus de précision à mesure que sa surdité augmente et que ses amis s'éteignent – il perd son grand copain Stillman, qui meurt en même temps que Verdi et Toulouse-Lautrec tandis que Mary MacLane la diabolique publie un brûlot féministe du haut de ses dix-neuf ans et que Renée Vivien la saphique, pas beaucoup plus âgée, publie son premier recueil de poèmes, tandis que naissent Walt Disney et André Malraux, Barbara Cartland, Jacques Lacan et Magda Goebbels, Marlene Dietrich et Germaine Poinso-Chapuis, la première Française nommée ministre. La chute des feuilles ne surprend personne.

1902

Virginia vient d'avoir vingt ans et la vie, peu à peu, se fait édouardienne. À vingt ans, Virginia est encore convaincue d'être à jamais la plus jeune dans l'omnibus et le temps clapote. Le temps goutte. Lent et pourtant irrattrapable. Vingt ans, déjà ! Et rien encore de fait. Vingt ans et pas la moindre certitude… c'est navrant. À vingt ans, c'est le choc de voir se dresser devant elle le monde des aînés. Elle touche de son long doigt la jalousie du vieux monde à l'égard de celui qui vient, jalousie dissimulée sous la condescendance des plus âgés envers ceux de sa génération. Elle palpe cette terrible présence de ce qui a été bien avant nous et n'a de cesse que nous ne parvenions pas à devenir nous-mêmes.

Pourtant une amitié, une vraie, une qui dévore, est en train de se développer avec une femme de dix-sept ans son aînée. Elle ne songe déjà plus qu'à elle. Violet Dickinson, dite ViDi, fréquente l'impasse depuis l'enfance de Virginia, c'était une amie de Stella. Violet a fait ces dernières années quelques curieux petits tours dans le monde – elle a été mairesse de Bath, a passé du temps en Afrique du Sud pendant la guerre – et cultive de curieuses manies, comme d'arracher les ronciers à pleines mains ou de vivre seule avec son frère. À présent que les vingt ans de Virginia s'accordent aux trente-sept de Violet, l'amitié jaillit et les voilà prêtes à se rencontrer vraiment.

Virginia aime d'abord le prénom de son amie, dont elle décline les variations chromatiques : mauve ou ponceau, smaragdin ou andrinople, incarnadin même. Que de beaux mots. Elle aime sa silhouette : Violet déploie dans l'espace un grand corps de six pieds deux pouces ; c'est moins qu'Adrian, pourtant elle semble plus grande. Elle aime son odeur d'anémone. Elle aime, sans se l'avouer, que Violet soit dévouée aux autres – elle aide avec passion les malades et les pauvres, aime favoriser les mariages et raffole des nouvelles naissances, suivez notre regard – et avant tout à Virginia.

Elle aime la présence de Violet, gauche et maigre et sans grâce, avec sa générosité comique, ses cheveux gris mal peignés en totale cohérence avec ses vêtements à la va-comme-je-te-pousse, ses grimaces irrésistibles. Elle aime la prodigalité de son amour : lorsqu'elles ne se voient pas, elles s'écrivent des lettres gorgées d'esprit, de pas de côté, de jugements à l'emporte-pièce frappés du lyrisme de la jeunesse, de cadratins et d'affectueux sarcasmes. Des lettres que nous lisons d'ici avec ferveur et circonspection, privés que nous sommes des réponses autant que des références. Des lettres qui nous égarent comme des runes, dont seule l'intuition nous fait percevoir la puissance. V & V – tropisme de l'initiale, qui est aussi celle de Vanessa – sont inséparables. C'est ViDi désormais qui a droit aux déclinaisons du bestiaire – *kangourou*, *girafe*, *agneau*, *reptile*, voire *Hellcat* – ou à diverses appropriations – *mon enfant*, *ma femme*, *ma tante*.

Violet est la nouvelle source, répondant à la défection de Vanessa, dont tout l'amour doit aller à la peinture et qui – Virginia en est persuadée – s'ennuie un peu avec sa jeune sœur malgré l'affection qu'elle lui porte. Virginia se reportant sur d'autres, ViDi en tête, tire sa moelle d'une affection dont elle se plaint continuellement de ne pas recevoir suffisamment. Elle ne cesse de réclamer des protestations d'amour, des réponses à ses lettres, où elle exige en sus qu'y soient déposées des pensées plutôt que des faits. Connaître l'intime conviction de l'autre – surtout lorsqu'il ose à peine se la formuler à lui-même – est la seule façon de s'en approcher un peu, croit-elle. Ça et la moquerie, son besoin d'amour n'étant pas incompatible avec son humour acéré, au contraire. L'humour rend supportable la frustration, permanente et fatale.

Là est le terrible : les relations avec autrui sont irrémédiablement partielles, toujours décevantes. Tantôt l'on est frustré par l'autre, qui ne se montre jamais à la hauteur de l'affection que l'on voudrait lui porter ; tantôt l'on est frustré de l'autre, qui ne se montre pas à la hauteur de notre besoin de consolation. Une parole mal à propos, une distraction passagère suffisent à faire d'autrui un étranger tout à fait, qui l'instant d'avant était le plus proche, le seul, soi-même pour tout dire. Quand on observe ce fameux autrui sans complaisance, il se ratatine, se réduit et devient désespérant, incapable de nous comprendre vraiment. Le besoin d'intimité vorace de Virginia échoue sans cesse sur la rive de son prochain, rabattu par la vague de son égoïsme. Les hommes sont inhibants et condescendants, ils ne croient pas en l'autre – surtout si l'autre est une femme. Les femmes, elles, n'ont pas fait la moitié du commencement du chemin pour croire en elles-mêmes ; comment pourraient-elles croire en leurs semblables, les prendre au sérieux comme les hommes font entre eux ?

Virginia a beau se regarder – trop –, avoir – trop – conscience d'elle-même, elle ne parvient toujours pas à se saisir réellement. Elle s'échappe et sans cesse il lui faut revenir au jugement extérieur, qui lui donne forme. Elle voudrait parvenir à une compréhension de soi débarrassée des représentations qu'elle se figure qu'on se fait d'elle. Et pourtant c'est bien le regard de l'autre qui l'éclaire, qui la sort de la noirceur et la révèle. Elle oscille sans cesse entre le besoin de ressemblance, de reconnaissance, d'appartenance, et la nécessité de se distinguer. On la dit froide, du moins s'imagine-t-elle que c'est ce que l'on dit, vierge et froide, nonne et aiguë, mais c'est un défaut de présence à soi qui rend si incompréhensible le lien à la fois distant et profond qu'elle entretient avec son être. L'homme qu'elle aimera sera celui qui la fera se découvrir.

L'altérité reste le seul lien possible avec soi. Bien sûr il y a les livres, il y a la connaissance, il y a le grec, qu'elle apprend avec fureur et une nouvelle professeure, la rougissante Janet Case. Celle-ci paraît, un temps, joindre les deux sources de consolation : autrui et le savoir. Elle unit le fantasme de l'intimité à celui du large monde, de la connaissance, du voyage. Comme Emma, comme Violet, Janet Case est plus âgée que Virginia – de vingt ans. Elle est haute elle aussi, dotée de grands yeux et de longues dents sensuelles : une belle jument, plus solide et ancrée que Virginia à qui il semble que ses membres lui échappent sans cesse. Avec Janet, Virginia éprouve une satisfaction libidinale dans l'exercice de traduction du grec : comprendre la phrase, voir les nuances s'articuler, se sentir en communion avec l'auteur, palper sa propre intelligence comme une matière dense et concrète, sont des actes indissociables du désir. La rivalité entre Case et Dickinson est inéluctable, et savamment attisée par Virginia.

Case campe une figure plus maternelle, plus protectrice – par exemple elle n'aime pas George, qui surveille l'évolution de l'apprentissage du grec en tripotant Virginia. La professeure, avertie du monde malgré son célibat, discerne l'ambiguïté du personnage, invisible à ceux qui le côtoient de trop près. De George, Virginia perçoit surtout – elle compose même à ce sujet quelques pages d'un premier essai de roman – le ridicule. Ainsi lorsqu'il s'humilie dans d'éphémères fiançailles avec une jeune fille de bonne famille, munie d'une mère prompte à organiser de ces épouvantables réceptions dont George rêve de faire son quotidien légitime. Mais très vite les fiançailles sont rompues, sans doute la mère de la fiancée voit-elle aussi – les belles-mères sentent cela – les ambiguïtés et les limites de George. Il faut dire qu'il évolue dans des sphères qui se rapprochent du pouvoir et donc des scandales. George est bien dans son temps, celui d'Édouard, souverain léger prompt à trousser les jupes des femmes, cocottes parisiennes ou mères de futurs Premiers ministres.

Et puis, c'est inévitable, le monstre fait une réapparition fulgurante : c'est avril, on est quelque part dans le Surrey où Virginia est seule avec les hommes de la famille – sauf George, qui a emmené Vanessa en Italie, toujours sans arrière-pensée de la jeune fille –, lorsque l'on découvre à

Leslie un cancer de l'abdomen. Le ballet des docteurs reprend. Quelle injustice que Julia ne puisse être au chevet de son mari, la meilleure des infirmières est décidément morte trop tôt. Elle eût adoré soigner le grand homme et l'avoir ainsi à sa main. Heureusement les médecins qui défilent sont de la meilleure trempe, nulle saignée, nul vésicatoire, nulle manche craquante de puces.

La maladie n'empêche pas Leslie de travailler, qui publie cette année-là sa biographie de George Eliot – tout un livre sur une femme ! – et les derniers volumes des *Studies of a Biographer*. L'éminent papa doit aussi être fait chevalier de l'ordre du Bain – coquettement il commence par refuser, puis accepte au nom de sa famille. Par égard pour sa santé, la cérémonie est déplacée dans la maison de Hyde Park Gate, en un cocasse parallèle avec Édouard VII qui, malade, reporte son couronnement au mois d'août. L'événement royal excite bien plus George que les solennités beau-paternelles. Virginia quant à elle, pour qui un père vaut bien un roi, n'assiste pas au couronnement – la belle jambe – car en août elle est dans le Hampshire et non à Londres où tout se passe. Elle va à la chasse en attendant le retour à la vraie vie, faite de marches incessantes sur le pavé, de bibliothèques et du tumulte ordinaire de l'existence, la vie de la capitale où elle regrettera d'être revenue sitôt le pied posé en gare de Paddington.

En cet été de ses vingt ans, elle se prête en digne Britannique de bonne condition à une séance de photos. Charles Walter Beresford, comme il fige la politique en photographiant Lloyd George à peu près au même moment, fige à jamais la littérature dans la jeunesse de ce portrait. (Nous ne pouvons nous retenir de le comparer avec celui de Julia au même âge : le chignon de Virginia laisse échapper mille mèches, rien ne tient sur cette tête qui bouillonne, tandis que le crâne de Julia est parfaitement découpé par deux bandeaux très lisses de cheveux blonds. La littérature se repaît de ces contrastes.)

C'est septembre et ce soir, hélas, c'est réception. Bien que toujours un peu à l'écart, elle découvre par bribes, dans ces soirées, ce que signifie séduire, l'agaçante attraction du viril. Même si elle cerne brutalement son prochain et n'est pas victime de ce défaut, si courant chez les jeunes femmes, qui consiste à se fier par principe à ce qu'affirme autrui, reste qu'elle est une jeune vierge *comme il faut* de la bonne société anglaise. Quelque chose lui échappe toujours des relations qui se jouent là, mais elle s'y plie pour complaire à George et parce que, mine de rien, l'obsession maternelle du mariage a laissé sa marque. Elle se force à se regarder dans un petit miroir de poche en public – sans aller jusqu'à se poudrer –, à pincer les lèvres pour montrer qu'elle est une vraie jeune fille qui n'attend que d'être auprès d'un homme, une femme en devenir débordant de promesses amoureuses et non la vieille fille qu'elle commence à craindre de rester – à moins qu'elle ne craigne surtout de ne pas assez le craindre.

Elle craint bien en revanche l'ennui des réceptions et n'a de goût que pour les soirées déguisées – ce lui est un argument irrésistible que cette tendance de l'époque au costume, voire au canular, cette possibilité unique d'habiter un corps autre. Mais même là elle sent, une fois rentrée chez elle et au moment d'ôter dans sa petite chambre les attributs de la mondanité, un dégoût terrible d'elle-même. Les costumes sont pathétiques d'ainsi reposer, désincarnés, sur le dossier d'une chaise ou le cintre d'un valet. Une fois l'habit retiré, le miroir remisé et les lèvres détendues, la vie redevient un chaos de feu et de fumée qui se cache derrière les tasses de chocolat et les flûtes de champagne, les tranches de pain beurré et les porcelaines.

Mais pour ce soir George a insisté, il est intraitable. Il a même obligé Virginia à quitter, la jugeant trop ordinaire, la robe qu'elle s'était fait fabriquer pour l'occasion. Virginia est blessée au plus profond – car la surface des choses a ses abysses – de ce qu'il a critiqué le choix d'un tissu vert – elle aime le vert, toutes ses nuances plus ou moins heureuses, elle en use et abuse, ça lui vient de l'enfance au même titre que sa haine du rose. Elle éprouve de manière générale une détestation envers la nécessité de se vêtir – celle de se changer pour un simple dîner lui est une occasion de conspuer sa classe et ses rituels – et ne parvient pas, au grand désespoir de George, à s'intéresser à ce qu'il lui faudrait porter dans ces soirées. Ce qui n'empêche pas la moindre critique sur le sujet de la blesser mortellement : ce n'est pas parce qu'elle prétend n'accorder aucune attention à ses atours qu'elle tolère qu'on les dénigre.

Mais comme Vanessa, elle se suffit de l'allure typique des Stephen et ne se préoccupe guère de l'emballage. Le moyen d'habiller un corps pareil, aussi, avec tous ces angles, ces écoinçons et ces longueurs ! Elle ne sait que faire de cette anatomie excessivement étirée, brinquebalante, de ce visage tout en hauteurs, de cette bouche qui se tord légèrement pour suivre le biais du nez grand, de ces proportions peu raphaélites. Elle se sent toujours de traviole, pas droite, elle se sent trop ceci ou trop cela, trop tout court. Ses pieds, surtout, ses pieds interminables, douloureux, toujours à l'étroit dans les torturantes bottines lacées à quoi les femmes semblent condamnées, des pieds immenses qui prennent toute la place et ne sont pas d'une femme – non, une femme se doit d'avoir de petits pieds, des petons qui n'occupent qu'un espace restreint dans le monde. Virginia, elle, a de longs pieds, de longs membres : il faut bien de quoi prendre le relais de Leslie à grandes enjambées rimbaldiennes.

Mais George rêve de faire de ses demi-sœurs des demoiselles distinguées et quoi que l'on pense de son propre corps, il faut se rendre à la puissance fraternelle de l'aîné, du mâle. Après tout peut-être que ce soir on l'apercevra, peut-être qu'un homme la remarquera, la courtisera. Elle frissonne, l'humiliation de tout à l'heure est vivace et elle sent bien que l'élégance n'est pas pour elle. Elle n'a aucune idée, de toute façon, de l'effet qu'elle produit – et nous non plus, finalement, qui ne regardons que par le bout usé, malmené, d'une lorgnette que tant d'autres se sont appropriée, au point que le verre en est rayé.

Le dîner de ce soir est donné par Mrs D., l'épouse d'un politicien quelconque qui donne sans cesse des discours sur l'Arménie, ou l'Albanie, personne ne sait bien au juste car personne n'écoute, pas même Mrs D. Les fauteuils font luire leurs dorures à l'éclat lourd que rafraîchissent des monceaux de fleurs blanches et vertes répandues sur les consoles, les crédences. Assise dans un coin elle observe, se demande si quelqu'un l'observe en retour, mais pour s'en rendre compte il faudrait cesser de regarder par-dessous ses paupières, lever franchement les yeux sur les personnages innombrables qui agitent leur mauvaise foi et leurs petites peurs dans le hall, le salon, les couloirs impensables. Ces êtres si médiocres lui sont tellement supérieurs de n'être pas elle. Elle s'interroge sur la conduite à tenir avec chacun et chacune, sur ce que chacun et chacune peuvent bien attendre d'elle, et les livres ne lui sont d'aucun secours, elle a beau s'accrocher à deux vers, une réplique de Shakespeare bien sentie, elle ne se débarrassera pas comme cela de sa propre présence.

Elle observe tous ces gens si bien mis, joue à les transposer, tels quels, avec leurs guimpes et leurs dentelles, leurs fiacres et leurs laquais, dans quelque village exotique d'Amérique du Sud ou au bord d'un fleuve rouge et boueux, parmi les femmes brûlantes et souples, chargées de cruches en terre. Elle observe tous ces gens qui ne sont plus soudain qu'un troupeau de moutons dans leur enclos. Elle s'ennuie au point qu'elle tente un moment d'imaginer les invités nus : elle les voit entrer dans le grand hall, laisser leur carte ou leurs gants beurre frais sur le plateau d'argent à l'entrée et faire leur chemin vers le salon dans le plus simple appareil. C'est terrifiant. Lady H. respire avec ostentation un bouquet de fleurs offert par quelque jeune professeur qui espère des faveurs de lord H., recteur de l'université, et éventuellement de lady H. elle-même, beaucoup plus jeune que son mari. Une abeille tourne autour du bouquet ; Virginia voit l'abeille piquer le bout du nez de lady H., elle voit les conséquences possibles de cet attentat sur les faveurs espérées par le jeune professeur.

Elle attend avec impatience le moment du dîner. Au moins fourchettes et couteaux donneront-ils un sens à tout cela. Mais une fois attablée c'est pire, elle s'ennuie de plus belle et surtout cela se voit encore davantage au-dessus de la nappe dont la blancheur reflète sa mine contrite. Elle pose un sourire sur son visage et armée de courage lève les yeux, observe les commensaux, pour nourrir son sourire esquisse intérieurement des portraits, art qu'elle commence à maîtriser mais qu'elle soupçonne aussi frivole que la broderie ou le macramé. Elle note sur le visage de sir F. une sorte de virgule où suinte un éclair blanc de chair maladive – il ne faut pas oublier cette impression moite. Elle s'accroche à la vision, rien d'autre n'a d'importance à cet instant précis. Elle joue avec la salière et associe la virgule suintante aux minuscules grains blancs dont elle renverse une petite quantité sur la nappe. Elle dessine une virgule sur la fleur brodée et enregistre l'image. Fleurs, virgule, sueur blanchâtre. Maladie. Elle devrait s'en souvenir.

Plus tard, on est retourné au salon, ces messieurs sont au fumoir et l'on boit de petites liqueurs féminines. Elle pense à autre chose – quoi ? – quand on – qui ? – lui dit que – quoi ? Elle répond au petit bonheur – quoi ? Une vieille dame égrotante lui parle – il faut bien dans les réceptions subir la conversation des anciennes, dont le rôle est de vérifier si vous parviendrez à épouser un jeune homme pourvu d'une mère qu'elles respecteraient, ou même si vous parviendrez à vous marier tout bonnement puisqu'une femme qui ne se marie pas a raté sa vie. Virginia observe la vague lueur vert chou qui ombre les cheveux antiques, les mots lui parviennent comme des bouffées de parfum poudrées, écœurantes, talc mêlé de poussière, elle n'écoute pas jusqu'à ce qu'elle revienne à elle en entendant le mot *tué*.

Elle rapatrie les dernières bouffées de parfum, son cerveau les analyse et, les combinant aux nouveaux effluves de sens qui lui parviennent, reconstitue le fait divers. Le fils K. s'est jeté par la fenêtre, il s'est *tué*. Une autre bouffée fait immédiatement écho à cette information, le souvenir du suicide auquel Gerald a assisté il y a quelques jours : un homme s'est jeté sous ses yeux du haut du pont de Westminster. Il jurait, racontant l'anecdote, qu'il avait bien failli l'y suivre.

Virginia s'évade des poudres et des poussières, se voit ouvrir les deux battants de la grande fenêtre du salon, entend le grincement de la poignée. Elle sent la peinture s'écailler sous sa main qui force et la vague fraîche qui vient du jardin, elle se voit enjamber, encombrée de sa robe, le montant et sent la chute, l'air défaisant ses cheveux, le froissement des feuillages vierges qu'elle frotte au passage, la robe qui se soulève et le choc sur le sol, non, elle déplace en imagination le bassin pour qu'il soit juste au-dessous de la fenêtre et c'est la grande gifle de l'eau mais elle n'est pas assez profonde, Virginia trempée se relève et de honte fuit jusqu'au fond du jardin. Un arbre l'accueille de son tronc impavide. Elle lève les yeux, un peu nauséeuse. Un hibou passe, ou est-ce une chouette ? Une aile blanche, puis le froissement d'une pipistrelle – chaque fois elle met la main à ses cheveux, souvenir d'une légende qu'on lui rabâchait enfant sur les chauves-souris. Elle est entourée de fougères, où croupit la tête d'une vieille femme.

Cœur battant elle revient vers le salon où elle se rassoit et reprend son souffle, est-elle vraiment allée dehors ? Bientôt de nouveau elle s'ennuie. D'un regard alentour elle calcule que, hormis l'aïeule de tout à l'heure – qui entre-temps s'est endormie –, personne ne lui a adressé la parole. Et si l'on excepte quelques remarques acérées à Vanessa qui, tout aussi roide qu'elle sur le fauteuil voisin, est occupée à peindre mentalement, Virginia n'a guère prononcé la moindre parole, terrifiée à l'idée de ne pas parler assez fort, de devoir répéter des mots dont elle n'est pas sûre qu'ils ne soient pas totalement décalés tant elle est absente à ce monde.

Ce jeune monde auquel elle n'appartient pas, celui des femmes-fleurs qui savent les mouvements d'épaules, les jetés de tissu, les bavardages idoines, les pollens à essaimer, les miels à distiller çà et là. Le monde des Kitty Lushington, qui en est l'archétype. Avant d'être beaux ou laids les êtres sont animaux ou insectes, fruits ou plantes ou même simplement les tiges des plantes, ce par quoi l'on circule de l'un à l'autre. Elle-même est une tige qui transmet le monde au monde, une tige moins élégante que Kitty mais une tige tout de même, un début de tige, une tigelle, qui donnera roseau ou stipe. Mais Kitty est en plein épanouissement de sa vie de femme et, aux yeux de Virginia, elle incarne ces soirées, ce monde qu'elle observe comme de derrière une vitre. C'est donc cela, la gloire ? se dit-elle devant la mondaine. Elle est aussi envieuse – elle donnerait parfois tout son savoir pour être à même de danser avec élégance – que sceptique, incapable de comprendre pourquoi les humains éprouvent ce besoin de se rassembler sans raison biologique ni véritable affection ; par désœuvrement, sans doute.

Elle observe, trie, classe, note – un lambeau de mousseline sur le parquet, un soulier mal verni, un geste interrompu, une parole en l'air – et de remarquer tout cela l'épuise. C'est trop. Elle aimerait se libérer de cette conscience qui lui interdit de se repaître de sa jeunesse. Une sorte d'instinct de survie la pousse à revenir près de la vieille dame qui, au mouvement d'air que Virginia fait en s'asseyant, se réveille. L'aïeule s'efforce de faire croire qu'elle ne s'est pas endormie, elle parle anormalement vite et se montre excessivement précise dans ses questions. Virginia, chez qui les leçons maternelles continuent de faire un peu effet, feint d'y croire et s'efforce de répondre.

Et puis, comme un signe qu'elle devrait décidément être ailleurs, que la vie doit décidément être ailleurs, l'élastique de son sous-vêtement se rompt en plein salon. Elle lance un au revoir peu conforme aux leçons maternelles et s'enfuit, serrant ses jupes autour d'elle. Elle qui a en horreur l'idée de pénétrer dans une boutique de vêtements, et en particulier de lingerie, en est pour ses frais ; au moins s'est-elle tirée de ce guêpier mondain. Le temps viendra, elle le sait, où il ne sera plus nécessaire d'en passer par là. Mais il faut bien sacrifier aux nécessités sociales, le mariage est une injonction dont même le chaos familial n'a su la délivrer, et il n'y a guère que dans ces réceptions que l'on peut espérer une rencontre. Les amis de Thoby sont, pour l'heure, inaccessibles – Thoby ! il faudra lui raconter la soirée dans une lettre, mais non, ce ne sont plus des enfants, elle ne peut pas parler à son frère de ces choses intimes, il importe de commencer à savoir où sont les barrières, et puis quel geste horripilant il a ces temps-ci, à passer sans cesse sa main dans ses cheveux. Non, c'est à Violet qu'elle racontera tout, auprès de son amie qu'elle se délivrera de cette ridicule aventure.

En attendant de découvrir ce que c'est que l'amour, en

attendant de se marier et de suivre le chemin prescrit aux femmes, en attendant surtout d'écrire vraiment, la réponse est toujours la même : les livres. Il y en a tant à lire qu'elle se fixe désormais l'objectif d'un volume par jour – Gibbon, Balzac, Pope, Keats, Swift, Coleridge, nous nous prenons à rêver qu'elle lit aussi le *Journal à Stella* de Swift, des lettres écrites à deux femmes en même temps. Les tragiques grecs, Sophocle en tête, continuent de la ravir. Elle couvre un carnet de listes d'écrivains par ordre de mérite, de passages qui l'ont marquée, de titres d'ouvrages lus dont certains sont soulignés à l'encre rouge. Pourrait-elle être amie avec un(e) grand(e) auteur(e) ? Saurait-elle quoi lui dire ? Mais il est préférable d'admirer de loin, les livres aident à vivre quand les auteurs empêchent d'écrire. Les livres aident à vivre, mais guérissent-ils du mal de vivre ? Et du mal de dents ? Les livres guérissent-ils du mal de dents ?

Elle continue de lire Shakespeare, de plus en plus séduite. La lecture de *La Nuit des rois* l'a perturbée, cette distribution brouillée des désirs et des genres répond à son intuition profonde de la multiplicité du moi. Elle ne se remet pas de la puissance de ce qui est dit, avec les ressources de la poésie et du grotesque. Elle ne se remet pas de sa rencontre avec la métaphysique en personne, l'œil tendu vers l'écho des collines et les mollets serrés dans des bas jaunes. Nous imaginons qu'elle lit aussi *La Sonate à Kreutzer*, qui depuis quelques années fait sensation dans toute l'Europe, la vérité de la chair choquant presque moins que le plaidoyer pour une égalité entre les sexes. Son amie Marny Lushington en a été si troublée qu'elle a brûlé le livre – non sans l'avoir soigneusement, voluptueusement lu au préalable.

L'obsession que suscitent les livres prend aussi une forme physique : elle se met à la reliure, le contenant prenant le pas sur le contenu le temps de s'asphyxier aux émanations de la peinture dorée dont elle enlumine ses volumes. Le goût des livres ne se suffit pas des mots, il lui faut – croit-elle, se méprenant sur la source du manque – l'incarnation physique. La matière, lin, cuir, papier japonais, soie ou parchemin, comble les lacunes sensuelles de la pensée déployée en caractères. De même que l'obsession pour les plumes, les encres et les papiers, le travail de la reliure permet de faire exister un peu le corps dans le monde éthéré des livres. C'est aussi un moyen de sortir de la solitude, en créant une autre forme de lien avec l'autre – sa cousine Emma, en l'occurrence, qui bénéficie de ses conseils et partages d'expérience.

Plus elle lit, plus elle manipule les volumes, plus elle a envie de s'y mettre vraiment, d'ouvrir sa voix. Loin de la paralyser, les auteurs les plus impressionnants sont ceux qui stimulent le plus son désir d'écrire. Cela gronde en elle. Entre deux lectures, entre deux reliures, elle ouvre de plus en plus souvent son cahier. Les lignes sont belles, bien qu'encore trouées. Elle regarde avec gourmandise la trame du roman qu'elle projette d'écrire, comme un peintre ses couleurs sur la palette. Déjà, c'est beau, les prémices de ce qu'elle veut faire. Déjà, c'est bon, c'est heureux, parce que ça n'est pas encore. C'est suffisamment flou pour y croire sans souffrir. Elle partage ses idées, surtout avec Violet, il y a aussi un projet de pièce à quatre mains avec Jack. Même s'il y a déjà tant de livres dans le monde, même si derrière la gourmandise point l'appréhension, que quelque part elle sait que tout cela ne sera qu'entrailles brûlées et souffle raccourci, elle a conscience de ce qui est devant elle.

Indifférent à ce qui gronde ailleurs qu'en lui, Leslie grogne. Il est vieux-sourd-malade, il doit se faire opérer. Les chirurgiens de Sa Majesté sont sur le pont, opposant leurs pronostics à ceux du bon médecin de famille. Les importuns ne manquent pas non plus, qui se plaisent à livrer leur docte interprétation des symptômes, empirant l'inquiétude par une commisération irritante, des maladresses hypocrites ou d'inutiles alarmes. C'est que l'heure n'est plus à l'hypocondrie : l'angoisse unit les membres de la couvée, reformée pour l'occasion. Mais c'est encore à Violet que Virginia confie ses angoisses. Elle voudrait plonger dans les bras de sa grande amie comme dans des plumes qui lui cacheraient l'inévitable. Elle évite de creuser ce qu'elle ressent vis-à-vis de la maladie de son père, mélange de peur et d'impatience, vis-à-vis de son père lui-même, mélange d'admiration trouble et de pitié qui n'est pas tout à fait de l'amour.

L'opération a lieu à la mi-décembre, se passe bien. Tandis que meurt Émile Zola et que naît John Steinbeck, tandis qu'Anita Augspurg et sa compagne Linda Gustava Heymann fondent une association pour le droit de vote des femmes, que la féministe et abolitionniste américaine Elizabeth Cady Stanton meurt en quelques minutes d'une faillite du cœur, et que trente mille anonymes meurent en quatre-vingt-dix secondes à la Martinique sous une nuée ardente ; tandis que Marjorie Tulip Ritchie, dite Trekkie, et Louise de Vilmorin, dite Loulou, naissent, que Gertrude Stein s'installe à Montparnasse et Mata Hari dans son rôle de cocotte parisienne ; tandis que les femmes (blanches) d'Australie exercent pour la première fois leur droit de vote, accentuant la faille entre Ancien et Nouveau Monde, l'année s'achève sur une convalescence incertaine et les visions de sa Mère qui, sans discontinuer, tombent autour d'elle comme des feuilles mortes.

1903

Un pied à peine au-dehors et le corps absorbé aussitôt dans la lumière crue, une explosion suivie d'un souffle puis de nouveau le brouhaha uniforme de la rue, où circulent en continu les traces de la modernité. Demeure, issue du vacarme de l'explosion – qui n'était que le bruit légitime d'un moteur, et le souffle un soupir de l'omnibus en décompression, relâchant ses vapeurs comme une vieille dame soulagée –, demeure une sensation de catastrophe, qui ne se résout que dans la marche. Virginia vient de sortir de chez elle et c'est comme à chaque fois une délivrance ; mais chaque fois il lui faut se réhabituer, une fois quittés l'impasse et son calme relatif, à la folie de Londres. D'immenses poitrails de chevaux se dressent devant elle, des voitures lancées à pleine vitesse se croisent au millimètre, et crissent les hennissements et vole la paille et volent la poussière et toute la saleté du monde moderne.

Elle fixe le bout pointu de ses chaussures pour se frayer un chemin dans la furie, ce qui donne à son grand corps l'allure penchée d'un jeune poète infatigable – la petite chèvre n'a plus à se tenir droite. C'est grâce à ce regard rivé au sol qu'elle parvient à rejoindre Oxford Street, grâce à lui qu'elle évite de peu les pattes tendres d'une tortue échappée aux marchands à la criée, ou peut-être aux vitrines où leurs carapaces aux géométries de kératine mettent en valeur les chevrons du tweed. Indéfiniment, la vendeuse de violettes sur le trottoir vend ses violettes. Virginia hésite, renonce à en prendre un bouquet pour ViDi qu'elle s'apprête à retrouver dans un salon de thé à Piccadilly.

Elles savent qu'on les regarde sans intention suspecte – les *ABC* sont de bonne réputation, et les deux gigues attirent davantage la curiosité que le désir. Elles commandent du thé et des sandwichs, des tartelettes et des demoiselles-d'honneur, toutes friandises qu'elles mangent à peine, picorent du bout de leurs doigts interminables et jettent dans leur museau entre deux éclats de rire – Virginia en tout cas, que la gourmandise d'enfance a quittée ; les besoins sordides exprimés par sa bouche et son estomac ne reçoivent plus que son mépris. Et puis l'excitation n'est pas propice à l'appétit, or elle a une surprise pour Violet. Elle lui tend, visage rouge triomphe, une petite boîte en émail peinte par ses soins. Violet soulève le couvercle et découvre le morceau de dent que son amie s'est cassé quelques jours plus tôt sur un sucre d'orge. Violet à son tour s'écarlate et quitte le salon de thé, furieuse. Virginia la suit en gloussant. Ses plaisanteries seront toujours plus fortes qu'elle, incompréhensibles et par le fait incomprises.

Elles marchent à distance, qui peu à peu se réduit, les voilà de conserve, Virginia malgré la colère de son amie n'est plus seule et c'est ce qui importe. Elles sont ensemble, bout des chaussures, hennissements et poussière, criées, orgues de Barbarie, trombones divers, *last calls*, clochettes des vendeurs de muffins, horloges sursautantes, le fracas ricoche sur leurs anatomies ligneuses, interdit toute conversation. Il n'y a rien à dire de toute façon : Virginia attend que Violet se calme, sourire acéré en coin. Toutes deux charrient leurs longueurs dans les rues de Londres, avançant au même rythme de girafe sous l'œil ahuri des passants.

Elles-mêmes s'étonnent des autres, qui leur semblent tout aussi comiques, et à chaque personne croisée se font *in petto* la même réflexion amusée ou perplexe.

La colère fond, Violet a pardonné à Virginia, qui elle-même a pardonné à Violet, à la prochaine lettre les deux gigues qui s'aiment tant se fâcheront de nouveau, se réconcilieront, et tout recommencera sans que l'on ne sache plus par où ni par qui cela avait commencé. Depuis notre lorgnette nous ne pouvons pas lire les mots de Violet, les taquineries ou les mignardises dont elle emplit en vain le cœur danaïde de Virginia. Nous ne voyons que celle-ci qui pleurniche et réclame, ou bien en représailles se moque du célibat de la vieille fille et de sa manie de charité – maturité et charité automatiquement suscitent en Virginia un grand besoin d'amour. Fatiguées du fracas, elles montent dans l'omnibus. Virginia absorbée par Violet ne se dit pas qu'elle sera toujours la plus jeune.

Violet c'est beaucoup mais ce n'est bientôt plus assez, il lui faut d'autres amitiés. Les chaleurs, les blancheurs de ses amies sont des commotions indicibles et sans cesse renouvelées. Il y a Eleanor Cecil, née Lambton et dite Nelly. Précocement sourde, épouse d'un futur prix Nobel de la paix, c'est une autre déesse dans le panthéon de Virginia ; une autre aînée aussi – quatorze printemps de différence :

rien ne l'émeut davantage que la confession par une femme plus âgée qu'elle de ses failles minuscules, de ses défaites d'autant plus cruelles qu'elles sont dérisoires. Nelly rédige, avec infiniment de sérieux, un roman voué à ne jamais être terminé – Virginia et elle échangent leurs écrits dans le long dos de Violet, tirant les fils de la jalousie à hue et à dia.

Nelly a aussi pour elle de maîtriser le grand monde. Elle surpasse même Kitty en chic, en ce sens qu'elle sait rester simple. C'est pour Virginia une authentique païenne, sauvage et britannique à la fois. Il y a aussi les filles du marquis de Bath : Katie Cromer, autre déesse mais cette fois de beauté – une beauté tout à fait invivable –, et sa sœur Beatrice, dont les manières empêchées font avec sa qualité d'aristocrate un contraste réjouissant. Nous pourrions en citer d'autres mais notre œil s'essouffle aux arrière-plans, il nous faut assumer la subjectivité optique. Ce qui importe, c'est que ces amitiés servent à rendre Violet jalouse, comme Violet sert à rendre Vanessa jalouse. Virginia se répand en déclarations d'amour ironiques dans le but de rendre chacune folle d'elle, mais ne parvient à réveiller que sa propre démence.

Ce matin, a-t-elle lu dans le journal entre mille accidents ou meurtres, on a trouvé le corps d'une femme dans la Serpentine. Elle avait dans sa poche une lettre désolante, expliquant son geste par l'absence – *pas de père, pas de mère, pas de travail.* La perte des parents est sans remède, c'est cela qui est une cause de suicide. C'est cela qui prive tout de sens. Elle voudrait que tout signifie, papier froissé sous son bureau, cadavre d'une phalène au pied de la fenêtre, voix de sa Mère qui ne résonne presque plus, même pas en rêve, noyées inconnues et vies gâchées. Mais toutes les morts s'additionnent pour n'en faire plus qu'une, insignifiante. Midi approche, elle a faim de viande, entrevoit un bifteck fumant, et la vision suffit à étouffer la faim. L'oiseau volette et tombe, la mort sème la zizanie.

D'où vient que les trous prennent tant de place ? Julia et Stella ont-elles, d'être mortes, plus de présence que les vivants ? Les arbres existent-ils davantage, sont-ils plus nus lorsque personne n'est là pour les voir ? Ou au contraire n'existent-ils plus ? La table de la cuisine y est-elle quand personne n'est là pour s'y asseoir ? Qu'est le monde s'il n'y a personne pour le percevoir ? A-t-elle une âme ? Faut-il aller la débusquer au fond d'un lac, comme une fée enfouie dans les profondeurs glaçantes ? En l'absence de professeur, d'exégète académique estampillé, en l'absence de conversations avec de jeunes pairs cultivés – comme elle aimerait être à Cambridge avec Thoby et ses apôtres ! –, il lui faut se débrouiller avec les quelques gouttes de métaphysique qu'elle parvient à exprimer des pages des livres, la seule université valable selon Carlyle qui ne savait pas de quoi il parlait. Mais souvent la concentration lui manque pour aller au bout d'une pensée. Elle a beau s'essayer à l'abstraction, l'image d'une pomme de terre grignotée par un doryphore s'intercale entre la métaphysique et elle.

Elle se sent si vieille. Comment sera-t-elle à vingt-cinq ans, trente, etc. – la question, récurrente, s'effrite sous les mandibules des doryphores. Elle s'imagine, âgée, relisant ses écrits de jeunesse et se donne des conseils à travers le temps. Elle prend des notes sur tout, qui sont vouées à faire paragraphe, page, livre. Elle les classe par thèmes, dans l'ordre alphabétique : un abécédaire complet d'idées, de phrases, de songeries. De mots. Des mots qui s'écrasent sur les pages du journal, dans les cahiers de feuilles blanches reliées, comme des papillons contre une vitre – les mots sont de l'eau, les mots sont des phalènes qui s'envolent pour un instant, s'entrechoquent et se cognent comme les bois des cerfs, se froissent et s'évaporent. Les mots sitôt entrés en matière sont déjà périmés. Les mots sitôt échappés sont déjà absorbés par la terre, comme le grain emblavé du laboureur. Poussera, poussera pas. C'est l'oiseau et son bec dévoreur qui décident. Les mots sont les débris d'une chrysalide renfermant ce qu'elle voudrait dire. Les mots sont de l'eau.

S'ils n'étaient qu'eau boueuse, s'ils ne laissaient que des traces d'ailes poussiéreuses dans la grande affaire de la postérité ? S'ils ne savaient que s'écraser ? Elle craint d'altérer les visions, les sensations, par le simple fait de nommer. Mais il n'est pas d'autre issue pour exprimer ce qui la gorge, ce qui la noierait de l'intérieur si elle ne s'en libérait. Elle écrit avec de plus en plus de régularité, ce lui est un apaisement temporaire. Elle rédige de petits exercices d'observation qu'elle envoie à Violet. Mais elle se désespère elle-même, se sachant trop dilettante, paresseuse et dispersée : son père, la fainéantise en plus. L'effort qu'il faut pour écrire, le désespoir que cela suscite, le combat que c'est de s'y acharner – au lieu de rester à rêver près de la fenêtre ou sur la pelouse, de porter une tasse de thé à ses lèvres et de rire aux plaisanteries d'un invité –, est-ce le signe qu'elle ferait mieux de ne pas s'obstiner, ou est-ce précisément l'inverse ?

C'est que souvent, en plus, ça ne vient pas. Elle gribouille sur son buvard, sa plume perce un trou dans le papier à force de soupirs, elle fait partir du trou une multitude de rayons, des liens qui voudraient unir son vide intérieur à celui des autres. Dès qu'elle approche sa plume de la page elle prend conscience de sa propre nullité, du vide de son existence, à mesure qu'elle creuse l'écriture elle sent combien tout échappe, combien tout est si douloureux et terrifiant qu'il faut un effort monstrueux pour ne pas tout envoyer promener et se contenter de constater le monde et de sourire. Ce sont alors des multitudes de roues de chariot.

Elle lève le nez. Derrière la fenêtre, dans le réel, les gens s'égaillent, en route vers un métier, des obligations quelconques. Elle les envie un instant. Le travail sauve, peut-être, mieux que l'écriture. Sa vie serait bien changée si elle pouvait la gagner elle-même, ne plus dépendre d'un père ou d'un frère, de la séduction à exercer sur l'homme d'une façon ou d'une autre pour obtenir quelques guinées. Elle pourrait vivre où elle veut, dans une roulotte même, sans attache et sans Kensington, sans résidus victoriens, sans comptes à rendre à l'amour épuisant qu'elle porte à Thoby et Vanessa, sans petit frère à négliger – Adrian à son tour vient d'entrer à Cambridge, fracture rouverte ! –, sans père à comprendre, sans demi-frères à tolérer.

Ce que ce serait, surtout, de faire quelque chose de concret pour le monde, qui ait du sens au-delà de soi-même, de l'impasse. Elle pourrait fonder un club, un club efficace, où les discussions auraient un effet sur le réel, où enfin quelque chose pourrait se passer. Ou aider les suffragettes, adhérer au mouvement qu'Emmeline Pankhurst vient de fonder, s'enchaîner aux lampadaires, provoquer des incendies, jeter des pierres dans les vitrines ou couper le fil des télégraphes. L'idée d'une grève de la faim la fatigue d'avance. Virginia soupire, livrée à elle-même, à son insignifiance. Ne se passera-t-il donc jamais rien ? N'y a-t-il rien de plus grand qui l'attend ? Et puis l'on sonne à la porte, ou bien le chien entre.

À la maison toute autorité s'est désagrégée, on sent que Victoria finit de s'éloigner et qu'Édouard contamine les Anglais malgré eux. La tradition, les règles, la souveraineté de la norme tout entières contenues dans un compotier, dans le portrait d'un grand-oncle au regard posé complaisamment sur la Compagnie britannique des Indes orientales, dans un rideau épais aux fenêtres – tout cela ne tient plus. Elle a soupé des tartines de pain beurré, du bleuté de l'atmosphère, du profond respect qu'on éprouve pour le génie. Elle a soupé des thés pris en compagnie de vieilles *ladies* ou de *gentlemen*, tout poètes célèbres qu'ils puissent être – ces poètes qui, bien que sûrs de leur fait, bégayent parfois d'irritante manière. Un monde neuf bourgeonne et s'entrouvre, qui est le sien, un monde où elle entrevoit qu'elle pourrait régner un peu – sur elle-même, pour commencer.

La maladie du père est une ombre qui joue à effrayer puis à refluer, une ombre dont on n'est jamais bien certain de l'apercevoir mais qui pèse, qui obsède à mesure qu'on cherche à l'oublier. Leslie semble aller mieux, mais le regard des médecins a ce flou fuyant qui fait présager d'un pire auquel il est impossible de croire. La maladie de Leslie est une nouvelle tyrannie que subit Virginia : tendue vers son moindre soubresaut, elle vit au diapason du corps paternel. Elle écrit à Violet – elle-même souvent patraque, ce qui arrache des cris de wallaby à Virginia, qui voudrait caresser de son museau tout le corps de son amie. Elle lui dit son inquiétude, qu'elle tempère pour aussitôt la remettre sur le papier. Mais qui sait quelle part de mensonge et de vérité il y a dans ce qu'elle écrit à Violet ?

La maladie est une giclée d'encre qui s'écrase sur la page malgré soi, une parenthèse qui s'impose dans les lettres que l'on voudrait légères. On attend, on ignore, on craint, on espère. Parfois des bouffées d'amour désespéré étreignent Virginia à l'idée de perdre son père. Et puis elle le regarde vivre, là, présent, joyeusement despotique quoique affaibli, et la vie reprend, ce qu'on écrit dans les lettres ne peut pas être vrai, l'inquiétude mise en pattes de mouche est un mensonge et Leslie à nouveau exaspère, avant d'à nouveau inquiéter. Peu à peu il cesse d'aller au jardin, puis ne gagne plus même son bureau, jusqu'à ce que le très gracieux médecin de Sa Majesté laisse tomber le couperet, donnant à Leslie tout au plus six mois de reste.

Pourtant rien ne change, rien ne se voit qu'un peu de faiblesse, et la mort bien que formulée paraît plus loin que jamais. Leslie – ce qui est suspect – est même de bonne humeur. Du moins lorsqu'il n'a pas à subir la commisération des visiteurs ; n'ayant plus grand-chose à ménager, il ne prend pas de pincettes pour faire sentir combien toute miséricorde lui est intolérable. Sa propre sœur en fait spécialement les frais : Caroline, dite Milly, surnommée la Nonne, est une victime de choix pour les moqueries – à proportion qu'elle l'est pour la tendresse. Elle est la rescapée d'un amour ancien et non consommé, qui l'a clouée à son fauteuil et à un ésotérisme mâtiné de dévotion quaker. La sédentarité est d'ailleurs, avec la consommation quotidienne de pâte d'amande, le principal secret de son immortalité. À part cela elle est incommensurablement bavarde, paradoxalement excentrique – elle voit des fantômes, entend des voix et prend un plaisir singulier dans la capture de vers de terre – et résolument larmoyante. Elle distille ses gémissements au chevet de Leslie, qui fulmine.

De l'autre côté du lit, heureusement, il y a Kitty. La belle mondaine a comme toujours les faveurs de l'érudit, à qui elle rend visite dès que la société daigne la relâcher. Ses apparitions sont de minuscules tourbillons d'élégance parfumée, des vapeurs de soie où les remugles inaccessibles de la frivolité flottent et frémissent jusqu'aux narines de Virginia, aussi écœurée que jalouse.

Ces réceptions qu'elle abhorre tout en y aspirant creusent chaque fois plus cruellement le paradoxe. George, désormais secrétaire bénévole d'Austen Chamberlain, traque ces temps-ci les faveurs d'une vieille comtesse, y perdant son honneur et son peu d'intelligence – il cherche une mère à téter plus qu'une épouse. Il passe toutes ses soirées en ces frétillements futiles et s'obstine à vouloir y associer ses demi-sœurs. Quand elle pense que George est dépositaire d'une partie de son passé le plus précieux, qu'il appartient au temps de sa formation la plus tendre, elle éprouve un dégoût, une injustice. Elle observe son demi-frère paradant au milieu des robes longues, promenant ses prétentions de diplomate en herbe et ses tics contractés à Paris, suivi par un Gerald envieux qui, tâchant de récupérer un peu de la lumière artificielle de son aîné, traîne dans son sillage ses rhumatismes précoces.

Ce soir il a insisté à nouveau, en dépit du fait que les

deux sœurs s'arrangent toujours pour le mécontenter – Virginia surtout, qui ne fait décidément aucun effort : il a de nouveau critiqué sa tenue, l'a poursuivie de ses gros yeux frits. La soirée a été une catastrophe. Elle avait pris la résolution de s'essayer à parler, enhardie par les conversations qu'elle commence à mener hors du cercle familial. Elle découvre le pouvoir des mots en société, et parle. Sa voix est incontrôlable, comme un garçon en mue elle a des pointes aiguës involontaires, humiliantes, mais elle parle. Elle craint de parler trop fort et donc ne parle pas assez fort, mais elle parle. Elle finit inévitablement par parler trop, par parler à tort et à travers. George lui reproche cela aussi – elle a discuté de Platon à table, c'est inconcevable. Son érudition est hors de propos, de même que ses opinions peu amènes sur la guerre et la grandeur de l'Angleterre, de même que ses plaisanteries à double niveau qui sont au mieux incomprises, au pire choquantes : la bouche d'une jeune femme doit mâcher sept fois ses mots avant de les taire.

Elle a été trop brillante et drôle et elle en a eu honte, elle s'est excusée avant de recommencer. Elle ne peut résister ni au désir de montrer son intelligence ni au besoin de se livrer. Cherchant l'amour et l'approbation d'autrui, elle se livre avec excès, à présent qu'elle parle elle parle trop, elle écoute trop aussi, absorbant la vie, la voix des autres, se faisant dévorer. Elle souffre de ce manque d'étanchéité, de s'offrir ainsi en pâture au jugement des autres, mais c'est plus fort qu'elle, il lui semble que c'est seulement ainsi qu'on la reconnaîtra pour ce qu'elle est. Mais nul ne la reconnaît vraiment, nul ne peut encore la reconnaître.

Accablée de soi, des autres, elle a fini la soirée en lisant dans un coin.

De retour dans sa chambre elle se promet de faire plus attention à l'avenir, se déshabille dans le son des grillons qui est celui des étoiles en été. Elle regarde le ciel, convoque les quelques rudiments d'astronomie que lui a transmis sa Mère. Les étoiles bizarrement passionnaient Julia. Son beau visage, ce refuge, se penche sur Virginia allongée, elle sent le poids plume s'étendre auprès d'elle et se recroqueviller. Les étoiles crissent, étendue sur son lit étroit aux rigidités de tombe elle écoute la nuit. Peu à peu son peignoir ouvert, ses cheveux retombant sur son front, le souvenir de quelques bribes échangées assouplissent sa couche. Il fait poisseux déjà, l'air est lourd de parfums âcres, la chaleur de juin pèse et grille toute volonté. De la musique parvient jusqu'à son oreille par la fenêtre ouverte, des violons eux aussi pesants, des archets qui vrillent l'ouïe délicate : c'est un bal. Autant les musiciens de rue qui dérangent les bourgeois de Kensington l'amusent, autant voir son sommeil déjà rétif empêché par le plaisir des autres – rires, bavardages, musique ou froufrou des robes – la crispe. Elle appelle ses Grecs à l'aide, attrape Euripide ou peut-être Sophocle mais les voix des morts se mêlent aux bruits des vivants, Antigone est enterrée sous les arbres du jardin, elle repose son livre, tente de charmer l'insomnie par l'immobilité. Elle se fait racine, tronc d'arbre, tige où passe la sève des draps.

On frappe doucement, la porte s'ouvre. George entre dans sa chambre, tout sourires et bacchantes. Il s'assoit sur le lit qui se creuse sous son poids. Le demi-frère sourit, la demi-sœur se replie un peu. Le demi-frère invite, paternel, la demi-sœur à ôter le peignoir, il est temps de dormir et par cette chaleur – il ne sort pas de la pièce. Une main se porte à la moustache pateline où tremblent des ardeurs, l'autre main se tend. Nous ne voyons pas les faits couverts d'un brusque voile, d'une brume atmosphérique et laiteuse dont la résistance durable signe notre impuissance.

L'écriture désormais sauve, elle maintient le voile en place. Virginia s'est lancée dans un projet de courts textes, de descriptions à mi-chemin entre le journal et les nouvelles. Il y aurait des chapitres, un index même, narrant expériences ou excursions. Par exemple elle raconte que c'est juillet, que l'on met enfin à exécution le projet formulé depuis des mois d'aller à Hampton Court, la résidence royale, que feu la reine du siècle a ouverte au tourisme. En chemin – il faut prendre le bus jusqu'à la gare de Victoria, de là un train traversant des faubourgs ouvriers mène à Kingston où l'on grimpe dans un nouveau bus traversant de royales prairies (nous qui sommes capables de vues aériennes constatons ce trajet avec nostalgie et gourmandise) – on prend des airs de circonstance, professeur en retraite ou veuve se désennuyant pour oublier la proximité de la mort. Derrière la vitre du train, des scènes. Femmes penchées sur des berceaux, orphelins défilant sous les fleurs blanches de l'innocence, bonnes sœurs déambulant dans les cloîtres, mariniers se livrant à leur toilette. La vision d'un torse nu, couvert d'une mousse onctueuse, ne la lâche plus de la journée. Tandis qu'elle visite le château, le trouble teinte ses joues plus sûrement que les lueurs du grand bâtiment brique.

Dans les allées plantées d'ifs qui tranchent les pelouses où flottent de petites fleurs lumineuses ; au bord de la rivière qui pousse ses appels vertigineux ; au creux des labyrinthes de feuillages comme dans les hautes pièces sombres et mal reconstituées ; partout elle plisse les yeux pour se persuader qu'elle est seule, ou que les cockneys rougeauds qu'elle croise sont d'élégants gentilshommes à épée, de belles dames portant brocart. Le ridicule du voyage touristique le dispute au plaisir de se projeter dans des temps anciens, fertiles en images romanesques et en rêveries barbares. Elle voit passer des silhouettes massives et rousses derrière les tentures, elle entend le froissement des longues traînes, des mantes clandestines venu d'un monde où la brutalité des rois n'a d'égale que la rouerie des princesses.

Le passé s'évanouit dans le cri d'un vendeur de souvenirs. La lumière change et la pelouse est jonchée non plus de fleurettes étincelantes mais de feuilles réparties à intervalles réguliers. Comme si on les avait volontairement, poétiquement, élégamment disposées dans cette britannique et désespérante symétrie. Il est temps de rentrer.

Les jours d'été passent, porteurs de rien. Elle retourne à Cambridge avec Leslie et Vanessa. Elle appréhende et désire cette visite, outre son cher Thoby elle va revoir et peut-être enfin discuter avec ses camarades, de vrais étudiants, des hommes presque, et il faut prouver au frère adoré que l'on est en mesure de participer à une conversation. Mais, bien qu'ayant attendu ce moment-là pendant des mois, espéré ce partage et répété mille fois les mots à dire, bien qu'ayant écrit des lettres farcies de radotages littéraires, de bavardages qui tachent le bout des doigts, frustrés de ne pas s'éployer dans l'échange, malgré tout cela eh bien l'on reste hébétée, bouche bée au milieu de cette foule de jeunes gens qui semblent si assurés.

Les Stephen se promènent, doctes ou soumises selon leur sexe, sur les pelouses impeccables des Backs. Thoby parle et parle, il les bassine avec son Moore et ses paradoxes confus. Leslie tente d'asseoir son autorité d'aîné et de reprendre la parole, après tout il est passé par là ; il sait pourtant que c'est inutile, que les aînés ont beau essayer de la faire aux plus jeunes, de leur confisquer leur présent pour s'assurer qu'ils n'appartiennent pas tout à fait au passé, l'histoire des uns ne profite jamais aux autres. Les filles écoutent, regardent les mots de Thoby qui s'élèvent, la fracture qui s'élargit au-dessus d'elles, béance dans l'air saturé d'éminence et de culture.

De retour dans la chambre de l'étudiant, on devise, on admire les petites installations dédiées au savoir, lorsque quelqu'un frappe à la porte. Entre un jeune homme trop grand, tremblant comme un quaker, aux traits sémites et anxieux d'intellectuel sans le sou. Tandis que Leslie l'interroge sur ses études, il jette de brefs coups d'œil un peu rapaces vers les formes généreuses de Vanessa. Les lignes ovales de son visage font d'elle la version féminine de Thoby, le barbare que le jeune Leonard admire tant. Mais il scrute l'autre des deux jeunes femmes, la plus mince, avec autant d'intensité ; ce que c'est pour ce juif à la sensibilité extrême que ces deux longues formes vêtues de blanc, drapées dans leur timidité et leur intelligence. Mais Virginia ne se préoccupe pas tellement des admirations de ce Leonard. (Le voile retombe, ce sera pour plus tard.) Bien sûr elle aimerait fréquenter plus d'hommes pour avoir des conversations ; mais l'amitié entre les sexes reste assez inconcevable. Et les apôtres considèrent les femmes comme une espèce distante, un peu répugnante et fascinante à la fois, une source de fantasmes qu'il ne faut surtout pas concrétiser sous peine de se haïr ou de glisser dans le sombre.

C'est août, ce sont d'autres vacances d'été, du côté de Salisbury, sa cathédrale – point de vêpres mais des annonciations anglicanes contre des piliers, pour un peu l'on se convertirait –, ses promenades dans les prairies et ses entretiens avec des moutons. Au début cette foule d'ovins apparaît à Virginia comme une masse compacte et vague, innombrable, de destinées insignifiantes. Après quelques semaines de conversations elle reconnaît chacun d'entre eux et la disparition d'un seul, qui l'eût d'abord laissée indifférente, l'inquiéterait à présent autant que le berger lui-même.

Ce sont aussi quelques excursions thérapeutiques : Stonehenge et son cercle d'où la magie aujourd'hui a disparu, Romsey et son abbaye où la magie n'a jamais été palpable, ou encore Wilton et ses jardins, sa manufacture de tapis fantômes et surtout sa résidence comtale, noble demeure où des générations de Pembroke continuent d'étirer des jours éternels de splendeurs épuisées. (Nous qui arpentons les chemins, traquant guenilles et échos, nous émerveillons de ce qu'ils ne se sont pas tous éteints.)

Leslie, que l'on trimballe en ces lieux par désespoir ou ennui, est de plus en plus fatigué. Il ne peut marcher plus de quelques minutes de suite, mais les médecins l'encouragent à faire ce qui lui plaît plutôt qu'à s'économiser. Bien qu'il puisse prendre la carriole de temps à autre, les excursions se raréfient. Il est loin le temps des grandes enjambées, et la nostalgie de la vigueur étreint. Reste l'air du jardin, où l'on se tient autant que possible, bravant la pluie s'il le faut – l'Anglais est d'une matière plus étanche que le continental –, mais c'est un air stagnant, crapuleux presque. Dans cette claustration où la mort bien que tue ne cesse de rôder, Virginia, assignée à résidence auprès de son père, se fait une amie de l'infirmière ; ce sont de longues discussions dont elle se vante dans les lettres à Violet, pour continuer de la rendre jalouse. Notre œil, aussi aérien, panoramique soit-il, ne sait pas lire entre les lignes de la correspondance des deux amies. Nous distinguons des promesses enfantines de lit partagé, des profondeurs volcaniques qui dans ce fouillis d'entre-lettres possibles restent, hélas, aussi inconnues qu'indicibles.

C'est septembre. Une tempête mémorable a ravagé l'Europe du Nord. Elle imagine que le climat en vienne à se déchaîner au point de ramener le monde à son état préhistorique. Elle se voit entourée de rhododendrons et de fougères géantes, menacée par le fracas d'animaux invraisemblables. Leslie décline, on rentre à Londres. L'attente reprend, le mutisme exaspérant de la médecine. C'est à l'impasse que l'on est désormais assigné, accablé de visites – Kitty se fait plus présente, la tante Caroline gémit de charité entre deux reniflements. D'autres relations encore, plus ou moins encombrantes, sont là qui défilent dans la chambre du malade où, pour le bien de tous, nul ne s'attarde. Accablée, Virginia l'est aussi :

> par l'absence de Vanessa qui, quand elle n'est pas à l'atelier ou occupée avec les modèles qui viennent poser – parfois nus – dans l'impasse, se plonge en

d'intenses conciliabules avec Jack, leur relation n'est toujours pas bien claire ;

par l'absence de Thoby, tout à ses conversations, de celles qui forment l'esprit et dont on n'a jamais vu que l'agonie d'un père doive les interrompre ;

par l'inutilité de George qui, ayant mis un frein à ses mondanités dans l'espoir de fonder un foyer respectable, erre bras ballants dans la maladie de son beau-père ;

par Adrian qui…

mais où est Adrian ? Nous avons beau regarder, poser un œil lucide et distant sur les choses, nous ne l'apercevons même plus. Adrian a vingt et un ans, mais l'enfance dérobée fait barrage à l'homme. Manger semble être pour l'heure sa seule manière de continuer à exister parmi les cendres et, surtout, à supporter que son père meure autrement que sous ses propres coups. La maladie de Leslie et son éloignement suscitent chez Virginia un élan d'affection envers le petit dernier. Mais rien de vraiment durable, la maison est habitée de courants d'air.

Les mois d'automne passent dans cet étirement de l'angoisse, cette impatience de banquise gelée, la résignation restant la moindre des douleurs. Le sursis est un soulagement et une malédiction chaque jour renouvelés. Rien ne change à l'œil nu, on ne voit rien de ce qui bouge en dedans du corps paternel mais la médecine assure que c'est inexorable, et l'on sait qu'elle a raison, il suffit d'écouter ce saisissement aux entrailles qui ne lâche pas.

Le manoir est devenu ce corps du père, dont on ne peut s'extraire pour le moment, même si l'on fait des plans pour le jour où cela sera possible. Leslie tient un journal sporadique, échos brisés des mémoires qu'il avait entamés à la mort de Julia. Il parvient même à travailler un peu sur son *Hobbes* – un dernier livre pour la route.

Quand il songe que ses enfants commencent seulement à être capables de soutenir une conversation, et qu'il ne verra pas quelles grandes œuvres ils accompliront, il en crispe ce qui lui reste de muscles, en perd ce qui lui reste de souffle. Il ne se plaint pas vraiment, il est faible sans colère ni douleur, joyeux presque. Impatient, peut-être. Mais la vie avec lui est un nouvel enfer, plus calme et plus angoissant. Sa tyrannie, dont l'abrasif s'est dissous dans la maladie, s'exerce depuis le lit, rampe et emplit les couloirs de la vaseuse odeur de la culpabilité. Ce matin, il a exigé de Virginia qu'elle écrive son journal sous sa dictée. Ce sont ses derniers mots, des adieux, où il souligne moins l'amour qu'il aura porté à ses enfants que celui qu'ils auront eu pour lui. Écrire à la place du grand homme désormais incapable de le faire lui-même la trouble profondément. Elle est seule face à ces mots, du plomb accablant le fond des poches.

Décembre passe à son tour, dans une anesthésie de toute pensée. On navigue, muet, entre le sommeil et la fièvre, les forces qui vont et viennent, l'inquiétude et la hâte, la routine et l'invraisemblable, l'incertitude des médecins et la conviction du ventre. La grosseur grossit, la tumeur s'étend, le dos s'élargit à la surface du lac. On prescrit à tout hasard une cure de lait – solution à tout – au pauvre Leslie qui ne méritait pas cela. On attend, on espère, on craint. La vie en dedans continue, mais c'est merveilleusement difficile.

C'est Noël et nous pouvons raisonnablement affirmer que tout le monde s'en fiche, Virginia la première. Les illusoires féeries ont depuis longtemps cessé de réjouir ses yeux et de réchauffer quoi que ce soit.

Pourtant on fait comme d'habitude, les garçons vont même chanter pour le nouvel an. Virginia prend un moment de liberté pour se promener dans Regent's Park, elle passe devant le zoo et se souvient de son enfance, lorsqu'ils distribuaient des buns et des pommes aux animaux, cherchaient l'œil louche de l'alligator dans l'eau stagnante ou la flèche du léopard dans les feuillages moites, s'extasiaient devant la magie compliquée des insectes exotiques. La silhouette de Julia passe, frêle et sévère, dans la brume du soir qui tombe, elle frôle de sa robe les barreaux de la grande grille.

Virginia quitte le parc, elle continue à travers Westminster où Big Ben met du plomb dans l'air, il est quatre heures tout juste. Elle passe devant la gare de Paddington. Comme il serait joli et sauvage de sauter dans un train pour les Cornouailles, de quitter l'assignation à résidence pour retrouver la mélancolie des falaises, du vent, des vagues. Bientôt, peut-être. La maladie du père fait songer à un avenir, la fin de Kensington est en vue. On visite ces temps-ci des maisons sinistres dans le sinistre quartier de Bloomsbury – les deux couvées ont prévu de se séparer, il n'y a plus grand sens à vivre avec les deux aînés, le lien est aussi hémiplégique qu'incestueux. Bien que cela soit censé rester privé – sa manie de trop s'épandre –, Virginia ne peut s'empêcher de parler à Violet de ces projets d'avenir. Elle n'est pas femme à dissimuler, surtout à celle qui est son miel, son phare.

Mais la recherche éreintante d'un lieu où vivre, la perspective de déménager avec ce que cela implique de fastidieux, les larmoyances du père, tout cela fait bien trop de tumulte et de fatigue en elle, une immense torpeur la saisit – où naît, comme toujours, un seul et unique désir, celui de lire. Elle est seule au moins dans ses livres et n'a aucun compte à rendre, pas plus aux soucis domestiques qu'à l'émotion. Elle lit Euripide toujours, James, Hardy, Boswell, Bacon et Montaigne, dont Thoby lui a envoyé une belle édition en prévision de son anniversaire. La joie de posséder toutes ces connaissances lui ferait pousser des cris s'il ne fallait pas chuchoter en ces mois où la maladie s'étale sur les jours, gluante, interminable – on préférerait presque voir la gueule du monstre s'ouvrir brusquement, comme il y a huit et six ans, que ce morceau de dos qui n'en finit plus d'affleurer, avec lequel il faut dîner, souper, prendre le thé, dormir.

Tandis que Marie Curie est la première femme à recevoir un (demi-)Nobel, que Beatrice Hastings devient la maîtresse de Katherine Mansfield et que meurent Calamity Jane, Paul Gauguin et Camille Pissarro ; tandis qu'Édouard VII va semer à Paris les graines de l'Entente cordiale et qu'Emmeline Pankhurst fonde l'union des suffragettes, naissent Marguerite Yourcenar, George Orwell et Silvina Ocampo, Raymond Queneau et Irène Némirovsky, Mark Rothko et Otto Abetz, Georges Simenon et Vladimir Jankélévitch. Le bas du rideau point dans les cintres, couleur d'automne.

1904

Virginia fume – une cigarette roulée, ou la pipe que lui ont recommandée les docteurs pour ses vertus apaisantes, ou peut-être un petit cigarillo de marque Voltigeur. Son père se meurt, c'est interminable. La main admirable de Virginia se moire des lueurs du feu dans la cheminée. La blancheur de la main lui rappelle combien elle est intacte, et cette intégrité agace encore son impatience à voir les choses commencer. La flambée absorbe les volutes blanches et âcres, le regard se perd dans les ombres des portraits accrochés au mur. Vêtue d'une liseuse, elle est assise dans l'un des fauteuils à oreilles – six –, entre les divans – deux – et les hautes fenêtres – trois – qui donnent sur la rue. À l'horloge, les fines caravanes des aiguilles traversent le désert du cadran.

Pour conjurer l'insoutenable désarroi de la pendule, Virginia fixe le blanc entre les chiffres puis de nouveau regarde sa belle main, le pouvoir de cette main, cette main intacte. Elle regarde la fumée qui tourne autour et qui provient de son propre corps, qui vient de Virginia, si toutefois ce nom signifie quelque chose. Elle regarde la fumée et la blancheur et trouve que c'est beau, elle se dissout un peu dans toute cette beauté, y dissout le dégoût qu'elle a d'elle-même et l'interminable agonie de son père. Mais la beauté des choses tient à un fil, d'un instant à l'autre elle peut basculer. Soudain, de sublime et fécond le monde lui apparaît dans toute sa vilenie : une humanité dépourvue de sens, tantôt grouillant parmi des bâtiments qui suintent l'âme crasse de ceux qui les ont édifiés, tantôt errant dans une nature irresponsable et cruelle.

Elle a eu vingt-deux ans la semaine dernière. Les anniversaires sont des obstacles dans une course au ralenti, des détours qu'il faut faire et qui épuisent le désir de vivre. Ce sont des moments où l'autre se rappelle à vous, vous prévient de toute illusion selon laquelle le monde serait extensible et la liberté possible. George lui a offert une broche en émail qu'elle est vouée à perdre : dans les ronces, sur une plage – il faudra aller la chercher sur les rochers gluants au risque d'être emportée par une vague – ou en déambulant dans les galeries d'une demeure très ancienne. Vanessa, elle, a peint une petite toile la représentant en train de lire. Violet qui aperçoit le génie luire dans l'œil bleu vert noir, émaner de la démarche un peu ridicule, Violet en guise de cadeau lui a donné un baiser, avant de s'enfuir en rougissant. Virginia regarde sa main enveloppée de fumée et songe à ce baiser. Sa main se teinte d'un peu d'incarnat.

Leslie faiblit. Chaque jour voit fuir une nouvelle vague de ses forces, les traîtresses. Il a encore, comme on dit, toute sa tête et ne souffre que de voir la mort marcher si cérémonieusement vers lui, si lentement et si sûrement.

Virginia fume et sait que son père réprouverait cette habitude, qui ne sied pas à son sexe. Coupable, son œil fuit la cigarette – c'est donc une cigarette –, attrape une marque sur le mur. Elle scrute la forme noire, plisse les yeux, ne devine pas d'où vient cette empreinte dans la régularité du papier peint crème où flottent de petites roses gaufrées. Elle revient à sa main. Y luit l'émeraude ayant appartenu à Julia – il faudra la faire nettoyer –, que Leslie lui a offerte le jour de son anniversaire. D'un geste en cours d'évaporation, il a désigné le coffret où elle a prélevé son cadeau. Sa première bague lui est mise au doigt par son père, mais elle lui vient de sa Mère, c'est l'écho dans le présent de sa voix pâle et ferme. Nous ne sommes pas dans les petits papiers des ancêtres, mais peut-être cette bague a-t-elle été transmise de femme en femme, suivant la lignée de beauté. Soudain c'est clair. Il faut en finir avec cette beauté qui est un poids, un empêchement, il faut faire un sort à cette beauté qui hébète et maintient dans le silence. Il faut être capable de l'injurier. Son regard quitte sa main admirable pour s'abaisser vers son long corps – ses genoux font des angles disgracieux sous le vilain tissu vert –, l'œil fuit les genoux, va aux chrysanthèmes à la fenêtre à sa main, il est temps d'écraser sa cigarette et de vérifier ce qu'est cette marque sur le mur. Peut-être, simplement, un fossile de l'enfance.

Leslie voudrait mourir, elle sait qu'il ne souffre pas mais quelle angoisse de voir ainsi lucidement se profiler sa propre fin inexorable, et affreusement lente ; elle se promet de consacrer beaucoup d'énergie à épuiser son corps, pour s'assurer de mourir plus rapidement le moment venu.

Virginia écrase sa cigarette dans le petit cendrier, remarque la tache brune qui s'élargit sur le napperon. Elle a voulu faire du thé, a trop rempli la théière et posant le couvercle a fait déborder l'eau. Ces petits décalages de la matière lui rappellent sans cesse qu'elle n'est pas au monde. Nouvelle ritournelle. Est-il possible de connaître l'amour quand on est aussi peu au monde ? – il suffit, ces questions ne sont pas, ne peuvent pas être à l'ordre du jour. Elle regarde la cheminée. Le feu s'est éteint. Les cendres froides sont une mélancolie inimaginable. Leslie meurt.

Le mois de février est sur le point d'achever quand enfin, dans un coassement muet, la mort l'attrape, après une matinée de lecture – un poème de Thomas Hardy et un article sur Shakespeare – suivie d'un après-midi de marmottements et d'une nuit d'inconscience. Tout est calme. Leslie simplement tourne le dos et Virginia comprend qu'elle ne pourra plus le voir qu'ainsi – de dos. C'est un soulagement, une jubilation, une terreur, un nouveau désastre aussi. Tout l'amour ressort et de sa force neuve lamine le ressentiment. Pour la peine, le Père retrouve provisoirement sa capitale. Leslie meurt et ignorera à jamais qu'il est sur le point de devenir, pour la postérité, un *père de*. Cette fois, tout le monde va à l'enterrement. On a eu le temps de s'y préparer. Nous voyons un bras jeter sur le cercueil un bouquet de violettes.

Quatre jours après la mort de son Père, Virginia se rend à la London Library dans le but de souscrire un abonnement – à vie, c'est ainsi que l'on se soumet au savoir. Les travées enfin lui sont accessibles sans l'ombre paternelle, elle entend en profiter. Dans l'omnibus qui la conduit là-bas, elle s'assoit non loin du chauffeur – son Père est mort mais les omnibus continuent à rouler, son Père est mort mais elle continue à prendre l'omnibus –, elle ne pense pas à son âge, elle pense à ce que c'est que d'être chauffeur, se demande si comme sa Mère le craignait l'on a forcément froid aux pieds. Elle voudrait rassembler les échos de cet homme et se rend compte que cela lui est désormais possible. Elle observe les gens grimper dans le bus, se tenir aux barres de nickel, se fâcher ou rire alors que son Père est mort, et comprend que c'est bien cela qui nous tue, cette manière que chacun a d'oublier sans cesse qu'il court à sa perte.

La bibliothèque est tapie dans un coin de la place St. James's. Virginia monte les quelques marches, tire la lourde porte en bois, pénètre dans le hall et d'une voix un peu enrouée demande un formulaire. Dans le courage que lui demande son geste, elle pressent toutes les difficultés à venir – l'angoisse d'abîmer un livre, pire, d'oublier de le rendre et de devoir affronter le regard méfiant de l'homme au bureau d'emprunt, l'ambiance enfumée, mâle, le désarroi de constater que tous ces volumes noircis par de grands hommes ne sont peut-être pas aussi pourvus de génie que ce qu'on lui a fait croire.

Mais elle sent aussi la gourmandise, la promesse de sérendipité, la légitimité peut-être. Elle inscrit sur le formulaire la date du jour, son nom, son âge, son adresse qui est encore le vieux fond de l'impasse, sa position dans le monde – *spinster*, qu'avec un soupçon de mauvaise foi il est possible de traduire par *vieille fille*. Elle signe. Pendant que le préposé finalise les derniers détails, elle regarde autour d'elle. Son œil tente de percer le bois des classeurs où sont répertoriées les merveilles, qui dorment dans de petits tiroirs multipliés en attendant que les doigts maigres viennent les compulser. C'est le genre d'endroit où l'on peut se faire enfermer dans les toilettes pour dames si l'on ne prend pas garde à l'heure de fermeture. Elle remercie et sort. En traversant le parc pour rentrer chez elle, une nouvelle brise gonfle sa poitrine, un effluve adulte et libre.

Peu après, la famille en lambeaux file sur la côte galloise, en hommage aux grandes enjambées paternelles. L'endroit, dont l'attrait principal est sa gravité, est une autre fin des terres, frappée d'une mélancolie qui fait songer aux Cornouailles. Il fait beau. On marche des heures le long des falaises, on se laisse bovinement aller au soulagement qu'apporte la fin de l'attente. Et puis la mort est bien plus digne, et donc le deuil plus tolérable, face à la nature que dans les fumées du macadam. Elle écrit, elle songe à écrire en tout cas, tâche d'imaginer ce que serait ce livre qu'elle pourrait écrire. Les visions se précisent en regardant l'horizon, en voyant un grand navire traverser, en songeant à ses fantômes et à la jeune femme qu'elle est, en imaginant la femme qu'elle sera. Elle veut écrire aussi pour s'assurer qu'elle n'est pas tout à fait folle.

Car à mesure que les jours passent, Virginia remue maladivement d'absurdes pensées, fantasmes de vie meilleure avec son Père, songeries mêlées de culpabilité et de regrets stériles. S'il avait seulement vécu, elle lui aurait dit combien elle l'aimait, ils auraient été heureux enfin. À la seconde où Leslie meurt, il s'idéalise, *nihil nisi*, etc. Elle peste contre les nécrologies qui ne peuvent lui rendre ce Père fantasmé, contre les faire-part qu'il faut écrire et qui sont forcément au-dessous, contre les condoléances qu'il faut recevoir et qui enterrent un peu plus profondément le Père, devenu soudain indispensable dans la capitale recouvrée.

Mais la mort du Père est aussi une grille qui s'ouvre et

dont on craint sans cesse qu'elle ne se referme : il faut agir tant qu'il est temps. Elle a vingt-deux ans, un degré d'instruction sexuelle proche du néant, n'a pas même connu un baiser d'homme, et la mort a rendu caducs bien des pans de son passé. L'enfance à St. Ives, les moments suspendus dans la gloire dégingandée de l'adolescence, les troubles envers des hommes ou des femmes plus âgés, ces gros blocs de nostalgie doivent être sublimés sous peine d'entraîner par le fond. Les mois qui suivent sont un lent branle-bas.

Les premiers temps, l'angoisse ne portant plus, on tourne et vire, on s'éparpille, chacun des membres de feu la couvée se jette dans les pattes de l'autre qu'il ne supporte plus et réciproquement, tous tiennent ensemble malgré eux par une douleur qu'ils ne savent plus partager, chatons dans un sac de jute. Puis la nature fait son effet, les cartes sont rebattues et chacun pétrit sa place, son petit endroit où ranger ses peurs et les protéger d'autrui, on recrée les conditions de vie possible avec l'amputation d'un nouveau membre – et quel membre. Chacun réagit selon qu'il est pressé d'en finir ou qu'il refuse de voir que tout commence. Gerald achève d'enterrer l'éminent victorien en publiant dans sa maison d'édition ses derniers textes, des conférences sur la littérature et la biographie de Hobbes. Thoby et Vanessa se mettent en tête d'organiser un voyage sur le continent. C'est le premier effet de la mort du Père : s'autoriser à traverser – a-t-on lu transgresser ? – des frontières. Un baptême pour Virginia, si l'on excepte le court séjour sous hypnose dans le nord de la France, peu après la mort de Julia. C'est un rêve, une excitation – soudain elle se souvient qu'elle ne verra plus son Père, la bovinerie revient – aussitôt chassée par des visions de gondoles, d'ocre et de soleil.

Le voyage en train est infini. On passe le Saint-Gothard où l'on ne trouve, comme Rimbaud trente ans plus tôt, que du blanc à songer. À Venise – où il est inutile d'aller en famille, les ruelles ne vous laissent marcher que deux par deux –, on découvre la magie et sa contrepartie, la duperie. On tâche de camoufler la britannité et pour un peu, avec trois grains de raisin dans les cheveux, on se croirait italien – pas trop longtemps quand même, car les villes romantiques ne siéent guère aux couvées, disloquées ou non. À Florence, qui ne vaut pas Canterbury, on croise plus de connaissances qu'on ne le souhaiterait – il faut bien que, dans le bon million d'Anglais qui traversent la Manche chaque année, s'en trouve un quota venu de Kensington. On fréquente les mêmes hôtels, cafés, terrasses et places : l'ennui de frayer avec ses compatriotes est aussi une pose, qui dissimule le soulagement de retrouver un peu de familiarité parmi ces Italiens incompréhensibles, bestiaux et superstitieux. Heureusement que Violet est là, car l'humeur de Virginia menace sans cesse de tourner à l'orage.

On traverse une nouvelle frontière. À Paris on rencontre d'autres congénères, en particulier un ami de Thoby, un certain Clive Bell. Il ne lâche pas d'une semelle Vanessa, dont le visage fermé et le violent désir de mourir debout devant son chevalet, un pinceau entre ses longs doigts bagués, ne semblent pas le rebuter. Virginia, jalouse de l'un comme de l'autre, est nerveuse, en fait des tonnes, minaude auprès du jeune homme. Le voyage lui tape sur les nerfs. Elle voudrait être ici quand elle est là, là quand elle est ailleurs, elle est colérique, maladroite, puérile. Clive emmène la fratrie visiter l'atelier d'Auguste Rodin. Le sculpteur leur ouvre sa porte, leur laisse le champ libre, sauf ces statues là-bas, inachevées sous leur tissu, on n'y touche pas. Virginia se précipite, déshabille l'une des sculptures interdites. La grosse paume calleuse du vieillard s'abat sur sa joue. Tout le monde est sidéré. D'où nous sommes nous ne voyons qu'un visage crispé, impossible de dire si elle pleure ou rit des conséquences de cette première transgression, de cette désobéissance face aux vieux maîtres. Le voyage s'achève, il est grand temps de rentrer.

C'est mai, le neuvième anniversaire du désastre, que pour un peu et à force de frontières nous allions oublier. Un énorme craquement en elle annonce que la bête est sortie du lac, elle est bien là cette fois qui rugit, déchiquette, mord ce qui passe à sa portée féroce – tout l'été est une folie. Savoir si c'est un autre effet de la mort du Père ne nous avancerait pas d'une coudée, et surtout ne calmerait pas le monstre. Ce sont d'abord les visions et les voix rêvées qui se multiplient, puis les cauchemars qui tournent en insomnies, puis très vite l'horreur éprouvée devant toute nourriture – dans l'assiette présentée, l'esprit ne voit que putréfaction et excréments. Ce sont les hallucinations, la pensée qui brûle, erratique et obsessionnelle. Des oiseaux infernaux, cruels, hurlent dès l'aube leurs imprécations en grec. Édouard VII ne la laisse pas en paix une minute, le diable seul sait ce qu'il fait dans le jardin de Violet où l'on a préféré transférer l'inquiétude et la démence – personne n'a le loisir ni la force de prendre tout cela en charge.

(Ici arrêtons-nous pour confesser notre impuissance et

notre lâcheté. Nous avions beau savoir combien il importait de surveiller le monstre, nous avions fini par nous faire à ses affleurements et c'est à peine si nous y prêtions encore attention. Nous avons été de bien mauvais témoins, qui ne voyions que ce que nous voulions voir. À trop guetter la littérature, nous en avons oublié que la détresse n'est pas seulement matériau mais frein et empêchement et occasion mortelle. Nous en avons oublié que l'art ne sauve pas de tout. Notre impuissance est tout entière dans notre oubli de l'arrière-plan et de ce qu'il peut renfermer de grouillant et de lacustre, de ce bokeh où pèsent les figues, l'arbre généalogique, les injonctions, les incestes, les démences qui circulent dans les branches comme un sang corrompu. Notre impuissance est tout entière dans notre obstination à négliger ce flou que nous avions choisi de ne voir qu'artistique. Reprenons.)

Elle passe ces mois forcenés dans le cottage de Welwyn – l'arbre rouge, l'ombre verte des bois tout proches, les champs d'asphodèles et d'amarantes. Il n'y a que chez Violet qu'elle peut trouver le réconfort. Nessa n'en peut mais des crises de sa sœur, et puis elle est occupée ailleurs, la peinture n'a pas de temps à perdre avec le lait. Thoby aussi a d'autres horizons à peindre, qui construit son avenir d'homme. Quant à Adrian, il s'obstine à déplacer ses lourdeurs superflues, errant de pièce en pièce. Malgré les soins de son cher kangourou et des trois infirmières qui veillent sur elle, Virginia sombre. C'est, même, le saut par la fenêtre : comme Thoby dix ans plus tôt. Le saut est dérisoire – un seul étage – et d'autant plus tragique. Le monstre est à demeure. Elle est irrémédiablement installée dans le rôle de celle pour qui l'on s'inquiète.

L'enfant fragile est devenue l'excentrique, plus fragile encore de devenir elle-même. Ce n'est plus tant le corps qui est en cause que ce que l'on ne voit pas et qui pourtant ombre.

En septembre George se marie avec la fille de la comtesse, une dame ennuyeuse vouée à le rester, et achève de devenir le conventionnel épais qu'il tend à être depuis quelques années. Il disparaît du paysage de Virginia, qui n'assiste pas au mariage – elle ne l'aurait pas souhaité mais de toute manière on la tient à part, on ne lui fait pas confiance, on sent à son approche l'odeur de la bête. On tâche malgré tout de reprendre un rythme, à l'occasion de vacances à la campagne on cale sa vie sur une hygiène qui tient le monstre coi. On fait des marches immenses, infinies, qui nettoient du manque du Père. Ça va mieux, dirait-on, la gourmandise d'enfance fait même une brève réapparition. On se dit que la crise était celle après quoi tout peut commencer, un soubresaut nécessaire pour chasser définitivement l'enfance. On songe de nouveau au grand livre que l'on ne manquera pas d'écrire, tant soudain on aime la vie, on ne veut plus jamais la quitter. On se le dit pour reprendre du poil et surmonter la bête, mais l'été était un avertissement et l'urgence est de plus en plus grande de s'y mettre, si l'on ne veut pas finir à claudiquer dans le désert en attendant l'heure de monter à bord.

Pour éviter Londres qui à tout coup réveillerait la bestiole, on prolonge par un séjour à Cambridge en octobre, chez la tante Caroline – la Nonne –, dont la compassion va parfois dans le sens opposé du bénéfice escompté. Elle pleure quand on pleure et gémit quand on gémit, ce qui ne console pas mais demeure un asile provisoire. Virginia se refait une santé, reprend un peu de sommeil malgré les sermons, les gémissements et les biscuits éventés de la tante – heureusement Violet là encore n'est pas loin, qui envoie des provisions à son Moineau.

Pour se panser, Virginia accepte de contribuer depuis ses eaux noires à édifier un monument à la gloire du Père idéalisé : elle aide Frederic Maitland, mari de la belle cousine Florence, à rédiger la vie de Leslie. Celui-ci avait passé commande à son meilleur ami, avant de mourir, d'un tel tribut – la moindre des choses, pour un homme dont le génie d'érudit avait été diagnostiqué dès son babil d'enfant, à en croire sa Nonne de sœur. Le regard naïf et dévot de Caroline est une menace dont il faut se prémunir pour l'édification du monument. Jack lui aussi veut imposer sa vision de Leslie – l'énergie qu'il faut déployer pour tenir face aux autres, et Nessa qui toujours empêtrée dans ses ambiguïtés passe tout à l'ex-beau-frère ! Virginia enrage de ces hommes qui se pressent autour de sa sœur, laquelle n'a aucun discernement en la matière. Mais elle tient bon et travaille à accomplir la tâche filiale que Leslie attendait d'elle de toute éternité.

Même si Maitland ne la crédite pas autrement qu'en citant un court témoignage de *l'une de ses filles*, ce travail est une gaule, qui sert à tenir le monstre à distance. C'est aussi une première émancipation : écrire sur son Père, lire et copier les lettres de ses Parents en en expurgeant l'intime et le médiocre, cerner les fêlures dans le prétendu génie, tout cela l'aide à se défaire de l'exuvie d'enfance – après tout, on se libère grâce aux failles de ses parents.

Elle profite de cette énergie scripturale et du manque

de société pour faire du tri dans ses propres manuscrits. La littérature seule permet de comprendre le monde et de le souffrir ; contrairement à Leslie, Virginia n'a jamais lorgné vers la philosophie ou l'érudition, elle n'hésite pas sur le chemin à prendre, mais sur le bon moment et la bonne manière de commencer le voyage. Elle songe – timidement, ce n'est qu'un soupçon d'idée – à proposer des articles à des journaux. Ce serait une nouvelle forme de conversation avec autrui dans la solitude, une façon de tenir à la surface de l'onde faute d'avoir hérité du savoir apotropaïque de sa Mère. Mais c'est un tout petit peu trop tôt, même si l'on brûle.

Pendant ces longs mois qu'elle passe loin de Londres, Thoby et Vanessa ont latitude pour chercher une maison dans Bloomsbury. Car ça y est, et c'est un autre effet, prévisible et prévu celui-ci, de la mort du Père : elle va quitter Kensington, le quartier historique de la famille, se soustraire à son haleine, aux yeux pochés et dignes qui se fixent sur vous où que vous alliez. Elle va quitter surtout le grand manoir sombre, la vieille maison de Hyde Park Gate : le gnomon ne fera plus repère mais c'est tant mieux, la maison comble de souvenirs crochus, piquants, craquelés devient du passé, auquel elle pourra repenser avec autant de nostalgie que d'horreur pendant le reste de sa vie. C'est aussi un peu douloureux, après tout ces reliques même sombres et anguleuses sont tout ce dont on dispose, et puis Bloomsbury est si triste, si gris. Mais il faut bien quitter l'enfance.

Les membres fonctionnels de la famille dénichent une maison au 46, Gordon Square, qu'ils ont aménagée en attendant que Virginia soit à son tour suffisamment fonctionnelle pour les rejoindre. Elle n'a presque pas séjourné à Londres depuis la mort du Père, et ses livres, ses disques, ses photos, tout son *paraphernalia* familier lui manquent. Mais les ordres du docteur sont les ordres, même absurdes, et la compagnie étriquée de Cambridge, le papier peint marron de la vieille quakeresse sont considérés comme de meilleurs remèdes que le mol abandon à la solitude familière qu'elle pourrait trouver en étant chez elle. Elle ne se sent aucune liberté et songer que sa nouvelle maison l'attend alors qu'elle est de nouveau assignée à résidence la rend folle – comme cela rendrait fou quiconque.

En novembre, enfin, elle emménage à Gordon Square. Fini, le papier peint William Morris de l'impasse ! Fini, la table à thé ! On peint les murs et on boit du café, sans même s'essuyer les lèvres. Le sommeil n'est pas parfait, mais du moins elle retrouve une paix relative dans ce foyer débarrassé des souvenirs, des maladies et de la mort. Ses frères et sœur, plongés dans le tourbillon de la vie sociale, lui permettent la solitude à laquelle elle aspire – ce qui ne l'empêche pas de se plaindre qu'on la délaisse. Elle s'accoutume aux grondements sourds de la bête, son pain désormais quotidien.

Vanessa a tenté d'infléchir la fracture en faisant un bref passage à la très cotée Slade School of Fine Art ; mais bien vite, malgré cette occasion d'enfin trouver une légitimité, malgré surtout sa rencontre avec l'extravagant, le visionnaire, le passionné Roger Fry, qui y enseigne l'histoire de l'art, elle décide de s'émanciper des professeurs, dont le jugement lui est aussi terrifiant que futile. Le geste de sa sœur délivre aux yeux de Virginia une évidence : si l'on peut être artiste sans faire une école d'art, on peut être écrivain sans fréquenter Cambridge. Elle peut enfin anéantir la menace qu'était la fée du foyer. Stella est morte d'y avoir sacrifié. Virginia pas plus que Vanessa ne compte se faire avoir. La mort du Père est pour toutes deux l'occasion de marcher seules, de conjurer la dépendance des femmes vis-à-vis des hommes – il ferait beau voir qu'un mari vienne prendre le relais.

Mais Thoby a invité à dîner, dans la nouvelle maison de Gordon Square, ce jeune juif passionné dont les mains tremblent et qui s'apprête à s'éclipser sous les tropiques. Il n'est guère séduisant, encore moins argenté, mais dans ses yeux il y a l'intensité de qui est capable, sous la froideur, de tout l'amour du monde. C'est bien le moins qu'il faut à Virginia. Elle voit que les mains de Leonard tremblent, mais elle ne sait pas qu'il aime les cactées et les plantes tropicales, ni qu'il célèbre son anniversaire presque le même jour que Leslie, qui ne le fêtait plus depuis que Minny avait choisi ce jour pour mourir – cette patiente folie des dates, qui savent très bien ce qu'elles font, Freud vient d'inventer la psychanalyse, mais chut.

Pour l'heure seuls les livres comptent, et surtout ceux que l'on projette d'écrire. La question de la publication émerge cette fois franchement. Mais le moyen d'être publiée dans ce monde d'hommes, où seuls les hommes sont pris au sérieux ? Il y a bien la maison d'édition de Gerald, mais sa vision de la littérature est celle d'un marchand de drap et l'idée lui répugne autant que la bedaine du demi-frère. Gerald n'a rien d'un Henry Austen, qui de sa sœur Jane a su faire connaître l'œuvre avec finesse et courage. De toute façon elle n'a pas encore été au bout de l'écriture d'un livre, cette ultime forme de l'échange avec autrui. Il faut commencer par les journaux. Sa ferveur de lectrice s'accomplit en acte : elle va rédiger des critiques, s'aiguiser la plume et faire en douceur le saut vers la conversation publique. Reste à convaincre un journal de la publier. Leslie avait été introduit par son frère aîné Fitzjames, il lui faut trouver une grande sœur – de ces grandes sœurs que l'on adoube, de celles qui fournissent l'amadou quand on a appris à cogner le silex, de celles qui permettent à une femme de croire en elle-même et d'avancer, quand les pères, les frères, les oncles – et parfois les mères – freinent. Or Vanessa n'y est pas, il faut chercher ailleurs.

Kitty, qui avait fini par se montrer fort présente pendant la maladie de Leslie, est devenue indispensable à Vanessa. Virginia ne sait sur quel pied danser avec cette mondaine exquise et irritante, qui pourrait lui offrir ses entrées dans les journaux – notamment la *National Review*, où travaille son mari Leo Maxse. Mais Kitty est femme à davantage apprécier chez ses congénères leur bonne santé et le rose de leur complexion que leur talent d'écriture. Quant à sa tante Anny, Virginia ne la prend pas au sérieux malgré son succès. Elle reste l'incarnation de Victoria, des tasses à thé et du serviteur en porcelaine kensingtonien.

Madge en revanche est un vrai soutien qui, ayant tu ses propres ambitions, lit et apprécie les textes de Virginia – écho du goût de ses enfants pour les fables, mettant en scène de très horribles dragons, que Virginia imagine pour eux. La tante Caroline aussi a sa foi à offrir. La vieille quakeresse avec ses sentiments vertueux est de fort mauvais conseil, mais sa candeur est son plus grand trésor. Violet enfin, qui à l'inverse a le bon goût d'être vicieuse, parle juste et fait office d'étai affectif. Avant de lui offrir un encrier où puiser le courage d'écrire, elle lui offre une adresse déterminante : celle de la directrice éditoriale du *Guardian* – du moins, du supplément féminin, il faut bien commencer par creuser là où l'on se tient debout. Virginia va lui écrire pour lui proposer des critiques et accompagner sa lettre d'un premier texte pour lui montrer ce dont elle est capable.

Elle reprend le récit qu'elle a écrit au pays de Galles, après la mort de Leslie. Elle prétend se ficher – la croyons-nous ? – de l'avis intime de la directrice éditoriale sur son travail. Elle prétend se ficher de l'avis de tous, mais la moindre critique la met à l'agonie et lui fait envisager de se consacrer à la peinture. Elle prétend vouloir avant toute chose – la croyons-nous ? – gagner de l'argent pour couvrir les frais de sa maladie, infirmières et docteurs attendent leur dû, et amasser les premières guinées nécessaires à la nouvelle vie qui s'annonce. Elle prétend être certaine de son talent, de la supériorité de ce qu'elle peut faire sur l'essentiel de ce qui se publie, mais prétend aussi que parfois elle ne sait plus et jure n'être pas capable de juger son propre travail.

Elle tente de se saborder, la peur de l'échec autant que du succès fait qu'elle ne met pas toutes ses chances de son côté : elle envoie au *Guardian* un manuscrit peu lisible, oublie de joindre une enveloppe timbrée pour la réponse et néglige même de donner son adresse – c'est que le Père peut-être n'est pas tout à fait mort, et quoiqu'elle sache bien qu'il faut jouer le jeu, ne pas se reposer orgueilleusement sur ses qualités littéraires, elle renâcle encore. Malgré ses efforts pour échouer, le *Guardian* est séduit : ils publieront tout autre texte qu'elle voudra bien leur envoyer et s'engagent à lui passer commande de critiques de livres.

Il est temps de jeter les dés. Plus de mère. Plus de père. Même Shag, le chien adoré de son enfance, vient de mourir, heurté par un cabriolet. Reste le travail. L'autre vie, la vraie, peut commencer. Elle ouvre son cahier : pour la première fois, elle va écrire avec la certitude d'être publiée. Anonymement, mais c'est un début, et cela vaut mieux que le nom du Père. Elle souffle sur une miette qui souille sa page, bâille, relève les yeux. Ce n'est pas rien que ce premier pas. Elle regarde les lourds rideaux de velours et songe qu'il faudra les remplacer. Du chintz, peut-être. Autour d'elle les étagères chargées de livres qu'elle a reliés elle-même, au sol des lettres, des manuscrits, des crayons et des taches d'encre, toutes choses qui la rassurent. Le feu de cheminée, son compagnon, tamisé de lumière électrique. Elle baisse les yeux sur son cahier.

Elle a choisi – après avoir hésité avec une nécrologie de Shag – d'écrire la chronique de son pèlerinage à Haworth. Elle y est enfin allée le mois dernier, cœur battant de crainte d'être déçue, frotter son audace aux reliques des sœurs Brontë dans l'espoir d'en faire l'amadou de sa propre flamme. Elle se met à l'ouvrage. Elle dit l'hiver, la tempête de neige – de rigueur pour une bonne appréhension des lieux –, elle dit la peur qu'un demi-siècle de modernité n'ait tout transformé, la peur de ne pas retrouver les morceaux de littérature tels qu'on les a rêvés, fantasmés depuis les lectures de prime adolescence illustrées d'images d'Épinal. Elle dit la déception : l'ambiance du presbytère, même hiémale, ne parvient pas au sinistre, elle est simplement quelconque. Elle dit l'absence de vie préservée, la pâleur chlorotique des objets sous vitrine, la vanité du pèlerinage, et elle semble s'adresser à nous qui, un siècle plus tard, tentons de sentir quelque chose d'elle à coups dérisoires de voyages, de fouilles dans les guenilles et de déchiffrement des reliques. L'influence des lieux sur l'écriture ne serait donc qu'une vue de l'esprit romantique, le pèlerinage un mièvre fétichisme ?

Et pourtant : il y a les tombes du cimetière voisin qui font plus de brouillard encore dans l'atmosphère, il y a la robe de Charlotte et ses chaussures, le tabouret qu'Emily, dans ses marches au cœur d'un paysage de brande figé dans une éternité cartilagineuse, transportait et posait dans les sphaignes pour rêver. Ces choses qui ont touché l'âme et la peau des sœurs éveillent en elle une émotion qui nous est familière et redonne crédit à nos propres tentatives. Chercher le génie des Brontë dans un presbytère au fin fond du Yorkshire est peut-être aussi vain que de chercher dans la jambe coupée d'Arthur Rimbaud la source des *Illuminations*, mais la quête vaut pour l'écho qu'elle fait surgir en nous de nos propres intuitions. Virginia à Haworth fait comme nous qui faisons comme elle, elle nous imite ou nous invite selon que le temps présent est ici ou là, qu'elle nous y rejoint d'un bond ou que nous la traquons, dérisoires, mus par notre désir comme par nos gouffres.

Sa main se crispe sur la plume, le poignet souffre dans le va-et-vient sur la page. Le point apposé, le tout mis au propre, elle prend une enveloppe, inscrit l'adresse du *Guardian*, glisse les feuillets et referme l'enveloppe, colle un timbre d'un penny dans le coin. Avec l'argent de son premier article, elle s'achètera un chat. Oui, un chat persan. Tandis qu'au même moment naissent nos arrière-grands-mères, que Leonard Woolf embarque pour l'Inde, que l'Angleterre et la France signent l'Entente cordiale et que meurt, en la personne de George Frederic Watts, la peinture victorienne ; tandis que meurt aussi Kate Chopin, la plus flaubertienne des féministes du Bayou, et qu'Anton Tchekhov, le plus féministe des écrivains du Caucase, tousse un dernier cri de mouette ; tandis qu'Anna de Noailles crée le prix Femina et que le poète suisse Charles-Albert Cingria, depuis son galetas parisien, envoie ses premiers textes à des revues, plein d'un espoir semblable, un espoir qui met provisoirement sous l'eau la tête des monstres, le temps d'écrire un paragraphe, un espoir qui rejoint le chœur des espoirs que portent les futurs morceaux de littérature de ce début de siècle, un espoir qui fait écho à ceux de Virginia de devenir enfin l'écrivaine qu'elle rêve d'être et dont il n'est aucun exemple avant elle, elle traverse la rue et glisse l'enveloppe dans la boîte rouge. Les feuillets tombent vers sa vie future.

Remerciements

À Laurent Orry pour l'essentiel

À Yanne Dimay pour m'avoir tendu l'amadou et être restée près du feu ; à la fée Viviane Vagh pour son talent à relier ; à Véronique Ovaldé, mon éditrice, pour avoir tout compris tout de suite

À toutes les femmes puissantes qui m'ont accompagnée sur ce chemin, m'apportant leur savoir, leur engagement, leur amitié ou leur nid, notamment

Catherine Bernard
Geneviève Brisac
Béatrice Cailleaux
Christine Chiquet
Claire Delannoy
Agnès Desarthe
Élise Faure
Sylvie Martin-Lahmani
Véronique Olmi
Lina Pinto

À mes parents, Françoise et Jacques Favier

DE LA MÊME AUTRICE

LE COURAGE QU'IL FAUT AUX RIVIÈRES, roman, Albin Michel, 2017 ; rééd. Le Livre de poche, 2019.

UNE LETTRE, nouvelle, Rhubarbe, 2014.

LE POINT AU SOLEIL, poèmes, Rhubarbe, 2012.

CONFESSION DES GENRES, nouvelles, Éditions Luce Wilquin, 2012.

DANS L'ÉCLAT DES FEUILLES VIVES, poèmes, Éditions La Musaraigne, 2005.

À CHAQUE PAS, UNE ODEUR, poèmes, Librairie-Galerie Racine, 2001.

Composition : IGS-CP
Impression en mai 2019
Éditions Albin Michel
22, rue Huyghens, 75014 Paris
www.albin-michel.fr
ISBN : 978-2-226-44271-0
N° d'édition : 23534/01
Dépôt légal : août 2019
Imprimé au Canada chez Marquis Imprimeur inc.